KB141331

현대어본 명주보월빙

현대어본

명주보월빙

4

역주

최
길
용

이 저서는 2010년도 정부재원(교육부 인문사회연구역량강화사업비)
으로 한국연구재단의 지원을 받아 연구되었음(NRF-2010-327-A00283)
This work was supported by the National Research Foundation of
Korea Grant funded by the Korean Government(NRF-2010-327-A00283)

서문 ● ●

    텔레비전이나 라디오가 없던 시절, 소설은 우리 선인들에게 무료한 일상을 달래며 인간사의 다양한 문제들에 대한 여러 생각들을 공유하게 해주던 매우 유용한 미디어였다. 아낙네들의 길쌈하던 일자리나 밤 마실 자리에도, 고관대가 귀부인들의 침실이나 근엄한 사대부들의 책상위에서도, 길가는 사람들로 붐비던 남대문이나 종로거리에서도, 소설은 오늘의 TV나 라디오처럼 사람들의 눈과 귀를 사로잡았다. 그리하여 아낙네들은 소설 없는 밤을 견디지 못하여 금반지나 쌀자루를 들고 세책가를 뻔질나게 들락거렸고, 먹고살 길이 막막했던 어느 곱상한 총각은 여자 강독사로 변장을 하고 판서대감댁 마님 방을 드나들며 소설을 읽어주다 불륜사실이 들통 나 죽음을 당하기도 했다. 그런가하면 공청에서 소설 삼매경에 빠져있던 어느 대감님은 갑작스러운 방문객에 화들짝 놀라 공문서로 소설책을 덮어놓고 시치미를 떼기가 다반사였는가 하면, 종로의 한 담뱃가게 점원 녀석은 전기수가 들려주던 삼국지에 팔려 있다가, 악한 조조가 착한 유비를 몰아붙이는 대목에서 화가나, 담배 썰던 칼을 들고 나와 애꿎은 전기수를 찔러 죽이는 살인사건이 일어나기도 했다.

    이렇듯 18–19세기 조선사회는 온통 소설열독에 빠져 있었다. 글을 아는 사람이든 모르는 사람이든, 양반이든 평민이든, 남자든 여자든, 노인이든 젊은이든 할 것 없이 삼천리 방방곡곡이 소설열풍에 휩싸여 있었다. 그렇게 될 수 있었던 것은 무엇보다도 소설이란 장르의 문학적 특성 곧 이야기 문학이 갖는 접근의 무제한성에 있다. 우리 모두가 알고 있는 바와 같이, 이야기는 사건의 흐름을 통해서 이해되는 것이지, 꼭 글자를 통해서만 이해되는 것이 아니다. 비록 글자로 쓰인 이야기라 하더라도, 그것을 누군가가 대신 읽어주거나, 먼저 읽은 사람이 읽은 내용을 말해주는 것을 듣고도, 얼마든지 그 이야기의 내용을 이해할 수가 있고 공감을 가질 수가 있다. 이러한 특성 때문에, 당시에는 글자를 모르는 사람이나 책읽기를 고역스럽게 여기는 사람을 위해, 책을 대신 읽어주는 강독사나, 책을 먼저 읽고 그 내용을 구수한 입담으로 풀어 이야기해주는 전기수와 같은 새로운 직업인이 나타나기도 하였다.

그러나 이 시대를 한국문학사에서 소설의 시대로 꽃피우게 한 것은 뭐니 뭐니 해도 한글필사본소설들의 범람이다. 한글필사본소설들은 한글의 쓰기 쉽고 빨리 쓸 수 있다는 장점과, 필사본의 간편하면서도 저렴한 제책 방식이 갖는 장점을 최대한 활용한 것으로서, 가정이나 궁중 세책가 등에서 다투어 소설들을 베껴 돌려가며 읽었다. 특히 세책가에서는 여러 종의 한글필사본들을 다량으로 확보해 놓고 본격적으로 소설 대여업에 나섬으로써, 이 시대 소설열풍에 더 큰 불을 지폈다.

이 작품 〈명주보월빙〉연작 235권(〈명주보월빙〉100권, 〈윤하정삼문취록〉105권, 〈엄씨효문청행록〉30권)은 위에서 말한 바의 18세기 말 한국고소설의 전성시대에 나왔다. 그 작품분량은 원문 글자 수가 도합 332만3천여 자(〈보월빙〉1,475,000, 〈삼문취록〉1,455,000, 〈청행록〉393,000)에 이를 만큼 방대하여, 당대 조선조 소설문단의 창작적 역량을 한눈에 보여주는 대작이다. 이 연작은 한국고소설사상 최장편소설로 꼽히는 작품일 뿐 아니라, 동시대 세계문학사에서도 그 유례를 찾아볼 수 없는 대장편서사체이다. 그 분량이 하루에 3-4시간을 들여 하루 한권씩을 꼬박꼬박 읽어낼 수 있는 아주 성실한 독자라고 할 때, 무려 235일간을 읽어야 다 읽어낼 수 있는 분량이니, 이 작품이 당시 궁중에서도(낙선재본), 일반대중들 사이에서도(박순호본: 이것은 세책본이다) 널리 읽혀졌던 사실을 염두에 둔다면, 당대 우리사회의 소설열독 풍조와 세책가의 활황이 어느 정도였을 지를 가히 짐작하고도 남게한다.

양식 면에서, 《명주보월빙 연작》은 중국 송나라를 무대로 하여 윤·하·정 3가문의 인물들이 대를 이어 펼쳐가는 삶을 다룬 〈보월빙〉·〈삼문취록〉과, 윤문과 연혼가인 엄문의 인물들이 펼쳐가는 삶을 다룬 〈청행록〉으로 이루어져, 그 외적양식 면에서는 〈보월빙〉-〈삼문취록〉-〈청행록〉으로 이어지는 3부 연작소설이며, 내적양식 면에서는 윤·하·정·엄문이라는 네 가문의 가문사가 축이 되어 전개되는 가문소설이다.

내용면에서 보면, 이 연작에는 모두 787명(〈보월빙〉275, 〈삼문취록〉399, 〈청행록〉113)에 이르는 수많은 인물군상이 등장하여, 군신·부자·부부·처첩·형제·친구 등 다양한 인간관계에서 벌어지는 숱한 사건들을 펼쳐가면서, 충·효·열·화목·우애·신의 등의 주제를 내세워, 인륜의 수호와 이상적인 인간 공동체의 유지, 발전을 위한 선적가치(善的價値)들을 권장하고 있다. 아울러 주동인물군의 삶을 통해 고귀한 혈통·입신양명·전지전능한 인간·일부다처·오복향수·이상향의 건설 등과 같은 사대부귀족계급의 현세적 이상을 시현해놓고 있다.

필자는 이 책 『현대어본 명주보월빙』의 편찬에 앞서 『교감본 명주보월빙』(全5권, 학고방, 2014.2)을 편찬 간행한 바 있다. 이 교감본 명주보월빙』은 〈명주보월빙〉의 두 이본, 곧 100권100책으로 필사된

'낙선재본'과 36권36책으로 필사된 '박순호본'을 원문내교(原文內校)와 이본대교(異本對校)의 2단계 원문교정 과정을 거쳐 각 텍스트의 필사과정에서 생긴 원문의 오자·탈字·오기·연문·결락들을 교정하고, 여기에 띄어쓰기와 한자병기 및 광범한 주석을 가해 편찬한 것으로써, 컴퓨터 문서통계 프로그램이 계산해준 이 책의 파라텍스트(para-text)를 제외한 본문 총글자수는 539만자(낙본 2,778,000자, 박본2,612,000자)에 이른다.

이 책은 위 두 이본 중 선본인 낙선재본 교감본(2,778,000자)을 대본으로 하여 이를 현대어로 옮긴 것으로, 그 총분량은 282만자에 달한다. 앞의 교감본이 연구자를 위한 전문학술도서 국배판 전5권으로 편찬된데 비해, 이 현대어본은 중·고·대학생과 일반대중을 위한 교양도서(소설)로 성격을 전환하고, 그 규격을 경량화 하여 신국판 전10권으로 편찬함으로써, 책의 부피가 주는 중압감과 지나치게 작고 빽빽한 글자가 주는 눈의 피로를 해소하기 위해 노력했다.

이 현대어본의 편찬 목적은 고어표기법과 한자어·한자성어·한문문장체 표현 위주의 문어체 문장으로 되어 있는 원문을, 현대철자법과 현대어법에 맞게 번역하거나, 한자병기, 주석, 띄어쓰기를 가해 가독성(可讀性)이 높은 텍스트로 재생산하여, 일반 독자들에게 '읽기 쉬운 책'을 제공하는데 있다. 그리고 이렇게 함으로써 독자들이 누구나 쉽게 우리의 고전문학에 접근할 수 있게 하고, 일찍이 세계 최고수준의 소설문학을 창작하고 향유했던 민족문학에 대한 이해와 자긍심을 높이 갖도록 하는 데 있다.

아무쪼록 이 책의 출판을 계기로 이 작품이 더 많은 독자들과 연구자,

문화계 인사들의 사랑과 관심을 받게 되고, 영화나 TV드라마 등으로 제작되어 민족의 삶과 문화가 더 널리 전파되어 갈 수 있기를 기대한다. 이 작품들 속에 등장하는 앵혈·개용단·도봉잠·회면단·도술·부적·신몽·천경 등의 다양한 상상력을 장착한 소설적 도구들은 민족을 넘어 세계인들의 사랑과 흥미를 이끌어내기에 충분할 것으로 믿어 의심치 않는다.

끝으로 어려운 출판 여건 속에서도 『교감본 명주보월빙』(全5권)에 이어, 전10권이나 되는 이 책의 출판을 흔쾌히 맡아주신 도서출판 학고방의 하운근 대표님과, 편집과 출판을 맡아 애써주신 직원 여러분께 깊은 감사를 드린다.

2014년 4월 20일
최길용
(전북대학교겸임교수)

•• 일러두기

　이 책『현대어본 명주보월빙』은 필자가 〈명주보월빙〉의 두 이본, 곧 100권100책으로 필사된 '낙선재본'과 36권36책으로 필사된 '박순호본'을, 원문내교(原文內校)와 이본대교(異本對校)의 2단계 원문교정 과정을 거쳐, 각 텍스트의 필사과정에서 생긴 원문의 오자·탈자·오기·연문·결락들을 교정하고, 여기에 띄어쓰기와 한자병기 및 광범한 주석을 가해 편찬한『교감본 명주보월빙』(全5권, 학고방, 2014.2.)의, '낙선재본 교감본'을 대본(臺本)으로 하여, 이를 현대어로 옮긴 것이다.

　그 방법은 원문 가운데 들어 있는 ①난해한 한자어나, ②한문문장투의 표현들, ③사어(死語)가 되어버려 현대어에 쓰이지 않는 고유어들을, 1.현대어로 번역하거나, 2.한자병기(漢字倂記)를 하거나, 3.주석을 붙여, 독자가 그 뜻을 쉽게 이해할 수 있도록 하되, 그 이외의 모든 고어(古語)들은 4.표기(表記)만 현대 현대철자법에 맞게 고쳐 표기하는 방식으로 이 책『현대어본 명주보월빙』을 편찬하였다.

　여기서는 위 1.-4.의 방법에 대해 한 두 개씩의 예를 들어 두는 것으로, 본 연구의 현대어본 편찬방식을 간단하게 밝혀두기로 한다.

1. 번역

　한문문장투의 표현이나 사어(死語)가 된 고어는 필요한 경우 현대어로 번역하였다.

㉠ '조디장ᄉᆞ(鳥之將死)이 기셩(其聲)이 쳐(悽)ᄒᆞ고, 인지장ᄉᆞ(人之將死)의 기언(其言)이 션(善)ᄒᆞ다.'ᄒᆞ니, 슉뫼 반ᄃᆞ시 별셰(別世)ᄒᆞ시려 이리 니르시미니

⇒ '새가 죽을 때면 그 소리가 슬프고, 사람이 죽을 때면 그 말이 착하다' 하니, 숙모 반드시 별세(別世)하시려 이리 이르심이니,

㉡ 그대 집 변고는 불가사문어타인(不可使聞於他人)이라. 우리 분명이 질녜 무사히 돌아감을 보아시니, 그 사이 변괴 있음이야 어찌 몽리(夢裏)의나 생각하리오마는

⇒ 그대 집 변고는 남이 들을까 두려운지라. 우리 분명히 질녀가 무사히 돌아감을 보았으니, 그 사이 변괴 있음이야 어찌 꿈속에서나 생각하였으리오마는

㉢ 안비(眼鼻)를 막개(莫開)'라
⇒ 눈코 뜰 사이가 없더라.

㉣ 성각이 망지소위중(罔知所爲中) 차언(此言)을 듣고
⇒ 성각이 당황하여 어찌해야 할지를 알지 못하는 가운데 이 말을 듣고

㉤ 기불미새(豈不美之事)리오?
⇒ 어찌 아름다운 일이 아니겠는가?

ⓗ 사어(死語)가 된 고어는 필요에 따라 번역하였다.

예)쩌지우다/처지게 하다 떨어지게 하다 다릐다/당기다

－도곤/－보다 아/아우 아이/아우 동생 남다/넘다

아쳐ᄒ다/흠을 잡다 싫어하다 미워하다 ᄲᅡᆫ다/뽑다

무으다/쌓다 만들다 흉ᄒᆡ(胸海)/가슴 나/나이

2. 한자병기(漢字倂記)

어려운 한자어 가운데 한자만 병기하여도 그 뜻을 쉽게 이해할 수 있
는 말은 구태여 주석을 붙이지 않고 한자만 병기하였다.

ⓐ 신부의 화용월ᄐᆡ(花容月態) 챤연쇄락(燦然灑落)ᄒ여 챵졸의 형
  용ᄒ여 니르지 못ᄒᆞᆯ디라.

  ⇒ 신부의 화용월태(花容月態) 찬연쇄락(燦然灑落)하여 창졸에
    형용하여 이르지 못할지라.

3. 주석(註釋)

한자병기만으로 뜻을 이해할 수 없는 한자어나, 사어(死語)가 된 고어
는, 주석을 붙여 그 뜻을 밝혀 두어, 독자가 쉽게 이해할 수 있게 하였다.

ⓐ 윤태위 빅의소ᄃᆡ(白衣素帶)로 죄인의 복식을 ᄒ여시나, 화풍경
  운(和風慶雲)이 늠연쇄락(凜然灑落)ᄒ여 농미봉안(龍眉鳳眼)이
  며 연함호뒤(燕頷虎頭)오 월면단슌(月面丹脣)이니

  ⇒ 윤태우 백의소대(白衣素帶)1)로 죄인의 복색을 하였으나, 화
    풍경운(和風慶雲)이 늠연쇄락(凜然灑落)ᄒ여, 용미봉안(龍眉
    鳳眼)2)이며 연함호두(燕頷虎頭)3)요 월면단슌(月面丹脣)4)

이니

주) 1) 백의소대(白衣素帶) : 흰 옷과 흰 띠를 함께 이르는 말로
벼슬이 없는 사람의 옷차림을 말함.

2) 용미봉안(龍眉鳳眼) : '용의 눈썹'과 '봉황의 눈'이란 뜻으
로, 아름다운 눈 모양을 표현한 말.

3) 연함호두(燕頷虎頭) : 제비 비슷한 턱과 범 비슷한 머리
라는 뜻으로, 먼 나라에서 봉후(封侯)가 될 상(相)을 이
르는 말.

4) 월면단순(月面丹脣) : 달처럼 환하게 잘생긴 얼굴에 붉
고 고운 입술을 가짐.

ⓛ 촌촌(寸寸) 젼진ᄒ여 걸식 샹경ᄒ니, 대국 인물의 셩흠과 번화ᄒ
미 번국과 닉도ᄒᆞ다.

⇒ 촌촌(寸寸) 전진하여 걸식 상경하니, 대국 인물의 성함과 번
화함이 번국과 내도한지라1).

주) 1)내도하다 : 매우 다르다. 판이(判異)하다.

ⓒ ᄌ녀를 셩취(成娶)ᄒ여 영효(榮孝)를 보미 극히 두굿거오나 내
스스로 ᄆᆞ음이 위황 (危慌)ᄒ니

⇒ 자녀를 성취(成娶)하여 영효(榮孝)를 봄이 극히 두굿거우나1)
내 스스로 마음이 위황(危慌)하니

주) 1) 두굿겁다 : 자랑스럽다. 대견스럽다.

4. 현행 한글맞춤법 준용

고어는 그것을 단순히 현대철자법으로 고쳐 표기하는 것만으로도 그

90% 이상이 현대어로 전환된다. 따라서 현대어본 편찬 작업의 중심은 고어를 현대철자법으로 바꿔 표기하는 작업에 있다 할 것이다. 이 책에서의 현대어 전환표기 작업은, 번역을 해야 할 말을 제외한 모든 고어 원문을, 현행 한글맞춤법을 준용하여, 현대 철자법으로 고쳐 표기하는 방식으로 진행하였다. 그리고 그 작업에는 다음의 몇 가지 원칙이 적용되었다.

① 원문의 아래아 (·)는 'ㅏ'로 적음을 원칙으로 한다.
(조녀⇒자녀, 잉티⇒잉태, 영ᄋ⇒영아, 이 ᄀᆞ흔⇒이 같은, 예외; 업거늘⇒ 없거늘)

② 원문의 연철표기는 현대어법을 따라 분철표기를 원칙으로 한다.
(므어시⇒무엇이, 본바들⇒본받을, 슬프믈⇒슬픔을, 고ᄋᆞ믈⇒고움을, 아라⇒알아)

③ 원문의 복자음은 현행 맞춤법 규정을 따라 표기한다.
(ᄲᅡᇰ노ᇰ⇒쌍룡, ᄠᅳᆮ⇒뜻, ᄡᅩ아⇒쏘아, ᄭᆡᄃᆞᆺ디⇒깨닫지, ᄲᆞᆯ니⇒빨리, ᄯᆞᆯ오더니⇒따르더니)

④ 원문의 표기가 두음법칙·구개음화·원순모음화·단모음화 등의 음운변화로 인해 달라진 말들은 현행 맞춤법 규정을 따라 표기 한다.
(뉴시⇒유씨, 녕아⇒영아, 텬죠⇒천조, 뎐샹뎐하⇒전상전하, 믈⇒물, 쥬쥬⇒주주)

5. 종결·연결·존대어미 등의 원문 준용

문어체 위주의 원문 문장은 구어체 위주의 현대문장과 현격한 문체적 차이를 갖고 있다. 특히 문장의 종결어미나 연결어미, 존대어미는 글의 문체적 특성을 드러내는 매우 중요한 요소들이기 때문에 역자가 이를 현대문의 문체로 고쳐 표현하는 것은 한계가 있을 수밖에 없다. 그것은 문어체 문장이 갖고 있는 장중(莊重)하고도 전아(典雅)하면서 미려(美麗)하고 운율적(韻律的)인 여러 미감(美感)들을 깨트려놓음으로써, 원전의 작품성을 크게 훼손할 수가 있기 때문이다. 따라서 이 책에서는 원문의 종결·연결·존대어미들을 원문의 형태를 준용하여 옮기되, 앞의 원칙(4. 현행 한글맞춤법 준용)에 따라 철자법만 현대 철자법으로 고쳐 옮겼다. 다만 연결어미의 반복적 사용으로 문장이 매끄럽지 못하거나 지나치게 길어진 경우에는 이를 적절히 교정하였다.

목차 • •

명주보월빙 권지삼십일

차설 신묘랑이 차일 석양에 몸을 숨겨 양부에 들어가 기색을 살피고 밤들기를 기다리더니, 야심 후 양씨 사침에 돌아오매 모든 부인들이 모여 야심토록 한담하다가 돌아가거늘, 묘랑이 깃거 이에 범이 되어 입으로 풍운을 지어 사람을 경동하고, 부지불각에 들이달아 부인을 활착(活捉)하여 공중에 오르니, 부인이 무망중에 이 변을 만난지라. 창졸에 수미(首尾)를 모르고 힘힘이[1] 요사(妖邪)에 활착된바 되어 운외(雲外)에 오르니, 정신이 어득하여 아무런 줄 모르더니, 겨우 기운을 수습하여 눈을 들어 살피니, 괴이한 짐승이 자기 몸을 후려 공중에 올라 표표(飄飄)히 행하니, 이변(耳邊)에 풍성(風聲)이 요요(搖搖)하여 가는 바를 알지 못할지라. 순식간에 한 곳에 이르니, 인성(人聲)이 자자하며 어지러이 가르쳐 왈,

"정말 천신이로다."

하니, 부인이 희미하게 내밀어보니, 정하에 일위 중년 여자 후비(后妃) 복색으로 시녀 십여 인을 거느려 하늘을 우러러 보며 숫두어리는지라. 그 짐승이 소리를 않고 자기를 업고 그곳을 지나 백여 간(間)[2]을 행

---

1) 힘힘이 : 속절없이, 부질없이, 어찌할 도리 없이.
2) 간(間) : 길이의 단위. 한 간은 여섯 자로, 1.81818미터에 해당한다.

하여는 두어 궁인이 왈,

"아등이 낭랑 명으로 사부를 기다림이 오래도다. 낭랑이 양씨를 바로 석혈(石穴)에 가두라 하신다."

하고, 인도하여 한 산 밑에 다다라 석혈을 열고, 짐승이 업어 그 속에 들이치고 돌아가니, 양씨 어득한 중 윤씨 노주를 만나니 놀랍고 반가움을 이기지 못하여 서로 봉변지사를 이르고, 에분(恚憤)3)이 통입골수(痛入骨髓)하더라.

묘랑이 양씨를 잡아 석옥에 넣고, 요상궁으로 더불어 북궁(北宮)에 이르러 귀비를 보니, 귀비 당에 내려 맞아 좌정하매, 묘랑의 손을 잡고 그 신기함을 책책(嘖嘖)4) 칭찬하매, 혀 닳고 침이 갈(渴)하니, 자기 모녀 세세생생(世世生生)의 은인으로 대접하여 저버리지 않을 바를 신신(申申)이 맹세하고, 금반옥기에 팔진성찬을 묘랑의 앞에 벌이고, 상방(尙方)5) 일등 자하주(紫霞酒)6)를 유리종(琉璃鍾)7) 호박대(琥珀臺)8)에 만작(滿酌)하여, 귀비 친히 잔을 들어 묘랑을 권하며, 허다 기진이보(奇珍異寶)9)와 금화(金貨) 채단(綵緞)을 쌓아 그 공을 사례하니, 묘랑이 흔흔자득(欣欣自得)하여 눈썹을 모으고 즐겨 않는 빛으로 빗새와10) 왈,

---

3) 에분(恚憤) ; 분(憤)함. 분노(憤怒).
4) 책책(嘖嘖) : 떠들썩하게. 또는 외치거나 떠드는 소리.
5) 상방(尙方) : 상의원(尙衣院). 조선 시대에, 임금의 의복과 궁내의 일용품, 보물 따위의 관리를 맡아보던 관아. 고종 32년(1895)에 싱의사(尙衣司)로 고쳤다.
6) 자하주(紫霞酒) : 신선들이 마신다는 술. '자하(紫霞)'는 신선이 사는 곳에 서리는 보랏빛 노을을 이르는 말.
7) 유리종(琉璃鍾) : 유리로 만든 작은 그릇. 종(鍾)은 '종자(鐘子)' 곧 '종지'를 말하며, '종지'는 '종발(鐘鉢)'보다 작은 그릇을 이르는 말이다.
8) 호박대(琥珀臺) : 호박(琥珀)으로 만든 받침대.
9) 기진이보(奇珍異寶) : 기묘하고 진귀하며 특이한 보배.
10) 빗새오다 : ①비싸게 굴다. 다른 사람의 요구에 쉽게 응하지 않고 도도하게 행

"소도(小道) 낭랑 후은을 받자와 부득이 양부인을 해하오나, 양씨 소도로 일면지분(一面之分)도 없고 또 원수 없거늘, 낭랑과 옥주의 소원으로 무죄한 사람을 죽이려 하오니, 가만한 가운데 비록 알 이 없으나, 어찌 하늘이 두렵지 않으리까?"

귀비 청파에 배수계수(拜手稽首)11) 왈,

"이르지 않으나 아나니, 사부는 우리 모녀의 은인이라. 어찌 저버림이 있으리오. 원(願), 사부는 범사를 물려(勿慮)하여, 다만 우리 모녀의 지원(至願)으로 섬김을 잊지 말고, 나중이 있게 하라."

하여, 천만가지로 달래고 부귀로 저혀12) 묘랑을 농락하니, 묘랑이 암희자득(暗喜自得)함을 마지않으니, 귀비 사사에 묘랑을 깃겨13) 타일을 도모할 뜻이 있는 고로, 만금을 헤아리지 않고 그 욕심을 채우니, 가히 웃음직 하도다. 묘랑이 불과 심산 일개 요축(妖畜)으로 인형을 빌려 맑은 세상을 속이고, 악인을 도와 현자를 함해(陷害)하니, 상천이 어찌 진노지 않으시리요. 요얼(妖孼)이 패루(敗漏)하매 주검이 만단(萬端)의 주(誅)함을 묻지 않아 알리러라.

태섬이 귀비의 악사를 보매 모골(毛骨)이 송연하여, 위하여 장래를 근심하고, 윤·양 이부인과 제녀의 옥중 고초를 어여삐 여겨, 때를 타 식음을 공궤(供饋)하니, 그 의기현심(義氣賢心)이 천고에 희한하니, 이 역시 천도 소소(昭昭)하시어 이 같은 의협지인(義俠之人)을 내리오사 숙인성녀(淑人聖女)의 냉옥지지(冷獄之地)에 기아이사(飢餓而死)함을 면케

동하다. ②핑계하다. 구실을 삼다. ③토라지다.
11) 배수계수(拜手稽首) : 두 손을 맞잡고 머리가 바닥에 닿도록 몸을 굽혀 공손히 절함.
12) 저히다 : 위협하다, 겁박하다, 두렵게 하다.
13) 깃기다 : 기쁘게 하다.

하심이라. 만일 태섬이 아니면 윤·양 노주 어찌 보전하리오. 윤·양 이부인과 설란 등이 석혈 간고(艱苦)를 어느 때에 면할꼬?

화설 윤부인이 석혈에 든 지 십여 일에 비주(婢主) 겨우 의지하여, 태섬이 하루 한 때씩 궁극히 틈을 타 얻어 받드는 식음으로 연명하여 아사함을 면하나, 천만 비원이 흉장에 얽혔더니, 일일은 요상궁이 옥문을 열며, 호표의 모양으로 생긴 것이 양씨를 업어 옥의 들이치고, 즉시 옥문을 잠그고 나가거늘, 윤부인이 양씨를 보고 바삐 그 손을 잡고, 함루 탄 왈,

"부인으로 더불어 분수한 지 십여 일에 이런 화를 만나니, 첩은 취운산을 떠나던 날 여차여차 잡혀 북궁에 이르러 석옥 중에 든 죄수 되었거니와, 부인은 어찌 요괴에게 잡혀 오시뇨?"

양씨 호표의 등에 올라 석혈 중에 들어오매 정신이 어득하더니, 윤부인의 어성(語聲)을 들으니, 원간[14] 양씨 친당의 온 후, 평장이 공주의 악악함을 두려워하고, 상명이 절혼하라 하여 이이(離異)하신 고로, 구당(舅堂) 문안과 윤부인 도중 변고를 모르는지라. 윤씨의 말로 좇아 비로소 알매, 정혼을 정하여 옥면에 주류(珠淚) 방방하여 능히 답지 못하더니, 날호여[15] 호표에게 잡혀 옴을 이르고, 윤부인 봉변한 수말을 물으니, 윤부인이 전후사를 이르고 가로되,

"부인을 잡아온 것이 진정한 호표 아니요, 요괴의 작용이니, 전에 하매(妹) 촉에서 나는 호표에게 잡혀, 구몽숙의 욕을 두려 물에 빠졌음을 들었더니, 부인의 봉변함이 또 그런 무리라. 김귀비의 거동이 결단코 아등을 죽이리니, 양가에 불효 극하고 슬하유치(膝下幼稚)들이 육아지통(蓼莪之痛)을 품으며, 복아(腹兒)를 분산치 못한즉 어찌 유유(悠悠)한[16]

---

14) 원간 ; 워낙. 원래. 본지부터.
15) 날호여 : 천천히.

한이 되지 않으리오."

양씨 분개 애읍 왈,

"첩 같은 이는 유무불관(有無不關)하거니와, 부인은 타일 원억(冤抑)을 신설한즉, 정문 종부요, 가군의 원비시니, 이제 간인의 독수로 석혈 중 죄수가 되매, 구가의 불리한 운액이 아니리오."

양인이 서로 비회를 이르며 위로하되,

"만사가 하늘 뜻이라. 인력이 미칠 바 아니요, 이 다 귀비의 사나움과 아등의 액회라, 현마17) 어찌 하리오. 되어 감을 보리라."

하더라.

이때 김귀비 신묘랑을 만나 윤·양을 석혈 원귀를 만드니, 흔흔양양(欣欣揚揚)하여 묘랑의 공덕을 언언이 칭사하고 금백으로 깃기니, 묘랑이 진심갈력하여 못 미칠 듯이 행하며, 온 가지로 귀비 뜻을 영합하니, 귀비 황홀하여 심곡을 일일이 이르고, 문양공주의 오복이 완전케 하라 하니, 묘랑이 순순 응낙하여 사람의 길흉화복을 제 손에서 나는 듯이 하니, 궁인 유의도 어진 자는 묘랑의 공교함을 깃거하는 일이 없으나, 불현자는 생불(生佛)이 강림(降臨)한 듯이 추앙하니, 묘랑이 귀비의 중대를 받은 후는 자존(自尊)하여 요악한 정태 불가형언(不可形言)이로되, 귀비 깨닫지 못하고 범사를 믿어, 매양 윤·양의 아사(餓死)치 않음을 의심하여, 이르면 대답이 여류(如流)하여 오래지 않아 아사할 바로 대답하니, 귀비 소왈,

"낸들 윤·양의 죽을 줄 모르지 않으나, 지금 완완함이 괴이하니, 혹자 구할 이 있을까 염려하노라."

---

16) 유유(悠悠)하다 : 아득하게 멀거나 오래되다.
17) 현마 : 설마.

묘랑이 윤·양의 상모 귀복이 온전하고, 팔자 대길하여 초년 험액이
춘몽 같을 줄 아나, 아직 귀비의 마음을 깃기려 짐짓 윤·양이 살지 못
하리라 하더라.

어시에 윤추밀이 질녀의 행거를 따르다가, 구몽숙의 지극히 청함을 인
하여 구가에서 밤을 지내고 명조에 환가하매, 경애 마주 내달아 이르대,
"작일 운산에 가시어 대인이 친히 종제를 데려오신다 하더니, 어찌 야
야는 금일이야 돌아오시고, 종제를 데리러 갔던 교부 시녀배도 아니 오
나이까?"
추밀이 경왈,
"질녀 작일 이리로 먼저 왔거니와, 나는 길에서 구몽숙을 만나, 병후
야행이 해롭다 하여 제 집에서 밤을 지내라 함으로 이제야 옴이라."
태부인과 유씨 거짓 놀라는 체하여 교부조차 기척이 없음을 이르니,
추밀이 비록 상심실혼(喪心失魂)한 중이나 차악(嗟愕) 발비(拔臂) 왈,
"작일 분명이 거교를 앞세워 집으로 보냈거늘, 어찌 기척이 없고, 노
복조차 없다 함은 무슨 말이니까?"
태부인이 손등을 널리 두드리며, 재촉하여 추밀로 중복(衆僕)을 불러
보라 하니, 공이 이에 모든 노복들을 불러 작일 거교를 모시던 노복을
찾으나 기척이 없는지라. 위태부인이 재촉하여 정부에 통하고 중복을
흩어 거처를 심방하라 하니, 추밀이 대경 참비하여 모든 복부로 작일 거
교 메던 노복을 심방하며, 정부의 전하니라.

시시에 금평후 제자를 거느려 서헌에서 말씀하더니, 윤부 창두(蒼
頭)[18]가 이르러 윤공의 말씀으로 질녀의 도중 실리한 사연을 전하니,
금후 대경 차악하여 손으로 서안을 쳐 왈,

"수한수원(誰恨誰怨)이리오. 작일 우리 윤현부를 데려다 주었을진대 금일 변괴 있으리오."

남후 그 액화를 짐작한 바나 경해(驚駭) 차악(嗟愕)함이 적지 않되, 야야의 과도하심을 민박하여, 피석 주왈,

"윤씨의 만난 바 경해하오나, 도리어 살 땅을 디딘 작시라. 간당이 그 창두와 동심하였음을 짐작하올 것이요, 윤씨 옥누항에 돌아가도 그 조모와 숙모 죽이고 말리니, 차라리 잡아다가 쉬이 결단을 냄이 나음이 있고, 윤씨 결단코 조요박복(早夭薄福)한 상(相)이 아니오니, 원컨대 대인은 물우소려(勿憂消慮)하소서."

금후 점두하고 즉시 윤부의 이르러 윤공을 보고 기간사(其間事)를 물은데, 추밀이 종두지미(從頭至尾)를 다 이르고 참비(慘悲)함을 마지않으니, 금후 반일을 머물러 노복 등을 헤쳐, 그 종적을 추심하나 그림자도 보지 못하고, 메어오던 교부도 찾지 못하니, 원래 유씨, 노복을 금은필백(金銀疋帛)을 주어 본향의 내려가 깊이 숨으라 하니, 차고로 찾지 못함이더라.

금후 불승참연(不勝慘然)하여 여아를 묻지 않고, 본부에 돌아와, 태원전에 들어가 시좌하매, 금후 마침내 기이지 못 할지라, 이에 안색을 화히 하고 말씀을 부드러이 하여, 윤씨 봉변지사를 고하고, 위로 왈,

"윤씨의 화란이 차악하오나, 그 상모 누설중(縲絏中) 조요박복(早夭薄福)지 않으리라 하던 지 오래되, 마침내 운건(運蹇)하여 화액의 **빠졌**으나 깊은 염려는 없을 것이라, 원컨대 자정은 과상치 마소서.

태부인이 청파에 대경 왈,

"세간에 이런 괴이한 변괴 있으니 어찌 차악치 않으리오. 간당이 윤아

---

18) 창두(蒼頭) : 사내종.

를 앗아 갈 제 어찌 해함이 없으리오. 지란 같은 약질이 독수에 살기를 바라리오."

설파에 누수 소매를 적시니, 금후 절민(切憫)하여 호언으로 위로하고, 진부인의 참연함이 일신이 녹는 듯하되, 존당의 비색을 돕지 못하여 사색을 강인하나, 쌍안에 주루(珠淚) 어림을 면치 못하니, 남후 존당 부모 절우하심을 민망하여, 이성낙색(怡聲樂色)으로 위열(慰悅)하더라.

일일은 양부 차환이 이르러, 소저 작야에 호환을 만나 자취 없을 뿐 아니라, 그 호표 나래를 가져 공중에 솟아 경각에 간 데 없음을 고하니, 태부인으로부터 합문 상하(上下)가 차악하며, 윤씨는 도중에 거처를 모르니 사생을 판단치 않을 것이로되, 양씨는 이미 범에게 물려가다 하니 삶이 만무한지라. 태부인이 크게 울고자 하니, 병부 안색을 자약히 하여 이성(怡聲) 주왈,

"이 반드시 요얼(妖孽)[19]의 작용이라, 양공의 가택이 심산벽처(深山僻處) 아니요, 도성 재상의 천문만호(千門萬戶)를 비조(飛鳥)라도 잘 날아들기 어렵거든, 어느 호표가 도성을 돌입하여 부디 양씨를 물어갈 리 없고, 전의 하매는 촉에서 나는 호표의 해를 만나 익수지환(溺水之患)을 당하니, 양씨 물어간 것이 하매를 후려갔던 유(類)니, 각별한 요정이 세상의 있음이라. 양씨의 상모 수화(水火) 중에 들어도 위태치 않을 것이요, 필연 생존한 소식이 삼사년 내의 있으리니, 원 조모는 과상치 마소서."

태부인이 실성유체 왈,

"너는 매양 사람의 상모를 믿어 이완(弛緩)한 말을 하느뇨? 윤·양의 화액 만남이 아무리 생각하여도 살 리 없으니, 양부(兩婦)의 성행기질

---

19) 요얼(妖孽) : ①요악한 귀신의 재앙. 또는 재앙의 징조. ②요망스러운 사람.

(性行氣質)과 사덕효의(四德孝義)를 생각한즉 고금에 희한하니, 너의 처첩이 백인이 있으나, 노모의 정은 윤·양에 비기지 못하리니, 그 누설(陋說) 변고(變故)를 마침내 벗지 못하고 마침이, 어찌 참혹치 않으리오."

언파에 통곡하니, 금후 부자가 존당의 과애(過哀)하심을 절민(切憫)하여, 일시에 그렇지 않음으로써 관위하고, 합문 상하가 다 위하여 슬픈 빛을 뵈지 못하고, 저마다 좋은 말씀으로 위로하고, 금후 제공자를 명하여 화담소어(和談笑語)로 존당의 수회(愁懷)를 잊으시게 하라 하며, 부마로 양부의 가 곡절을 자세히 물어오라 하니, 부마 수명하여 양부로 가니, 양공 부부 방성대곡하여 시신(死身)을 곁에 놓음 같거늘, 부마 관위하여 그치매, 양공 부부 작야 호환을 전하여 비루(悲淚)가 만항(萬行)이나 하여, 여아의 허장(虛葬)20)을 의논한대, 병부 말려 왈,

"소생이 비록 무신불의(無信不義)나, 영녀로 결발대륜(結髮大倫)의 부부지정을 맺은 지 육년에 골육을 두어 은의(恩誼) 경치 아니하더니, 당차시 하여 참혹한 누설 중(陋說中)에 호환의 절명함이 진적한즉, 그 비상한 심사 어떠하리까마는, 실인의 상모 조요박복(早夭薄福)하든 않을 뿐 아니라, 일찍 '나는 범이 도성에 들어 재상가 명부를 물어 등운(登雲)하다' 함을 듣지 못하였나니, 이 필연 요얼(妖孽)이라. 사년 전에 소생의 양매(養妹) 여차 변을 만나 익수지화(溺水之禍)를 보매, 소생이 구하여 돌아와 남매지의(男妹之義)를 맺자니, 일이 그러함이 괴이치 않은지라. 삼사년을 기약하여 생존한 소식이 없으면 허장하려니와, 시금(時今)은 불가한지라, 국가가 비록 의절(義絶)함을 일러 계시나 죽음이 적실할진대, 유자식불거(有子息不去)21)로써 천문에 아뢰고, 빈 관(棺)이라도 소

---

20) 허장(虛葬) : 오랫동안 생사를 모르거나 시체를 찾지 못하는 경우에 시체 없이 그 사람의 옷가지나 유품으로써 장례를 치름. 또는 그 장례. 늑영장(靈葬)

생의 집 선산에 장(葬)함이 떳떳하나, 만만 그렇지 아니 하니이다."

양공이 병부의 말을 그러하다고 여기나, 여아를 생각할수록 참통하여 누하여우(淚下如雨) 왈,

"창백의 말이 유리하나, 여아 팔자 험흔(險釁)하여 괴이한 누명을 신고, 또 호환을 만나니 어찌 살기를 바라리오. 요정이라도 잡아가는 뜻이 심상치 않으니, 지란 같은 약질이 위태할 것이요, 유태중(有胎中)이니, 더욱 어찌 위태치 않으리오. 그 의상(衣裳)을 염장(殮葬)치 아니면 유유한 원백(冤魄)이 어디에 의지하리오."

정병부 소왈,

"악장의 광풍제월(光風霽月) 같은 기도(氣度)로도, 일녀를 위하여 구구(區區)하시어, 데려오던 날부터 비척한 심사를 감추지 못하시더니, 즉금 괴이한 변을 깨닫지 못하시고 허장을 의논하시니, 소생이 외람하나 그윽이 불취(不取)하옵나니, 수년만 기다려 마침내 소식이 없을진대, 생이 천하를 다 돌아 그 매골(埋骨)이라도 얻어 소서(小壻)의 선산의 장하오리니, 원컨대 괴이한 의논을 그치소서."

공이 병부를 취중(取重)함으로 그 말을 좇아 허장을 그치고, 윤부인 평부를 물으니 병부 대왈,

"소생의 처실을 다 잃을 시절을 만나 여차여차 실산(失散)하니이다."

양공이 경탄 왈,

"윤부인의 봉변을 들으매 아녀도 진정 범이 아니요, 요정의 장난인가 하나니, 어찌 경악치 않으며, 또 어찌 생존함을 기필하리오."

병부 호언(好言) 관위(款慰)하여 하직하고 본부에 돌아오니, 존당 부모 통석함이 새로운지라. 병부 민망하여 재삼 위로하고 자녀를 유희하

---

21) 유자식불거(有子息不去) : 자식을 둔 아내는 내쫓지 못함.

여 춘풍화기 무르녹으니, 제공자 백씨를 따라 학낭소어(謔浪笑語)로 존
당에 웃으심을 요구하니, 태부인이 그 효의를 감동하여 잠깐 진정(鎭靜)
하나 때때 비절함을 마지않더니, 시랑이 오래지 않아 수씨를 배행하여
임산에 두고 돌아오니, 부모 존당이 그 사이라도 반기며 소저의 무사히
득달함을 깃거하더라.

차시 문양이 소원을 이뤄 윤·양·이 등을 절의(絶義)하여 각각 돌아
가나, 오히려 그 살았음을 한하더니, 모비(母妃)의 글을 보매, 윤·양·
이를 잡아 석혈에 넣었음을 일러, 강적(强敵)을 소제하고 천하를 일광
(一匡)22)함을 깃거하니, 공주 대희하나, 부마 윤·양·이 등 부인이 돌
아간 후 족적이 궁문에 임치 아니하니, 최상궁이 애달아 공주더러 왈,

"첩이 전후 옥주를 위하여 심려를 허비하며 천방백계(千方百計)로 득
광(得光)함을 바람이러니, 도금(到今)하여 주군이 윤·양·이의 화액이
옥주의 탓임을 알아, 한번 문병함이 없으니 어찌 분한치 않으며, 존당
구고 마지못하여 물으시나 정의 가작(假作)으로 하시니, 일마다 옥주의
팔자 괴이하여 구고와 가부의 은애를 입지 못하시니, 첩이 애달고 분함
을 이기지 못하나니, 차라리 현기·자염 등을 다 죽여, 윤·양·이의
씨를 아주 없이함이 옳고, 영교를 죽였으니 또 녹섬을 마저 죽여 후일
환을 아주 없애는 것이 옳지 않으리까?"

공주 척연 탄 왈,

"가부(家夫)의 총(寵)을 오롯하랴 적인을 없이 함이러니, 부마의 박대
태심하니, 윤·양·이 삼인이 애매히 죄에 빠짐을 절치통한하여 장차 물
어먹고자 하니, 어찌 후대를 바라리오. 영교는 부득이 죽였으나, 녹섬조
차 죽임이 살인(殺人)의 해(害)가 두려우니, 어찌 구태여 죽이리오. 차라

---

22) 일광(一匡) : 어지러운 천하를 다스려 바로잡음.

리 금은을 주어 향리로 가 깊이 있어 살라 함이 옳으니, 보모는 녹섬을 바삐 처치하고, 현기 자염 등은 상부 가중이 종용하거든 처치하리라."

최녀 즉시 금은필백을 녹섬에게 보내어 바삐 원방으로 가라 하니, 섬이 벌써 최형의 아들과 정을 맺어 피차 떠날 뜻이 없어, 마침내 원방으로 가지 않고 경사에서 살더라.

공주 병이 차경(差境)하매 소세를 이루고, 상부에 이르러 존당 구고께 문안하고 피석하여, 괴이한 질양이 미류(彌留)하여 존당 구고께 성녀를 끼침을 사례하고, 윤·양·이 등이 애매한 죄루를 실어 원통이 이이(離異)함을 차석하며, 녹섬 영교 등의 간악을 통완하여 윤·양의 거처 모르는데 미처는 옥루 방방하고, 현기 등을 나오게 하여 연애하는 정을 띠여 그 자모를 떠나 만날 지속(遲速)이 망매(茫昧)함을 창감(愴感)하니, 그 어진 거동을 작위(作爲)함이 지자(知者)로 하여금 통완함을 형언키 어려운지라.

태부인과 금후 그 질후(疾候) 소성함을 칭하(稱賀)하되 윤·양 등의 말을 거들지 않으며, 진부인은 묵묵히 말이 없어 현기 등 손을 잡고 척연비상할 따름이라. 공주 구고의 정엄(整嚴)함을 어려이 여겨 다시 말을 않고, 이윽히 시좌하여 부마의 들어옴을 기다리되, 외당에서 세홍으로 시사(時事)를 논문(論問)하여 내당에 들어오지 않으니, 공주 기다리다가 못하여 궁으로 돌아와 중심에 원한이 탱중(撑中)하더라.

차설 유부인이 기모비계로 윤씨를 귀비에게 보내고, 그 칭사하는 금은을 받으매 스스로 지혜 과인함을 양양자득하더니, 어사 곤계 항주 선묘에 분소(墳掃)하고 돌아와 변고를 들으매, 차악경심하여 통절함을 이기지 못하나 찾을 길이 없음을 슬퍼하니, 유씨 거짓으로 자질을 대하여 그 교부(轎夫)를 추심하라 하고, 가장 슬퍼하는 체하니, 어사 숙모의 뜻

을 스치고 대왈,

"저저의 거처를 모름이 차악한 변괴라. 교부로 갔던 노복을 용모를 그려 팔방(八方) 구주(九州)23)에 보(報)하여 찾도록 하려 하나이다."

유씨 놀라 말을 아니 하니, 어사 나간 후 심복 노자로 백금을 주어 달아난 유(類)들을 찾아보고, 어사의 구색(求索)이 심하니 다 여복을 개착하거나, 수염 많은 자는 목재(目子) 병든 체하여 구색(求索)하는 유(類)에 들지 말라 하니, 차고로 어사 능히 찾지 못하니라.

차시 정숙렬이 잉태 십이 삭, 춘 이월 초순에 벽하정 누옥에서 산점(産漸)이 있으나, 일기(一器) 갱반도 대후(待候)할 이 없으니, 일종 물인들 어디 가 구하리오. 다만 홍선 일 비자가 곁을 떠나지 않을 뿐이라. 하늘이 윤이부 명천공의 적심충렬을 살피사, 그 문호를 창대하고 종사를 영(領)할 종손을 내시매, 한 낱 성인을 강세(降世)하여 탁세(濁世)를 맑히시니, 이 어찌 홀로 윤문 천리기린(千里騏驎)일 뿐이리오. 송실(宋室)의 명상(名相)이요, 보좌(寶座)의 양신(良臣)이 될지라. 산점이 있음으로부터 오채상운(五彩祥雲)이 벽하정을 두르고, 찬란한 서광이 밤에 집을 밝히거늘, 그 향기 기이함이 합가(闔家)에 가득하더라.

어사와 직사는 짐작하고 그윽이 숙렬의 순산함을 원하더니, 소저 일개 옥동을 생하니, 그 아이가 나면서부터 소리 청고웅장하여 집말24)이 울리고, 체형이 석대하여 산천수기(山川秀氣)와 일월정화를 오로지 거두어 골격이 비상하니, 이른바 단산(丹山)25)의 봉황(鳳凰)이요, 교야(郊

---

23) 구주(九州) : 중국 고대에 전국을 나눈 9개의 주. 요순시대(堯舜時代)와 하(夏)나라 때에는 기(冀) · 연(兗) · 청(靑) · 서(徐) · 형(荊) · 양(揚) · 예(豫) · 양(梁) · 옹(雍)이었다.

24) 집말 : 집의 마루. 집의 지붕꼭대기. 마루; 지붕이나 산 따위의 꼭대기.

25) 단산(丹山) : 중국 복건성(福建省) 북부(北部) 무이산(武夷山) 안에 있는 산 이

野)의 기린(麒麟)이라. 홍선이 소저를 붙들어 산실(産室)에 아무도 들이밀어 볼 이 없음을 통도하며, 또 소저가 잉태한 후로 연원정 누옥과 벽화정 냉지에서 한없는 풍상을 겪어, 혹자 순산치 못할까 염려 초전(焦煎)하더니, 이미 순산하나 또 갱반을 드릴 길이 없으니, 불승절민하여 옥중에서 크게 소리하여 사람을 부르니, 석부인 시아 열섬이 지나다가 그 소리를 대답하거늘, 홍선이 소저의 시산(始産)함을 이르고 갱반을 구하되, 섬이 즉시 정당에 고하니, 위·유 조금도 마음을 구할 마음이 없어, 날이 저물도록 물 한술도 보내지 않을 뿐 아니라, 아무나 벽화정 문을 열 이 있으면, 사죄로 정하리라. 하니, 뉘 감히 거역하리오.

차고(此故)로 산후 허약한데 갱반을 나오지[26] 못하고, 누옥냉지(陋獄冷地)에 한 잎 거적을 의지하여 몸을 부렸으매[27], 정신이 아득하고 만신이 떨리기를 면치 못하여, 홍선의 손을 잡고 기운을 수습하지 못하는지라. 선이 체읍 왈,

"부인이 조조(早朝)에 분산하시어 밤이 오도록 곡기를 드시지 못하시니, 장차 보전치 못 하리로소이다."

소저 부답하고, 밤을 새워 명일이 되나 물 한술 보냄이 없으니, 소저 기운이 엄엄하여 거의 진할 듯한지라. 선이 가슴을 두드려 아무리 할 줄 모르되, 옥문을 열지 않으니 비조(飛鳥)라도 나갈 수 없는지라. 날이 저물기에 미처는 선이 하늘을 부르짖으며 옥문을 두드려 왈,

"아주(我主)가 위태부인과 유부인께 무슨 원수 있기에 사람을 이 지경에 미치게 하느뇨? 벽화정이 수양산이 아니로되, 아사지경(餓死之境)이

름. 벽수단산(碧水丹山)의 수려한 경치로 유명하다.
26) 나오다 : (음식을) 내오다. (음식을) 드리다. (음식을) 들다.
27) 부리다 : ①사람의 등에 지거나 자동차나 배 따위에 실었던 것을 내려놓다. ② 기력이 없어 몸을 침대 따위에 누인 채로 거동을 못하고 누어있다.

조석에 있으니, 운산의 부마 노야는 이런 때 구치 않으시는고? 가히 애달프고 분한 일이로다."

혼자말로 이렇듯 하되, 옥문을 열 길이 없고, 소저의 기갈이 심한지라, 어찌 자닝치 않으리오.

차시 어사와 직사가 존당에 문안하고 나갈 새, 열섬이 난간 뒤에서 제동류(同類)더러 이르대,

"정부인이 거일 아침에 분산하였음을 홍선이 외쳐 이르거늘, 정당에 고하니, 한술 물도 주지 말라 하고, 아무나 벽하정에 가기만하여도[28] 죽이리라 하시니, 부인이 산후 갱반도 나오지 못하였으매 거의 진하였으리라."

어사 듣고 나와 직사더러 왈,

"현제 아까 열섬의 말을 들었으니 장차 저를 어찌 구하리오?"

직사 추연 왈,

"가사가 이렇듯 괴이한 후, 능히 구구(區區)함을 면치 못하오리니, 형장이 갱반을 갖추어 구하소서."

어사 왈,

"우형이 저를 잠깐 보고 오기는 어렵지 않으나 갱반을 어데 가 얻으리오?"

직사 즉시 시노 계충을 불러,

"갱반을 차려 오되 비밀이 하라."

하고 직사 왈,

"형장이 먼저 가사 홍선을 보내어 가져가게 하소서."

---

28) 갈만하여도 : 가려고만 하여도.

어사 점두하고, 낭중의 두어 가지 환약을 넣고 단의(短衣)로 내헌(內軒)의 들어오니, 중문을 차차 봉하였는지라. 장원을 넘어 적은 덧[29] 한 사이에 벽화정에 다다르니, 용행호보(龍行虎步) 신능(神能)하여 태부인 침전을 지나되 알 리 없더라. 및 옥문에 이르매, 철쇄(鐵鎖)를 열 길이 없어 뒷벽을 문만큼 떼어 도로 맞추게 하고 들어가니, 소저는 엄홀(奄忽)하였고 선은 붙들고 체읍하는지라. 어사 눈을 들매, 소저 몸 위에 걸린 한 벌 의상이 발발이 찢겨져 살을 가리지 못하고, 한 잎 거적에 생아(生兒)를 곁에 누이고 엄와(奄臥)하였으니, 추월(秋月)이 구름 속에 쌓이고, 향련(香蓮)이 청엽(靑葉)에 비껴있는[30] 듯, 기려한 용안(容顔)과 찬란한 광염이 사람의 심장을 요동하는지라. 그 손을 잡으매 차기 얼음 같으니 불승참연하고, 버거[31] 유아를 보니, 일척(一尺) 백옥이 영형 기이하여, 구각(軀殼)이 석대하고 골격이 수앙(秀昻)하여, 곤산(崑山)의 백옥이 새롭고, 남전(藍田)의 백벽(白璧)이 티끌을 벗은 듯, 용미봉안(龍眉鳳眼)[32]이요, 호비주순(虎鼻朱脣)[33]이라. 어사 어루만져 그 모(母)의 이 같은 험난 가운데, 무사히 분산함을 행심(幸甚)하되, 그 위태함을 비절하여, 홍선을 돌아보아 왈,

"네 동산 담을 넘어 행각에 나가 계충이 대후(待候)한 갱반(羹飯)과 온차(溫茶)를 얻어 오라."

하니, 홍선이 수명하여 동산 담을 신고하여 넘어 행각으로 오니, 충의

---

29) 덧 : 얼마 안 되는 퍽 짧은 시간.
30) 빗기 : 번뜩여. 빛나게. *빗; 빛. *빗기다; 비치다. 번뜩하다.
31) 버거 : 다음으로, 둘째로.
32) 용미봉안(龍眉鳳眼) : '용의 눈썹'과 '봉황의 눈'이란 뜻으로, 아름다운 눈썹과 눈의 모양을 표현한 말.
33) 호비주순(虎鼻朱脣) : 호랑이 코에 붉은 입술을 가진 얼굴 모습.

처 매정이 소저의 존후를 묻거늘, 선이 답왈,

"분산 후 수일이로되, 한술 물을 못 얻어 기갈을 구치 못하여 위태함이 경각이라."

하니, 충의 부처가 눈물을 금치 못하여, 태부인과 유씨를 원망함이 골수에 사무치고, 갱반을 극진히 하여 주니, 선이 받아 벽하정의 이르러, 갱반과 온차를 드리니, 어사 소저의 누운 곳에 가까이 나아가 그 팔을 주무르며, 선으로 신아를 안아 옥중냉지에 상(喪)치 말라 하더니, 이윽고 부인이 정신을 차려 어사의 있음을 보고, 경아하여 몸을 일으키고자 하거늘, 어사 편히 누었음을 이르고, 분산은 무사히 하고 옥동을 생함이 영화로우나, 가변이 괴이하여 즉시 들어와 보지 못함을 이르나, 행혀도 말이 존당을 원망함이 없으니, 진정 대효군자라. 숙렬이 아득한 정신을 수습하여, 겨우 답하되,

"첩이 비록 분산하나, 유죄무죄 간 죄명이 망극하니, 군자 존당 명 없이 이르러 보심 즉하지 않거늘, 연원정에 있을 제부터 자주 왕래하시어 기렴하시니[34], 비록 그 사생을 염려하시는 후의 감사하나, 성효에 효순치 못함을 불복하나니, 원컨대 군자는 즉시 나가시어 첩의 죄를 더하지 마소서."

청아한 말씀이 법도 가작하며, 백태만염(百態萬艶)이 기기승절(奇奇勝絶)하여 누옥냉실에 효화(孝和)[35]한 거동과 찬란한 명광(明光)이 조요(照耀)하여, 유정장부(有情丈夫)로 마음을 요동케 하는지라. 어사 탄 왈,

"만사 천야(天也)니, 자의 만난 바 비록 참절하나 무엇을 원하며, 사람을 탓하리요. 다만 생의 들어옴이 한갓 부부의 사정 뿐 아니라, 산후

---

34) 기렴하다 : 보살피다. 유의하다. 걱정하다.
35) 효화(孝和) : 효성(孝誠)스럽고 온화(溫和)함.

급함을 구함이니, 그대는 만사를 파락(擺落)36)하고 마음을 노아 조요 (무天)를 짓지 말라."

인하여 갱반을 권하니, 소저 산후 수일을 굶었으매 어찌 사식지심(思食之心)이 없으리오마는, 비록 하해지량(河海之量)이나 자기 신세와 명도가 갖추 험함을 탄하여, 촉처(觸處)에 옥장금심(玉腸金心)이 요동하니, 허핍(虛乏)한 의사 없어 다만 정신을 수습치 못하되, 어사 궁극히 얻어 와 지성으로 권함을 당하매 능히 사양치 못하여 진식(進食)할지언정, 어사 곁에 있어 자기 참참(慘慘)한 거동을 갖추 보아 슬피 여김을 당하매, 심회 역시 불평하여 머리를 숙여 수괴(羞愧)함을 띠었으니, 어사 다시 말을 않고 유아를 어루만져 아름다움을 이기지 못하나, 기쁨을 고할 곳이 없어, 자정이 보고자 하심이 착급하시나 말미암을 길이 없고, 계부 전일 마음이 없으니 정씨의 생남함을 경사로 알 리 없을지라. 가변이 점점 망측하기의 미치고, 자기 형제와 정·하·장이 보전하기 어려움을 헤아리매, 천만 비원이 흉중에 미처, 유아의 낯을 대고 수성장탄(數聲長歎)에 양항루(兩行淚)37) 참연(慘然)하여 가로되,

"사람이 세상의 나매, 부모 애휵(愛恤)하시어 천륜지정을 완전하여, 길이 양친을 모셔 슬하의 열낙(悅樂)할진대 무슨 근심이 있으리오마는, 아등은 무슨 죄악으로 엄안(嚴顔)을 모르고, 종천지통(終天之痛)38)이 자식을 낳아 기쁨을 고할 곳이 없으니, 이 참기 어려운 지통이로다."

언파에 불승엄읍(不勝掩泣)하니, 정씨 어사의 이렇듯 비상(悲傷)함을 보매 역시 심회 감창하되, 자기 또 비색으로 그 마음을 도움이 불가하

---

36) 파락(擺落) : 털어버림.
37) 양항루(兩行淚) ; 두 줄기 눈물.
38) 종천지통(終天之痛) : 이 세상에서 더할 수 없이 큰 슬픔.

여, 화한 낯빛차로 돌아감을 간유(諫諭)[39]하니, 어사 또한 조모가 알까
두려 걸음을 돌이킬 새, 홍선더러 차후 밤이 깊거든 매정의 대후하는 갱
반을 찾아 구호하라 하고, 소저더러 조호(調護)함을 부촉(咐囑)한 후 나
가니, 소저 남은 밥을 선을 주어 기아를 면케 하니, 선이 먹기를 다한
후 눈물을 뿌려, 왈

"상공의 구하심이 아니런들 부인의 엄홀하심을 회두(回頭)키 어려우
니, 소비 그 신능하심을 탄복하나이다."

소저 묵연부답이러니, 선이 또 두 부인을 원망하여 상시는 맥죽(麥粥)
재강이나마 주다가, 산후 한 그릇 물도 아니 줌을 각골 분한하니, 소저
정색, 왈,

"나의 명도 궁험(窮險)하므로 남에 없는 화를 겪으니, 구태여 존당 숙
당의 탓이 아니라. 어찌 원언(怨言)을 나는 대로 하여 죄를 더하느뇨?"

선이 경설(輕說)함을 사죄하더라.

어사 외당에 나오니, 직사가 수수(嫂嫂)의 기운을 묻고 생아의 남녀를 물
으니, 어사 그 비상특이함을 대강 전하고 정씨 엄홀한 경색을 일러 탄 왈,

"우형이 본디 호화지심이 없지 않아, 처첩을 모아 집을 메우고, 옥동화
녀를 슬상(膝上)에 유희함이 원(願)이러니, 당차시하여는 만사 부운 같아
서, 정·진 취한 줄도 뉘우쳐지는지라. 진씨는 이미 집을 떠낫거니와,
정씨는 벽하정을 벗어날 길이 없고, 비록 생남한 경사가 있으나 냉옥(冷
獄) 누처(陋處)에 첨상하여 죽음이 있을진대, '백인(伯仁)이 유아이사(由
我而死)라'[40]. 내 비록 죽이지 않았으나 내 스스로 해함과 다르리오."

---

39) 간유(諫諭) : 윗사람에게 옳지 못하거나 잘못한 일을 고치도록 말하여 깨닫게 함.
40) 백인(伯仁)이 유아이새(由我而死)라 : 백인(伯仁; 중국 동진 때 사람)은 나로 인
   해 죽었다'는 뜻으로, 직접적으로 사람을 죽이지는 않았지만 죽은 사람에 대해
   자신이 적극적으로 구하지 않은 책임이 있음을 안타까워하거나, 어떤 사건에 간

직사 수수의 생남함을 행열(幸悅)하나 백씨의 슬퍼하심을 보고 척연 탄식(慽然歎息)이러니, 날호여 위로 탄 왈,

"여자의 색광이 마침내 신상의 해를 이룸이니 수수 등과 저저(姐姐) 등이 용안이 너무 수발(秀拔)하시므로 초년 재앙을 면치 못하심이라. 수수의 액경도 참연하거니와 저저의 화란은 생각 밖이라. 전혀 공주 같은 강적을 만난 연고나, 기실(其實)은 각각 명운이니 오직 일이 되어 감을 볼 따름이니, 부질없이 슬퍼 마소서."

어사 왈,

"이를 근심함이 아니라 가변의 해이(駭異)함을 통완하나니, 아등 형제 효도에 온전한 사람이 되지 못할까 두려워하노라."

직사 도리어 위로하고, 어사 계충을 불러 날마다 갱반을 대후하여 홍선을 주라 하고, 직사 조금도(鳥禽圖)41) 한 쌍을 주어 시상(市上)의 가 팔아 보태라 하니, 충이 사양하나, 직사 권하여 주고 누설치 말기를 당부하니, 충이 매정으로 진심갈력하여 대후하니, 숙렬이 드디어 아사(餓死)함을 면하니, 유씨 칠팔일만에 재강을 보내어 사생을 알아오라 하니, 정씨 몸을 거적에 부렸음으로42) 시비 돌아가 이대로 보(報)한데, 유씨 가장 깃거하더라.

차시 진소저 강정에 누월을 감추어 분산 후 옥화산으로 가고자 하더니, 진태우 어사를 보아 소매를 데려다가 분산함을 청한대, 어사 불허하

접적으로 연관되어 있는 것을 비유적으로 나타낸 말. 《진서(晉書)》 열전(列傳), 주의(周顗) 조(條)에 나오는 말.
41) 조금도(鳥禽圖) ; 새를 그린 그림.
42) 부리다 : ①사람의 등에 지거나 자동차나 배 따위에 실었던 것을 내려놓다.
　　②기력이 없어 몸을 침대 따위에 누인 채로 거동을 못하고 누어있다.

였더니 진태우 거교(車轎)를 차려 강정의 이르러 소저를 위력으로 데려
가려 하니, 진씨 어사의 말 없으므로 능히 임의치 못하여 유유하니, 태
우 대언(大言) 왈,

"비록 사원을 두려 돌아감을 지난(至難)하여 하나, 양친의 간절하심을
생각지 않느뇨? 사원이 현매 자행(自行)함을 미안하여 제 집에 데려가
지 않을수록 우리 더욱 깃거하나니, 연원정 누옥을 생각한즉 다시 윤가
에 보내고자 뜻이 있으리오. 남매 부모를 모셔 긴 세월의 타념(他念) 없
이 즐김이 옳으니, 무슨 일로 윤가 노모의 보챔이 되리요?"

언파에 소저를 재촉하여 거교에 오르라 하니, 소저 백형의 고집과 어
려움을 아는 고로, 여러 번 다투지 못하여 부득이 운산으로 돌아갈 새,
시노 일인을 머물러 어사께 돌아감을 고하라 하고, 거거로 더불어 운산
에 돌아오니, 낙양후 부부 여아의 화란을 모르나, 그 구가(舅家) 불평함
을 듣고 염려하다가, 돌아옴을 반기되, 소저는 만사 무념(無念)하여 조금
도 즐김이 없고, 침소를 떠나 유벽한 곳을 가려 처하고, 부모께 고 왈,

"아해(兒孩) 천만 부득이 자취를 감추고 살았음을 전파치 않으려 하
니, 부모는 다시 잔 곡절을 묻지 마소서."

낙향후 부부 경악하되 소저 즐겨 이르지 않음으로 다시 묻지 아니하
고, 그윽한 데 처소를 정한 후 유랑 시아 등더러 힐문하니, 유랑이 소저
의 당부를 들었는지라. 다만, 소저와 정숙렬이 흉참한 누명을 실었음으
로 고루화각의 있지 못하여 연원정에 옮았더니, 소저 환후 대단하매 거
짓 죽었다 하여, 강정에 옮아, 어사가 지성으로 구호하여 회두(回頭)함
을 고하되, 부인이 여아의 신누(身累)를 차악하고, 낙향후 또한 자닝 연
석(憐惜)하여 자애함이 강보 같으니, 소저 깊이 들어 천일을 불견(不見)
하여 중회 중 나지 않으매, 부모 더욱 슬퍼하더니, 춘 이월 기망(旣望)
에 일개 영자(英子)를 생하니, 산실에 이향(異香)이 옹비(翁飛)하고 서

광이 조요하여, 귀인이 강세(降世)함을 알지라. 진후 부부 만심 환희하여 산모를 보호하며 손아를 보니, 구각(軀殼)이 석대하고, 왕실(旺實)43)이 여해(如海)하여 강산의 정기를 타났으며, 전혀 부습(父襲)이니, 공의 부부 기애(奇愛) 황홀하여 여아의 신루를 한치 않고, 타일 신원함을 기약하더라.

윤어사 수순을 강정에 가지 못하였더니, 일일은 파조(罷朝) 후 강정에 이르니 소저의 그림자도 없고, 시녀 있어 소저의 돌아갔음을 고하니, 어사 소저의 뜻이 아님을 지기하나, 자기의 말을 듣지 아녀 임의로 함을 미안하여 소매를 떨쳐 본부로 돌아오다.

어시에 유씨 금계로 질녀의 대신을 삼았으나, 금계의 천루(賤陋)함이 청의 하류의 버릇을 면치 못할 뿐 아니라, 정씨를 대죄에 몰아넣어 아홉 입44)과 구리 혀45)가 있어도, 발명치 못하고, 정문 세엄46)이 일대에 희한하나 정씨를 살리지 못하게 살인중수(殺人重囚)를 만들고자 하여, 범사를 신묘랑으로 의논하고 태부인께 고 왈,

"정씨 전일과 달라 자식이 있은 후는 경(輕)히 죽이기 어려우니, 차라리 은혜와 덕으로 감화하는 것이 옳으니, 벽하정 옥문을 열어 제 몸을 임의로 출입케 하시고, 소생(所生)이 비록 기쁘지 않으나, 존고의 도리 데려와 유모를 정하여 곁에 두심이 가하니이다."

---

43) 왕실(旺實) : 기운 따위가 왕성하고 가득 참.
44) 아홉 입 : '아홉 개의 입' 이란 뜻으로, 아홉 개의 입으로 말을 하는 것처럼 많은 말을 늘어놓는 것을 말함.
45) 구리 혀 : '동설(銅舌)'의 번역어. 조선조 궁중악기의 하나인 '순(錞)'에 달았던 작은 방울 모양의 것으로, 이것을 흔들어 소리를 냈다. 여기서는 방울소리처럼 유창한 말주변을 뜻한다.
46) 세엄 : 세력. 위세. 힘이나 기세 따위가 강함.

위노 유씨의 말은 다 옳이 여기는지라. 즉시 '그리하라' 하고, 유도(乳道) 풍족한 시녀를 불러 벽하정의 가 신아를 데려와 침소에서 기르라 하니, 시녀 승명하여 벽하정에 가 태부인 명을 전하고, 신생(新生) 공자 데려감을 청하니, 소저 호혈(虎穴)에 던짐이 차악하되 자약히 유아를 보낼 새, 가까이 나오게 하여 자시 살피매 좌비상(左臂上)에 '옥닌(玉麟)' 두 자가 잇고, 우비상(右臂上)에 '성인(聖人)' 두 자가 분명하니, 심리(心裏)에 괴이히 여겨 이윽히 어루만지다가, 시비 재촉함을 급히 하니, 마지못하여 주어 보내되, 참연한 회포와 경경(耿耿)한 염려 간절하거늘, 차일 옥문을 화열이 열어 존당 명이,

"죄과 비록 흉참하나 이미 골육을 끼쳐 남아를 생하였으니, 자식의 낯을 아니 보지 못하여 사(赦)하나니, 불의악사를 멀리하고 누실에 고초하지 말아 옛 침소에 돌아가라."

소저 청파에 경황송구함이 전자에 더하여, 명달한 헤아림이, 궁극한 계교와 문을 엷이 좋은 뜻이 아님을 짐작하나, 사색치 않고 천연이 은덕을 사례하여 황공함을 일컫고, 옛 침소에 돌아가라 하심이 감은하나 능히 죄루 중 부끄러운 낯을 들어 중회 중 나지 못함을 고하니, 이 날 태부인이 유씨로 더불어 신아를 보매, 미운 마음에도 기이함을 이기지 못하여, 유씨 경아더러 왈,

"정씨는 기다리지 않는 자식을 두어 이렇듯 비상특출하되, 너는 성혼 팔년에 한 낱 골육이 없으니 어찌 애달지 않으리오."

경애 탄식 묵연이요, 태부인이 신아를 재삼 보고 유씨더러 왈,

"정씨의 소생 기출이 범상치 않아 삼칠(三七)도 못한 것이 이다지도 기이하니, 우리 적년(積年) 심력을 허비하여 광천을 죽이고자 하던 바, 헛 곳에 돌아가고 소생만 퍼지니 어찌 애달지 않으리오."

유씨 탄 왈,

"첩인들 생각는 바 없으리까마는, 이러므로 유아를 먼저 데려왔사오니, 존고는 애휼(愛恤)하시어 중목(衆目)의 시비(是非)를 동(動)치 마소서."

위태 흔연 왈,

"노모는 일정(一定)[47] 현부의 말을 좇으리라."

하고 신아를 거짓 무애(撫愛)하니, 가중이 의심하더라.

직사가 들어와 질아의 비상 특출함을 만심환희하되, 조모의 침전에 데려옴이 필유해단(必有害端)[48]임을 그윽이 염려하더라. 추밀이 비록 상성중(喪性中)이나 신아의 기이함을 이기지 못하여, 모전에 고 왈,

"해아의 특이함이 광천의 위니, 정씨 죄과가 비록 호대(浩大)하나 사(赦)하심이 마땅하이다."

태부인 왈,

"네 그리 아니하나 정씨 죄과를 사하였나니, 차후나 다시 악사를 않을까 하나, 어찌 믿으리오."

추밀이 재삼 어루만져 애중함을 마지아니하고 유모를 당부하여 조심하라 하더라.

일야는 태부인 신기 불평하매 추밀이 자질을 거느려 경희전에 시좌하고, 하·장 이 소저 금계와 어깨를 연하여 좌정하였으니, 유부인이 밖에 나와 금계를 불러 왈,

"존고(尊姑), 현질이 친집한 찬선이 구미에 합하다 하시니, 모름지기 죽음을 보살펴 드시게 하라."

금계 유씨의 악심을 모르고 진정 유씨인 체하여 응대하고 나와, 청사

---

47) 일정(一定) : 일정(一定)하게, 한결같이.
48) 필유해단(必有害端) : 반드시 해(害)의 단초가 됨.

에서 죽음(粥飮)을 친집고자 할 제, 묘랑이 흔들어 변하여 정씨 되어,
날랜 칼을 들고 바로 금계의 머리를 잡고 꾸짖어 왈,

"네 윤문에 속현(續絃)하매, 너의 숙모 위세를 끼고, 숙모의 극악함이
아니 미친 곳이 없어, 너로써 상원위(上元位)를 누리게 하니, 나의 통완
함이 골수에 사무치는지라. 금일 단검(短劍)에 네 목숨을 끊고, 남은 칼
날이 네 숙모의 극악을 문죄하리라."

가유씨 본디 청의 하류의 천녀로 불의에 명부(命婦) 존위를 누리니,
매양 공구(恐懼)한 마음이 있어 정씨는 이르지도 말고 가중 비복도 겨룰
의사 없는지라. 몸을 돌이켜 존당으로 들이달으니49), 묘랑이 따라 태부
인 침전 청사에 이르러, 여성 질왈(叱曰),

"요악한 천녀가 태부인 무애(撫愛)를 믿고 제 아자미 세를 껴, 나를
압두하고 위(位)를 빼앗으니, 오늘날 죽여 분을 풀리라."

언파에 달려들어 소유씨의 머리를 들어 손에 감고 이검(利劍)으로 멱
을 지르니, 유씨 마조 내달아 가슴을 두드려 애고하는 소리 진동하니,
추밀이 문을 당하여 좌하였다가 유씨의 소리에 놀라 문을 열치고 보니,
정씨 만면 노기로 좌수에 단검을 들고 우수로 소유씨의 머리를 잡아, 상
인(霜刃)이 움직이는 바에 붉은 피가 돌지어50) 흐르고, 시신이 거꾸러
지니, 대경하여 어사 형제로 보라 하니, 묘랑이 거짓 유씨께 달려드니,
유씨 피하여 실(室)에 들고, 어사 형제 어깨를 나란히 하여 지게 밖으로
내리려 하니, 묘랑이 어사 형제는 감히 항형(抗衡)치 못하여, 행여 본형
이·드러날까 두려워 나는 듯이 벽하정 길로 달아나니, 추밀이 어사 형제
로 정씨를 찾아오라 하고 금계의 시신을 보니, 벌써 명맥(命脈)이 없는

---

49) 들이닫다 : 몹시 빨리 달리다.
50) 돌지다 : 도랑을 이루다. *돌; 똘. 도랑. *지다 : 어떤 상태가 이루어지다.

지라. 유씨 청사(廳舍)를 두드려 통곡하니, 태흥이 신기 불평하여 누었다가 대경하여 내달아 붙들고 방성대곡하니, 추밀이 또한 통곡하여 금계 주인의 얼굴을 빌렸음을 모르니, 어사 형제 역시 신색(神色)[51]이 변하니, 이는 유악(惡)[52]의 죽음을 슬퍼함이 아니라 정씨의 망측지화(罔測之禍)에 빠짐을 탄함이라. 계부의 명으로 청사에 나오니 요사(妖邪)가 벌써 자취를 감춘지라. 어사 요사의 작변임을 짐작하고 처음 나와 잡지 못함을 애달아하나, 하릴없어 태모와 계부의 과상(過傷)하심을 간하고, 어사는 종시 한 마디 울음이 없으나 가변과 정씨의 화액을 근심하더라.

유씨 금계를 위한 슬픔이 없으나 짐짓 과상(過傷)하며, 유부에 흉음(凶音)을 통하여 금오 부자가 알게 하니, 원래 교아가 장사로 가되 금오는 금계를 여아로 알아 아득히 모르고, 흉문(凶聞)을 들으매 망극참통(罔極慘痛)함을 이기지 못하고, 영부인은 정씨의 오장을 너흘고자[53] 하니, 금오 부자가 그 시신을 붙들고 일성(一聲)에 혼도(昏倒)하니, 사자(四子)가 붙들어 권간(勸諫)하고, 윤직사는 인사에 마지못하여 한 마디 조상지례(弔喪之禮)를 폐치 못하되, 어사는 거지 태연하여 일성을 부동하니, 유씨 더욱 통완하여 사질(四姪)을 대하여 정씨의 지르던 말을 이르고, 어서 고장하여 원수를 갚으라 하니, 유생 등이 체읍 대왈,

"숙모 이르지 않으시나 원수를 아니 갚으리까? 다만 적은 일의도 본 증인이 명백하여야 변정(辨正)이 되니, 사원 형제 중의나 뉘 보니 있으니까?"

유씨 왈,

---

51) 신색(神色) : 안색. 상대편의 안색을 높여 이르는 말.
52) 유악(惡) ; '유흉(凶)'처럼 유부인을 달리 이른 말.
53) 너흘다 : 물다. 물어뜯다. 씹다.

"질아 등은 미처 보지 못하였으나 상공이 목도하였으니 증인이 없다 하리오."

유생 등이 즉시 형부의 고장(告狀)하니, 형부상서 소두가 유가 소정 (所呈)54)을 보고 경악하여, 상문(相門) 후백가(侯伯家)의 여자가 투기로 살인함은 전고(前古)에 희괴(稀怪)한지라. 한심하여 즉시 관차(官差)를 발하여 윤부 간정을 물을 새, 윤부 시녀 세월 비영 등이 불하일장(不下 一杖)에 정씨 살인함을 고하니, 소형부 천문의 주달하오되,

"금평후 정연의 여식이 도어사(都御使) 윤광천의 처가 됨은, 성상이 전일 정녀에게 정문(旌門)55)을 포장(襃獎)하신 바로써 거의 아실지라. 정녀가 투악으로 비롯하여 그 적국 유씨를 질러 죽이다 하오니 변괴 등 한치 않고, 정씨 공후의 여이므로 법관이 천단치 못하와 아뢰되, 그 비 배를 추문하온즉 추밀사 윤수가 보다 하나이다."

상이 어람필(御覽畢)에 불승차악(不勝嗟愕)하시어 왈,

"정녀의 기특함은 짐이 본 바라. 성행사덕(性行四德)이 여중군자(女中 君子)니 결단코 그럴 리 없고, 유가의 고장을 믿을 것이 아니라."

하시고 호두금패(虎頭禁牌)를 나리와 추밀을 패초(牌招)하시니, 윤공 이 사를 따라 입궐 청대(請對)하온대, 상이 물으시어 왈,

"짐의 포장정문(襃獎旌門)한 바 명성숙렬문(明聖淑烈門) 정녀가 한갓 절행이 특이할 뿐 아니라, 성행기질(性行氣質)이 진선진미(盡善盡美)하 더니 무슨 연고로 살인지명(殺人之名)이 있느뇨? 경은 실진무은(實陳無 隱)하여 숙녀철부로 원앙한 죄를 면케 하라."

---

54) 소정(所呈) : 소장(訴狀)을 관청에 낸 것
55) 정문(旌門) : 충신, 효자, 열녀 들을 표창하기 위하여 그 집 앞에 세우던 붉은 문. 늑작설(綽楔)·홍문(紅門).

공이 돈수 주왈,

"정녀는 성상의 정표(旌表)하신 바요, 또 신의 집에 입승(入承)하오
매, 성행사덕이 투철(透徹) 자인(慈仁)하오니, 신이 또한 성녀철부로 미
루더니, 거야(去夜)에 괴이한 변이 나 불평지사 만사와 심당의 두었삽더
니, 작야(昨夜)에 여차여차 거조가 해악(駭愕)하오나, 전일 위인으로 이
를진대 그럴 리 없삽고, 의형 체지 호발(毫髮) 차착(差錯)이 없사오니,
신이 또한 경괴막측(驚怪莫測)이로소이다."

상이 불예(不豫)하시어 왈,

"정녀로 일분 불미(不美)한 말이 없는가 하였더니, 경의 주사를 들으
니 살인지죄를 면키 어려우나, 수연(雖然)이나 정녀로써 고금의 희한(稀
罕)한 숙녀로 알았더니, 실로 괴이하나 유가의 원정(原情)을 아니 듣지
못하여, 달리 구처(區處)56)하리니, 경은 돌아가 유녀를 쉬이 염장(殮葬)
케 하라."

추밀이 배수 주왈,

"신수불명(臣雖不明)이오나, 정녀의 초세함은 모르지 아니 하오되, 금
번 악사는 이매망량(魑魅魍魎)의 조화로 비롯함인가 의혹하옵나니, 어
찌 정씨의 위인을 모름이 있으리까? 신이 목도하고 유 가(家) 보원(報
怨)하고자 하오나 성상은 원컨대 숙찰지(熟察之)하시어 정녀의 죄 허망
(虛妄)함을 살피소서."

상이 점두하시어 하조(下詔) 왈,

"짐이 하원경 등의 원사함으로부터 사람의 원상(冤傷)을 살피고, 윤수
가 또 의심하니, 정녀의 평일 행사를 미루어 그 원상을 살피리니, 유가
의 고장을 아니 듣지 못하여, 감사정배(減死定配)하고 전자 정문 포장을

---

56) 구처(區處)하다 : 따로 구분하여 처리하다.

삭(削)하라.”

하시니, 법부 배소를 장사(長沙)[57]에 정하여 삼일치행(三日治行)하라 하니, 상이 의윤하시고 파조하시니, 정부마 매제의 죄루를 차악하고, 여자의 찬적(竄謫)이 자고(自古)에 희한함을 슬퍼하나, 자기 등이 누의를 구함이 혐의 있고, 살인자사(殺人者死)는 법률에 당연하거늘, 소매 일명을 보전함도 성은의 융융하심이라. 그 원억함을 모르지 아니 하되 어사 등의 안면으로써, 자기 입으로 그 집 악사를 전파치 못하여 묵묵히 퇴조하여 궐문을 나매, 하리로 경부에 가 거교(車轎)를 빌어 옥누항으로 오라 하고, 윤추밀의 뒤를 좇아 윤부에 이르니, 합사(閤舍)에 곡성이 진동하여 유금오 부자가 시신을 채병각에 옮기고 방성통곡하여 각골통상함이 비길 데 없고, 석부인 경아와 유부인은 어사 형제와 하·장을 마저 죽이지 못하여 심화 되어, 울음을 시작하매 분이 나 눈물이 빗발 같고, 태흥은 진정 소유씨로 알아 방성대곡하니, 어찌 가소롭지 아니 하리오.

병부 백화헌에 돌아와 추밀께 고하되,

“소매의 누얼[58]과 유부인 참사하심을 들으니 경심(驚心) 차악하되, 성명(聖明)의 호생지덕(好生之德)으로 소매의 일명을 빌리시어 장사에 찬적하시니, 행거(行車)가 총총하여 삼일 내 이발(離發)하오니, 소생이 금일 데려가 행리(行李)를 차리고 존당 부모를 이별코자 하나니, 능히 허하심을 얻으리까?”

윤공이 정씨의 악사를 목도하매 극악히 여기나, 부마의 위인을 기대하는 고로, 다만 허락 왈,

---

57) 장사(長沙) : 중국 호남성의 동부 곧 동정호(洞庭湖) 남쪽 상강(湘江) 동쪽 하류에 있는 도시. 수륙 교통의 요충지이며 호남성의 성도(省都)이다.
58) 누얼(陋-) : 사실이 아닌 일로 뒤집어쓴 더러운 허물. 얼; 겉에 들어난 흠이나 허물. 탈.

"질부의 살인지명이 실로 의외요, 유씨의 급사함을 보매 어찌 차악치 않으리오. 산후 삼칠일(三七日)의 신아(新兒)가 크게 비상하여 매사가 과의(過矣)로되, 가변이 기괴하여 질부 천여 리에 찬적하니, 신아의 정사가 비고참달(悲苦慘怛)59)하니, 사사에 괴이한지라. 창백이 질부를 데려가 위로하여 이발(離發)케 하라. 광아의 배처(配妻)가 하나는 죽고 하나는 찬적하니, 어찌 슬프지 않으리오."

병부 추밀의 흐리며 풀어짐을 실소하나 사색치 않고, 하리로 경부에가 거교를 얻어 왔음을 고하니, 병부 어사더러 왈,

"소매의 살인지사 차악하여 대면이 무서우나, 평일 저로써 이렇지 않을 줄로 헤아렸더니 세사(世事)가 의외라. 영매(令妹) 공주를 무고한 일과 치독하던 바며, 금번 소매의 살인함과 어찌 다르리오. '증삼(曾參)의 살인(殺人)'60) 같아서 그 허무한 줄 아나, 다만 애달아하는 바는 소매 유부인 죽일 제 사원이 무슨 일로 내달아 잡지 못하뇨? 이제 소매를 데려가려 하나니 있는 곳을 가르치라."

어사 금계의 죽음을 추연함이 없고, 숙렬의 화액을 근심하여 사생이 아무리 될 줄 모르더니, 성은이 더욱 더하시어 감사정배(減死定配)하시니, 여자의 찬적이 고금에 희한하나 죽는 바의 비할 바 아니라, 도리어 영행(榮幸)하니, 병부의 말을 듣고 희미(稀微)히 소왈,

"속담의 '천장수세(千丈水勢)는 알아도 사람의 심지(心地)는 모른다'61) 하미, 영매를 이름이라. 소제 매양 영매를 유약한가 하였더니, 유

---

59) 비고참달(悲苦慘怛) : 몹시 괴롭고 참혹하며 슬픔.
60) 증삼(曾參) 살인(殺人) : 헛소문, 또는 잘못된 소문. 증자의 어머니가 증자가 사람을 죽였다는 헛된 소문을 듣고 베 짜던 북을 던지고 사건 현장으로 달려갔다는 고사 곧 '증모투저(曾母投杼)에서 유래된 말.
61) 천장수세(千丈水勢)는 알아도 사람의 심지(心地)는 모른다 : '천 길이나 되는 물

씨 죽이는 수단을 보니 능함과 사나움이 남다른지라, 어찌 경악치 않으
리오. 다만 소제 일찍이 죽이고자 의사 있으되 용렬하여 '오기(吳起)의
살처(殺妻)'62)를 본받지 못하였더니, 영매 시원이 죽이니 용약(勇躍)한
결단이 형을 닮았도다. 적행(謫行)을 차려 보내려 하면 어찌 막으리오.
있는 곳은 대모 침전 뒤니 들어가 무엇하리요, 바로 나오라 하여 데려가
소서."

병부 어사의 태연자약하여 유씨 죽음을 측은함이 없고, 숙렬의 살인
을 곧이듣지 않음을 보매 또한 웃고, 추밀께 하씨의 귀근을 청하여 왈,
"하 연숙이 상경하신 후 운산에 가사를 정하려 하시니, 하매를 데려
가 별원을 쇄소하여 촉행을 기다리고자 하나니, 합하는 금일 허하시어
소매로 함께 가게 하소서."

추밀이 비록 변심 중이나 병부로 인해 하가 신설이 쾌함을 들었는지
라. 그 돌아옴을 굴지계일(屈指計日)63)하여 기다리며, 하씨의 양부모
생각는 정리와 생부모 그리는 회포를 가애하여, 미리 운산에 보내어 하
공의 상경함을 기다리게 함이 옳은 고로, 개연이 허락하고 가로되,
"유씨 불의 흉사하매 그 부형이 살인자를 대살(代殺)치 못하매, 지원
극통하여 하니, 그 정(情)이 또한 가긍(可矜)한지라. 내 뜻에는 시신이

의 형세는 알아도 사람의 마음은 모른다'는 말로, '천 길 물속은 알아도 한 길
사람의 속은 모른다'는 말과 같은 말. 즉 사람의 속마음을 알기란 매우 힘듦을
비유적으로 이르는 말.
62) 오기(吳起)의 살처(殺妻) : 중국 전국 시대(戰國時代)의 병법가 오기가 자신의
충심을 입증하기 위해 아내를 베었던 고사. 즉, 오기가 노(魯)나라에서 관직생
활을 하던 때, 제(齊)나라가 침공해오자, 노나라가 그를 장수로 임명하여 막게
하려다가, 그의 처(妻)가 제나라 사람인 것을 알고 임명을 주저하자, 처를 죽이
고 노나라 장수가 되어 제를 무찌른 일을 말함.
63) 굴지계일(屈指計日) : 손가락을 꼽아 가며 예정된 날을 기다림.

나 오가(吾家)의 선산에 장코자 하나, 광천이 무슨 주의인지 별산(別山)에 장코자 할 뿐 아니라, 거야(去夜)에 죽었으되 한 마디 옮이 없고 복제도 차림이 없으니, 괴이함이 심하고, 문견자(聞見者)가 광천의 무신무의(無信無義)를 꾸짖지 아니랴?"

병부 미급답에 어사 꿇어 고 왈,

"유자(猶子)가 엄안을 모르고 자모의 거처를 알지 못하는 죄인이라. 거년에 계부의 명으로 부득이 유씨를 취하니, 그 위인이 크게 음악하여 남자로 이르면 반역지상(叛逆之相)으로 흉종(凶終)을 면치 못 하오리니, 오리혀 정씨 칼날이 영화로우나, 세사가 난측이요 인심이 흉참하오니, 거야의 죽은 바 유씨는 정씨의 살인 같아서 그간 연고 있사올 것이요, 세쇄(細瑣)한 말이 황공하오나, 소질의 유씨로 더불어 부부지락이 없삽거늘, 거야의 죽은 것은 비홍(臂紅)이 터도 없사오니, 비록 유씨라 하더라도 다른데 유정하였을 것이오니, 저 더러운 것을 선산에 장(葬)하며 복제를 차리리까? 원 계부는 유자(猶子)의 뜻을 막지 마소서."

추밀이 그렇지 않음을 일러 재삼 책하되, 어사 고집이 일만 소가 끌어도 돌이킬 수 없으니, 추밀이 할일 없어 하더라.

유금오 장자 유태우 추밀 숙질의 문답사를 비영으로부터 들은지라. 태우 본디 인명정대한 위인으로 소매의 인물을 근심하다가, 금계로 바뀐 줄은 모르나, 윤어사 부부지락이 없다 하되 비홍이 없음을 듣고, 불승경혹하고 참괴하여 그 부친께 고 왈,

"윤사원이 본디 소매와 정의(情誼) 불합(不合)하여, 이제 비명참사(非命慘死)하되, 한번 울음이 없이 남의 집 부녀 같으니 이는 누의 명박(命薄)함이라, 남을 원할 것이 없고, 사원이 위하여 복제를 차리지 아니하니 이 집 선산의 장(葬)함이 괴(怪)한지라, 데려다가 초상(初喪) 입렴(入殮)[64]을 규녀(閨女)[65] 같이 하여, 선산에 장(葬)함이 옳은가 하나이다."

금오는 중무소주(中無所主)한지라. 아무러하게나 하라 하니, 유이랑 삼랑이 다 어사를 미워하되, 태우와 필낭은 어사를 한(恨)치 않아, 소매의 시신을 거두어 본부의 돌아와, 이랑 등이 원수 갚지 못함을 각골 설워 곡성이 천지에 진동하더라.

어사 소유씨 시체를 가져가매 시원함이 등에 진 가시를 벗은 듯하니, 원래 금계 취가함이 없으나, 유이랑이 우연히 유정하였더니 홀연 간 곳이 없으니, 제 누의 되어 비명원사(非命冤死)함은 모르고 그윽이 잊지 못하여 하더라.

정병부 순참정 부중에 가 거교를 빌려 하소저를 한가지로 데려감을 이르니, 유씨 전 같으면 허치 않을 것이로되, 하가가 상경하거든 하씨를 미리 보내어 대후하고, 여아를 데려오려 함이요, 정씨를 죽이지 못하매 미움이 이검(利劍)을 삼킨 듯하나, 밖에 병부 있음으로 악심을 발치 못하고, 차환으로 벽하정에 보내어 취운산으로 돌아가라 하니라.

이때 정숙렬이 아자(兒子)를 정당에 보내고 문을 잠그지 않으매 경녀(驚慮)하더니, 홍선으로부터 사기(事機)를 들어 알고, 죄명이 살기를 기필치 못할 것임을 짐작하여, 자기 화액이 첩첩함을 헤아리나, 경동치 않아 왈,

"죄를 중히 하려 하매 인명이 참혹히 상하니 어찌 측은치 않으리오. 유씨는 죽지 않았으리니 그간 사고 있도다."

언파에 거지(擧止) 태연무려(泰然無慮)하나, 선은 상연유체(傷然流涕)하여 통원분완(痛冤憤惋)하더니, 문득 정당 시아(侍兒)가 이르러 정병부

---

64) 입렴(入殮) : 상례(喪禮)에서 입관(入棺)과 염습(殮襲)을 아울러 이르는 말.
65) 규녀(閨女) : 시집가지 않은 처녀.

가 밖에 왔음을 이르고, 취운산으로 가 장사(長沙)를 가라 하니, 선이 소저의 사화(死禍) 면함을 깃거하나, 원적(遠謫)함을 슬퍼하고, 소저는 태연히 정당에 하직을 고하더라.

명주보월빙 권지삼십이

어시에 정소저 개연(介然)히 정당에 하직을 고하니, 태부인은 불평하여 보지 못하고, 유부인은 질녀 죽인 원수로 아니 보고, 추밀은 누천리에 무사히 가라 하고 불러 보지 않으니, 소저 타루하고 정당을 바라 사배(四拜)한 후 나올 새, 장소저 정숙렬의 화액을 경심(驚心)하나 구함을 얻지 못할지라. 몸소 이별코자 하나 나아가 위별(爲別)할 길이 없어, 이에 태부인께 고 왈,

"하부인이 정형으로 취운산에 나아간다 하니, 서로 보아 이별함을 고하나이다."

공이 먼저 가로되,

"가서 서로 봄이 무섭되, 금장지례(襟丈之禮)66)로 천리 원별을 아니 보지 못하리니 잠깐 나아가 보라."

태흥이 또한 막지 않거늘, 장소저 하정(下庭)에 이르러 서로 손을 잡고 묵묵양구(黙黙良久)에 탄 왈,

"천도가 무심하여 현인이 화(禍)에 빠져 누천리(累千里) 적객이 되매, 다시 모임이 아득하니, 구원(九原)67)에 영혼이 모이기를 원하나이다."

---

66) 금장지례(襟丈之禮) : 동서(同壻)들 사이의 예절.
67) 구원(九原) : 저승.

정숙렬이 척연 탄식하여 다만 존당을 모셔 길이 안락하여 구원에 서로 봄을 이르니, 장씨 읍읍유체(泣泣流涕)하여 숙렬의 화액과 다시 모이기 어려움을 느끼며, 존당 숙당의 실덕을 탄하여 양인의 위름(危懍)[68] 한 바를 슬퍼하니, 숙렬이 추연(惆然) 묵연(黙然)이러니, 병부의 재촉이 급하니 하소저 정당에 배사(拜辭)하고 장소저로 분수할 새, 돌아가는 심사의 척연함과 떠나는 정리(情理) 의의(依依)하여[69] 거수(擧手) 장별(將別)이 상하(上下)키 어렵더라.

병부 양매(兩妹)의 행거를 호송할 새, 어사더러 왈,

"사원이 살인중수(殺人重囚)를 와 봄이 쉽지 않되, 부부지정으로 원별을 당하여 한번 낯으로 위로함이 가하니, 명일 잠깐 다녀가라."

어사 미소 답왈,

"영매 살인중수나 간악찰녀(奸惡刹女)를 시원히 죽여 나의 소원을 맞췄으니, 형이 비록 청치 않으나 명일 당당히 가리라."

병부 웃고 바삐 본부로 돌아오니, 시시에 정부에서 윤·양의 화란을 슬퍼하더니, 천만 몽상지외(夢想之外)에 여아 살인 중수로 죽음이 반듯함을 들으매, 진부인은 창황비도(悵怳悲悼)하여 식음을 폐하고, 태부인은 오열비상(嗚咽悲傷) 왈,

"노모 붕성지통(崩城之痛)[70]을 품었으되, 오히려 명완불사(命頑不死)[71]하고 구연시식(久延視息)[72]하여 긴 세월에 손아 등을 유희하여 슬

픔을 잊었더니, 이제 윤·양의 화액과 혜아의 당한 바 살기를 믿지 못하니, 노모 차마 어찌 혜아의 죽는 양을 보리오."

언필에 천항누수(千行淚水) 옷깃을 적시니, 금후 역시 슬퍼하나 모부인의 과도하심을 민망하여, 화성유어로 백단 위로하더니, 천문의 결사(決事)가 내려 여아를 장사에 찬배(竄配)하시니, 천은이 망극하나 천리원찬을 대경 차악하더니, 병부 양매(兩妹)를 데려 돌아오니 존당 부모 슬프고 반가운 심사 황홀하여, 바삐 나와 집수(執手) 유체(流涕)하니, 정·하 양 소저 조모와 부모께 배알하고, 시랑 등으로 열좌(列坐)하매, 태부인이 소저의 낯을 대고 실성오열(失性嗚咽) 왈,

"너의 백행(百行) 사덕(四德)으로 구가에 가 어진 이름을 얻지 못하고, 투악발부(妬惡潑婦)로 살인 죄수가 되어 혈혈약질(子子弱質)이 누천리 애각(涯角)의 적객이 되니, 천도의 무심하심과 조물의 다시(多猜)함이 어찌 이다지도 하뇨?"

진부인이 여아의 섬요(纖腰)가 다름을 문지(問之)한대, 하씨 그 옥동을 생하여 비상함을 고하니, 존당 부모 대희하나 호혈(虎穴)에 있음을 우려하여, 금후 병부더러 왈,

"여아 이미 생산하였으니 사사(事事)가 명(命)이거니와, 위지(危地)에 던지지 못하리니, 네 어찌 데려오지 않았느뇨?"

병부 대왈,

"위노의 용심이 고이[73] 두지 않을 것이요, 소매의 행거가 총총하여 미처 염려 유아에게 믿지 못하였사오니, 명일 가서 물어 보사이다."

하고 인하여 연중설화(筵中說話)[74]와 윤어사의 말들을 일일히 고하

---

73) 고이 : 온전하게. 고스란히. 편안하고 순탄하게.
74) 연중설화(筵中說話) : 임금과 신하가 모여 자문(諮問)·주달(奏達)하는 자리에

니, 시랑이 소왈,

"살인지사(殺人之事)를 의심치 않음은 소매(小妹)를 깊이 앎이로되, 인명이 지중(至重)하거늘 조금도 경동치 않으니 관인한 도량이 적고, 규내(閨內) 애증이 고르지 않음이라."

하더라.

정씨 좌에 윤·양·이 등이 없음을 의아하여 묻자오니, 태부인이 윤·양·이의 봉변지사를 이르고, 가로되,

"너는 윤부에 있으되 소고의 화액을 모르니 어찌 연무중(煙霧中) 사람이 아니리오."

정씨 망연부지(茫然不知)라. 그윽이 참연(慘然) 경악(驚愕)하되, 자약히 대왈,

"소손이 누명이 차악하오나, 이 또 천수(天數)라. 생세 십오 재(載)에 초목도 상해온 일이 없사오니 살인악사니까? 장사 아냐 만리(萬里)라도 보명(保命)할진대, 필경 신설함을 기다릴 따름이라. 존당 부모는 소녀를 없는 양으로 아시어, 성녀(聖慮)를 허비치 마소서."

태부인이 그 도량을 더욱 어여삐 여기더라.

하소저 삼형의 신설(伸雪) 후 병부를 처음 보는지라, 이에 손사(遜辭) 왈,

"소매 한갓 구활대은을 입을 뿐 아니라, 이제 삼거거(三哥哥)의 신원함과 생부모의 은사를 띠여 고토(故土)에 환쇄(還刷)하심이 다 거거의 은혜라. 쇄신분골하여도 다 갚삽지 못하리니, 오직 마음에 삭여 '구원(九原)의 풀 맺기'[75]를 원하나이다."

서 논의 되었거나 주고받은 이야기.

75) 구원(九原)의 풀 맺기 : '저승에서라도 풀을 맺어 은혜를 갚겠다.'는 말로 '결초보은(結草報恩)'을 달리 이른 말. *결초보은(結草報恩); 중국 춘추 시대에, 진나라의 위과(魏顆)가 아버지가 세상을 떠난 후에 서모를 개가시켜 순사(殉死)하지

언필에 옥루 좌석의 고이니, 좌우 참연 불승하고, 병부 불열 왈,

"우형이 현매로 더불어 남매지의를 맺으니, 친동기(親同氣)로 다름이 없어, 피차에 칭은(稱恩)함이 불가하니 이제 칭은 두자가 우형의 뜻이 아니요, 남매간 칭은이 괴이(怪異)하니 다시 이르지 말라."

소저 병부의 은덕을 불승감골(不勝感骨)하나 감히 언어로 이르지 않더라.

태부인이 양 손아를 곁에 누이고 불승연애(不勝憐愛)하여 귀중(貴重)하는 중, 손녀의 원적(遠謫)을 슬퍼하되, 소저 화(和)한 색(色)으로 자기 비원(悲怨)을 나토지76) 않고, 하소저 숙렬의 누천리 원거를 참상하여 애루(哀淚)를 금치 못하되, 진부인이 양녀를 어루만져 연애(憐愛) 권면(勸勉)하여 각각 조심함을 당부하여 종야 불매러니, 계명에 금후 부자가 존당에 신성(晨省)77)하고 병부 조참(朝參) 후 윤부에 이르러 추밀을 보고, 소매의 신생아를 데려다가 부모께 뵈옴을 청하니, 추밀이 내당에 이르러 유아 데려감을 고한데, 태부인이 미급답에 유씨 공교로운 꾀를 생각고, 권하여 왈,

"신생아를 정가에서 보고자 함이 인정의 괴이치 않으니, 잠깐 보내소서."

태흥이 허하되, 추밀이 외당의 나와 이르니, 병부 생아의 유모를 불러 '공자를 편히 안아 가라.' 하고, 한가지로 돌아와 존당에 들어가 볼 새, 이 문득 별기이질(別氣異質)78)이라. 천지일월(天地日月)의 정화(精華)

않게 하였더니, 그 뒤 싸움터에서 그 서모 아버지의 혼이 적군의 앞길에 풀을 묶어 적을 넘어뜨려 위과가 공을 세울 수 있도록 하였다는 고사에서 유래한다. ≒결초(結草)
76) 나토다 : 나타내다. 드러내다. 표하다.
77) 신성(晨省) : 아침 일찍 부모의 침소에 가서 밤사이의 안부를 살피는 일.
78) 별기이질(別氣異質) : 별이기질(別異氣質). 기질이 특별하고 기이함.

와 산천영기(山川靈氣)를 모아 구각(軀殼)이 석대하고 체형이 기이하니, 난 지 겨우 삼칠일(三七日)79)이로되 영발신이(映發神異)80)하매 말을 통할 듯, 잠미봉안(蠶眉鳳眼)81)이요, 호비주순(虎鼻朱脣)82)에 용호(龍虎) 같은 기상이 대귀인의 상모(相貌)라. 금후 신연(新然)83) 변색(變色)하여, 탄지(歎之) 칭선(稱善) 왈,

"기재(奇哉)며 대재(大哉)라, 차아(此兒)여! 타일 윤문을 높이고 명천의 종(宗)을 빛내리니, 하늘이 광천 형제를 내심도 탁세(濁世)를 밝히는 바요, 윤가를 창(昌)할 것이거늘, 또 이런 기자(奇子)를 내리오사 윤문의 기린과 송실의 보좌를 삼으시니, 작인(作人)84)이 승어부숙(勝於父叔)이라. 아무 지경에 미처도 이 아들을 두었으니 장래를 근심할 바 아니라, 윤부 가란은 사원 형제의 출천대효(出天大孝)로 진정하리니, 아녀(兒女)는 신누(身陋)를 슬퍼 말고 자보(自保)함을 극진히 하라."

태부인과 진부인이 어루만져 애통함을 이기지 못하나, 명일은 발행일이라. 이정(離情)이 참연함을 금치 못하여, 태부인은 도리어 명완(命頑)함을 탄하니, 금후와 병부 이성낙색(怡聲樂色)으로 위로하여, 타일에 신설이 쾌하고 복록이 완전할 바를 고하여 위열(爲悅)하더라.

어시에 윤어사 정소저의 원억한 죄적(罪謫)을 참비(慘悲)하여 경경(耿耿)한 염려 한 때도 놓지 못하고, 가변이 점점 해이(駭異)함을 차악하되

---

79) 삼칠일(三七日) : 세이레. 아이가 태어난 후 스무하루가 되는 날. 대개는 이날 금줄을 거둔다.
80) 영발신이(映發神異) : 광채가 나고 신비로움.
81) 잠미봉안(蠶眉鳳眼) : 누에 같은 눈썹과 봉황의 눈.
82) 호비주순(虎鼻朱脣) : 호랑이 코와 주사(朱砂)처럼 붉은 입술.
83) 신연(新然) : 새로이. 새롭게. '구연(舊然): 예전처럼'의 상대어.
84) 작인(作人) : 사람 됨됨이나 생김새.

능히 양책(良策)을 깨닫지 못하고, 조모와 숙모의 불인악사를 감화할 길
이 없으니, 정의(情誼) 온전할 날이 없어, 마침내 불효죄인이 되기를 면
치 못할까 비회 만첩(萬疊)하기에 미처는, 정·진 위한 근심과 여산중정
(如山重情)85)이 다 사라지고 오직 조모와 숙모 감화하기에만 골몰하였
으니, 전자 쾌활하던 충천장기 사라지고, 고요한 때면 척연탄식(慽然歎
息)하여 우수울억(憂愁鬱抑)함을 마지않으니, 아우의 병이 중(重)함을
민망하여 호언으로 위로하니, 장부의 신세 참란(慘亂)하고, 효자의 명도
궁박함을 그윽이 탄하며, 아우의 병세 약효(藥效)로 차성(差成)할 바 아
니라, 가변으로 인하여 심려를 여지없이 허비하고, 골육이 상하는 중장
(重杖)과 기아(飢餓)에 깊이 병듦이라. 청수(淸秀)한 품격이 날로 표연
(飄然)하여 옷을 이기지 못할 듯하니, 견자(見者)마다 위태함을 염려치
않을 이 없더라.

  어사 정씨의 적행(謫行)을 위로하고자 정부에 이르러 악공 부부를 볼
새, 순태부인이 어사를 청하니, 어사 천천히 걸어 들어와 순태부인과 악
모 부부께 배알하고 근간 존후를 묻자오니, 늠연한 기상은 하일(夏日)이
두려운 거동이요, 구추상천(九秋霜天)의 높음을 웃을 것이요, 쇄락한 신
광(身光)은 혜풍이 화란(和暖)한데, 육룡(六龍)이 상응(相應)하고, 태양
이 승조(承照)하여, 정명광휘(正明光輝)를 만방에 흘리는 듯, 두렷한 천
정(天庭)86)에 빼어난 눈썹은 팔채문명(八彩文明)87)이 일월(日月)을 수
장(收藏)하고, 긴 눈이 쌍미(雙眉)를 가르치고, 미우(眉宇) 천정(天庭)에
는 강산수기(江山秀氣)를 거두어, 만장홍예(萬丈紅霓)88)가 두우(斗

---

85) 여산중정(如山重情) : 산처럼 크고 무거운 정.
86) 천정(天庭) : 관상에서, 두 눈썹의 사이 또는 이마의 복판을 이르는 말.
87) 팔채문명(八彩文明) : '여덟팔자(八字)' 모양의 눈썹이 아름답고 선명함.
88) 만장홍예(萬丈紅霓) : 만장이나 되는 긴 무지개.

字)89)를 꿰뚫고 있는 듯, 백설(白雪)이 엉긴 목은 고요(皐陶)90)와 흡사
하고, 단봉(丹鳳)이 나는 듯한 어깨는 자산(子産)91)과 방불하나, 천일지
표(天日之表)92)는 그 기상이요, 용봉지재(龍鳳之材)93)는 그 위인이니,
망지여운(望之如雲)94)이오 첨지여일(瞻之如日)95)이라. 조당(朝堂)으로
바로 나오매 홍금포(紅錦袍)는 유요(柳腰)96)에 엄연(儼然)하고, 자금관
(紫金冠)은 월액(月額)에 비꼈으니, 팔척경륜(八尺徑輪)97)에 언건(偃蹇)
한 위의와 거여온98) 격조(格調)가 숭심군자(崇深君子)요, 만고영웅(萬
古英雄) 대현(大賢)이거늘, 안으로 '민천(旻天)의 울음'99)과 대순(大舜)

---

89) 두우(斗宇) : 온 세상.
90) 고요(皐陶) :중국 고대의 전설상의 인물. 순(舜)임금의 신하로, 구관(九官)의 한
사람이다. 법을 세우고 형벌을 제정하였으며, 옥(獄)을 만들었다고 한다. 목이
아름다워,『사기(史記)』에 공자(孔子)의 목이 고요(皐陶)의 목과 닮았다는 표현
이 있다.
91) 자산(子産) : 중국 춘추 시대 정나라의 정치가(?~B.C.522). 성은 공손(公孫).
이름은 교(僑). 정나라 목공(穆公)의 손자로, 진나라와 초나라의 역학 관계를 이
용함으로써 정나라의 평화를 유지하였다. 또 농지를 정리하고 나라의 재정(財
政)을 재건하였으며, 성문법을 만들었다. 아름다운 어깨를 가져,『사기(史記)』
에 공자(孔子)의 어깨가 고요(皐陶)의 어깨를 닮았다는 표현이 있다.
92) 천일지표(天日之表) : 온 세상에 군림할 인상(人相). 곧 임금의 인상을 이르는
말이다.
93) 용봉지재(龍鳳之材) : 용(龍)과 봉(鳳) 곧 임금의 재목(材木).
94) 망지여운(望之如雲) : 바라보매 구름 같음.
95) 첨지여일(瞻之如日) : 우러러보매 해와 같음
96) 유요(柳腰) : 버드나무 가시처럼 가늚.
97) 팔척경륜(八尺徑輪) :팔척이나 되는 키와 그 몸둘레를 함께 이르는 말. 경륜(徑
輪)은 사물의 지름과 둘레를 함께 이르는 말.
98) 거여오다 : 거여하다. 거오(倨傲)하다. 당당하다. 늠름하다.
99) '민천(旻天)의 울음' : 순(舜)임금이 밭에 나가 부모의 사랑을 얻지 못하는 자
신을 원망하며, 또 한편으로는 부모를 사모하여 하늘을 향해 큰 소리로 목 놓
아 울었던 고사(故事)를 말함.『맹자』'만장장구상(萬章章句上)'에 나온다. 민
천(旻天)은 어진 하늘

의 경계(境界)를 품었으되, 안모(顏貌)에 춘풍화기는 심리춘산(深裏春山)100)에 만화방창(萬花方暢)한 듯, 춘일(春日)이 다사하여101) 만물을 부휵(扶恤)하는 조화를 가졌으니, 언어의 쾌활함과 행지(行止)의 발양함은 반점 거리낀 근심이 없음 같으니, 태부인과 금후 부부 바야흐로 여아의 원적을 슬퍼하여 수미(愁眉)를 펴지 못하다가, 어사를 보매 아름답고 기이함을 겨를102)치 못하여, 태부인과 진부인이 저런 서랑으로 여아가 화락하지 못하고 풍상액회 비상함을 더욱 한하나, 어사의 화열함을 도리어 괴이히 여겨 비척한 사색을 뵈지 못하고, 금평후 집수 척연 왈,

"인인(人人)이 옹서지정(翁婿之情)이 부자지정만 못하다 하나, 나는 실로 너 앎을 천아 등과 달리 않는 고로, 불미한 소녀의 품질을 과애(過愛)하고, 으뜸은 영선대인(令先大人)의 뜻을 좇아, 너로써 동상을 삼아 문란(門欄)103)의 광채를 이루고, 여아의 전정이 길이 즐거울까 하였더니, 조물이 작희하고 여아의 명도 괴이하여, 살인 중수로 형부에 고장(告狀)하였으니, 법률로 의논할진대 대살(代殺)이 벅벅한지라104). 일분 살기를 바라지 않았더니, 기약(期約)지 않은 성은이 빗기105) 더하시어, 초로(草露) 일명을 빌려 장사에 적거케 하시니, 이는 사골(死骨)이 부휵(扶恤)함이요, 고목이 생화(生化)하는 호생지덕(好生之德)이라. 수연이나 오직 한하는 바는 저의 위인이 간흉키에 벗어나 평일 온순하던 성행

---

100) 심리춘산(深裏春山) : 봄 산 깊은 곳
101) 다사하다 : 조금 따뜻하다.
102) 겨를 : 어떤 일을 하다가 생각 따위를 다른 데로 돌릴 수 있는 시간적인 여유. 늑틈.
103) 문란(門欄) : 문루(門樓)의 난간(欄干)을 뜻하는 말로 가문(家門)을 달리 이르는 말.
104) 벅벅하다 : 틀림없다. 명백하다.
105) 빗기 : 황홀히. 번뜩여. *빗; 빛. *빗기다; 비치다. 번뜩하다.

이 '그린 떡'106)이 되니, 참연통절함을 참으랴? 부모 동기는 저의 원억
함을 알려니와, 사원은 여아가 유부인을 지를 적 영존숙과 한가지로 보
다 하니, 비록 부부지정이 중하나 살인 중수를 찾음이 불가하고, 유부인
의 비명참사함이 수일(數日)이거늘 복제(服制)107)를 차리지 않고, 홍포
옥대(紅袍玉帶)로 조참함이 방인(傍人)의 시비를 취하리니, 어찌 실체
(失體)함이 여차(如此)하뇨?"

어사 흠신(欠身)108) 사왈(謝曰),

"소생이 부재박덕(不才薄德)으로 합하(閤下)의 지우지은(知遇之恩)을
입사와 모첨(冒添) 동상(東床)의 은애를 받자온 지 세재(歲在) 삼년이라.
한갓 반자지도(半子之道) 지극할 뿐 아니라, 선친과 친붕지간이 자별하
시니, 소생 등의 의앙(依仰)하옵는 하정(下情)이 사숙(舍叔)의 버금으로
하오니, 어린 심폐(心肺)를 듣지 않으시나 거의 써 짐작하실까 하였더
니, 이제 유녀의 복제 안 차림과 살인자를 찾아 이름을 의(義) 아니라
하시니, 실로 우러르옵던 바 아니라. 실인의 행사는 살인악사는 이르지
도 말고 소사(小事)의도 모진 일이 없사오니, 어찌 유녀를 칼로 지름이
있으며, 유녀는 혼인한 이래 포려(暴戾)한 악심(惡心)을 전주(專主)하여,
면모에 불길(不吉)한 조짐(兆朕)이 무궁하여, 남자로 이른 즉 반역이 반
듯한지라. 결단코 소생을 지켜 박대를 감심하다가 영녀의 해를 받아 힘
힘히 죽지 않으리니, 유가 부자는 기녀(其女) 기매(其妹)로 알아 통곡비
상(痛哭悲傷)하나, 소생은 혜건대, 영녀(令女)의 전형(典型)을 빌려 독수
(毒手)에 마친 자는 결단코 유녀 아니요, 죽인 자는 영녀를 미워하여 부

---

106) '그린 떡' : 그림의 떡. 아무리 마음에 들어도 이용할 수 없거나 차지할 수 없
　　는 경우를 이르는 말.
107) 복제(服制) : ①상례(喪禮)에서 정한 오복(五服)의 제도. ②상복을 입는 일.
108) 흠신(欠身) : 공경하는 뜻을 나타내기 위하여 몸을 굽힘.

디 영녀를 없애고자 한 자이니, 각별한 흉계 있어 진정 유녀는 좋이 물러나고, 내도한[109] 것이 죽어 영녀로 화액을 당케 함이라. 사람이 다 유녀의 복제 차리지 않음을 시비함이 있어도, 소생이 의심이 동하여 그 시신을 간예치 않으려 하옵나니, 대인이 지금은 소생을 무신(無信)히 여기시나 타일 유녀의 일이 들어나면 소생의 명달함을 아르시리이다."

금후 잠소 왈,

"너의 너무 궁극한 의심이 의외요, 세상이 다 네 마음을 모르는 자는 유씨 초상(初喪)에 임하여, 복제 폐함을 무신불의(無信不義)로 미루리라."

어사 대왈,

"만인이 다 질책하나 소생의 금석지심(金石之心)은 요개(搖改)치 않으리이다."

태부인이 탄 왈,

"노인이 손녀를 위하여 화란(禍亂)의 비상함을 참연 통절하나니, 군의 말을 들으니 훗날의 일이 목전에 벌여있는 듯, 혹자 원억(冤抑)을 신설할까 바람이 있으나, 천금 약질이 산후 일삭도 못하여 누천리 행도를 무사히 득달함이 어려운 고로, 천만 가지 정사(情私)가 간절하여 보전치 못할까 근심이 깊으니, 군은 비록 장부의 기상이 쾌대(快大)하나 규내에 이삼실(二三室)을 두었다가 화락지 못하고, 사화(死禍)를 면한 자는 찬적이요, 원적을 아닌 자는 본부의 와 천일(天日)을 불견(不見)하고, 옥 같은 기린을 생하나 기쁨을 고할 곳이 없어하니, 군의 회포 여러가지로 난(亂)할 것이로되, 이렇듯 화열함이 이상치 않으시랴?"

어사 진씨의 자기 허락 없이 본부에 돌아감을 미안하여, 비록 진태우가 위력으로 본부로 데려간 것을 아나, 불열(不悅)하던 중, 순산 생자함

109) 내도하다 : 매우 다르다. 판이(判異)하다. 엉뚱하다.

을 알고 내렴(內念)에 영행하되, 못 잊는 정인즉 범연치 아니하더니, 태부인 말씀으로 좇아 수연(愁然)이 염슬 대왈,

"소생이 존당의 이렇듯 하심을 듣자오니, 인정천리(人情天理)에 괴이치 아니하오나, 길흉화복이 막비천수(莫非天數)110)라. 자고로 성인도 오는 액을 면치 못하시니, 형포(荊布)111)의 화란이 경참하오나, 이 곳 명운(命運)이라. 어찌 한탄함이 있으리까? 소생이 매저(妹姐)의 사생거처(死生居處)를 모르고 오히려 타일을 바라는 바 있어, 봉로시하(奉老侍下)에 과상치 못하거늘, 하물며 형포 등의 액경을 슬퍼하여 매양 우수(憂愁) 울억(鬱抑)하리까? 원컨대 존당은 이런 일에 무익한 성려를 허비치 마소서. 액화(厄禍)의 빠진 자들이 다 풍운의 길시를 만나 일택지상(一宅之上)에 영화로이 모이기를 기다리소서."

태부인이 어사의 물 흐르듯 한 말씀에 또한 잠소하나 명일은 이발(離發)할 날이라, 합문이 비절(悲絶)함을 이기지 못하여 하더라.

차시 정소저 침소의 돌아왔더니, 태부인이 전어 왈,

"손아 부부는 겨우 삼오청춘이요, 녹발이 쇠할 날이 멀었으니 전정이 만리라. 타일 상봉회합하여, 오늘날 화란을 일장춘몽으로 알려니와, 노모는 칠순이 거의라, 혹자 너의 환쇄함을 보지 못할까 슬퍼하나니, 윤군이 한 당에 모인 때나 좌간(座間)을 떠나지 말고, 조손 부부 부녀 남매 다 이정(離情)을 위로하라."

소저 승명하여 조모 좌하의 앉으니, 어사로 대좌하매 자기 악사를 지

---

110) 막비천수(莫非天數) : 하늘이 정한 운명이 아닌 것이 없다.
111) 형포(荊布) : 형차포군(荊釵布裙)의 준말. 가시나무로 만든 비녀와 무명옷이란 뜻으로, 자기의 아내를 남에게 낮추어 일컫는 말.

음이 아니로되, 누얼을 부끄러워 옥면에 홍광(紅光)이 취지(聚之)하고, 팔자춘산(八字春山)이 나직하여 홍수(紅袖)를 정히 꽂아 추연히 시좌하니, 일만 염태와 일천 광염이 좌우에 조요(照耀)하니, 조일(照日)이 만방에 찬란하며, 백년(白蓮)이 녹파(綠波)에 솟은 듯, 어리로운[112] 거동과 천연한 위의 제순(帝舜)이 남훈전(南薰殿)[113] 상에 한가하심과, 여와씨(女媧氏)[114] 용상의 좌하심 같으니, 무사무려(無思無慮)하고 유정유일(惟精惟一)[115]하여 세정(世情)을 모르는 듯하니, 존당 부모 새로이 황홀 애련하여 이정(離情)을 차악(嗟愕) 상비(傷悲)하고, 병부 등이 추연(惆然) 결홀(缺欻)[116]하나, 태모의 심사를 요동치 않으려 화담희어(和談戲語)로 즐기심을 요구하여, 현기 등 소아와 숙렬의 생아를 좌간에 내어 작인(作人)의 특이함을 볼 적마다 총애하니, 비록 슬픈 중이나 병부의 번화(繁華)는 많이 감치 않은지라, 어사 투목(偸目)으로 부인을 잠깐 보고, 금후께 묻자오되,

"실인 호행을 완정하였나니까?"

공이 답왈,

"천흥이 호행할진대 위태한 염려 없을 것이로되, 병부 직임이 중대하니 수삼 삭 수유(受由)를 얻지 못할 것이요, 인흥은 근간 신음하매 천리

---

112) 어리롭다 : 아리땁다. 귀엽다.
113) 남훈전(南薰殿) : 순임금이 오현금(五絃琴)으로 남풍시(南風詩)를 타 백성들의 불만을 어루만져주던 전각.
114) 여와씨(女媧氏) : 여왜(女媧). 중국의 천지 창조 신화에 나오는 여신. 오색 돌을 빚어서 하늘의 갈라진 곳을 메우고 큰 거북의 다리를 잘라 하늘을 떠받치고 갈짚의 재로 물을 빨아들이게 하였다고 한다. 사람의 얼굴과 뱀의 몸을 한 여신으로 알려져 있다.
115) 유정유일(惟精惟一) : 오직 한 가지 일에 마음을 쏟아 정성을 다함.
116) 결홀(缺欻) : 무엇인가를 잃은 것 같은 서운한 마음이 일어남.

원행(遠行)이 어려워, 부디 세흥을 보낼까 싶되, 세아의 위인이 무식 과
격하고 소활 방탕하여 삼가함이 없어 남과 겨루려 하니, 누의를 무사히
데려가지 못할까 염려하노라."

어사 소이대 왈(笑而對曰),

"사람되오미 세흥 같은 후는 장사(長沙) 아냐 만리타국이라도 염려 없
사오나, 국가가 설과(設科)하시어 지격(至隔) 수순이거늘, 세흥 같은 준
걸을 과장(科場)에 불참케 하심이 불가하니, 후백 형이 비록 신질(身疾)
이 있으나, 장사 왕반에 더하든 않을 것이니, 후백으로 호행케 하시고,
세흥으로써 입과(入科)케 하심이 가(可)하니이다."

금후 미급답에 태부인 왈,

"세흥의 연기 이륙(二六)을 지나 신장기위(身長氣威) 미진한 것이 없
는데, 어찌 과장의 불참하리오? 인흥이 못 갈진대 천흥이 병부 직임이
중대하나, 수월 수유(受由)하여 손아를 호행하라."

금후 모친의 울울하신 심사에 과경(科慶)이나 보고자 하심을 역(逆)지
못하여 대왈,

"자교(慈敎) 여차하시고 사원의 말이 옳사오나, 세흥의 신장기질이 숙
성하오되 행실은 무일가취(無一可取)오니, 저런 것을 일찍이 입과(入科)
하여 혹자 방말(榜末)에나 참예하올진대 취화(取禍)할 마디오니, 소자
매양 제아(諸兒) 중 세흥을 염려하나이다."

태부인이 세흥의 옥면류풍(玉面柳風)[117]과 유수지언(流水之言)이 능
려 활발하여, 병부 여풍(餘風)이 많은지라, 태부인이 연애하는 고로 금
후의 매양 나무라함을 불열하여, 세흥의 장처를 모아 이르며 재자(才子)
준걸(俊傑)임을 이르니, 공이 모명을 순수하여 세흥을 장사의 보내지 않

---

117) 옥면류풍(玉面柳風) : 옥처럼 하얀 얼굴과 버들처럼 날렵한 풍채.

으려 할 새, 시랑의 신질이 풍한에 상한 바러니, 일기 점점 춘화(春和)
하매, 나음을 일컫고 소매를 호행하려 하니, 금후 마지못하여 허하더라.

병부 어사를 이끌어 화정에 이르러 시아로 진소저를 청하고, 어사더
러 왈,

"진매 분산 후 일칠일(一七日)이 지났거니와 소매로 더불어 원별을 안
하지 못하리니, 소매는 누명을 부끄러워 외가의 가지 않고, 진매는 살았
음을 아무 데도 전파치 않으려 심당벽처에 두문불출하니, 피차 상견이
어려워 지척천리 되었나니, 내 이제 표매를 청하리니, 사원은 쌍개 숙녀
로 회포를 이룰지어다."

어사 은은(隱隱) 함소(含笑) 왈,

"이른바 쌍개 숙녀는 '그림의 떡'이라, 하나는 살인 중수로 수천리 원
지에 찬적하고, 하나는 소제를 없는 것같이 하여 친당 번화를 따르니,
소제 가실(家室)이 아니라 유무불관(有無不關)토소이다."

병부 꾸짖어 왈,

"네 비록 낯가죽이 두꺼워도 진매를 책죄(責罪)할 바 없으리니, 어느
집이 며느리를 애매한 죄루의 몰아넣어, 말좌천비(末座賤婢)나 당하는
태장을 가해 내치는 규구(規矩)가 어디 있더뇨? 표매는 온순한 부인이
라, 일동일정을 자전(自專)치 않을 사람이로되, 네 부질없이 데려다가
강교(江郊)에 후리치니[118] 진형 등이 동기지정으로 그 비고(悲苦)함을
자닝하여 위력으로 데려왔거니와, 진매 일호(一毫) 군가를 원망함이 없
고 영존당 태부인 과악을 감추어 스스로 작죄함 같이 하니, 실로 여자
됨이 자닝한지라. 사원이 무슨 일로 진매를 나무라 하느뇨?"

어사 미소왈,

---

118) 후리치다 : 팽개치다. 내버려두다. 감추다.

"형이 진씨를 아름다운 줄로 이르시나, 원간 영매나 진씨나 성효(誠孝) 흡흡(洽洽)지 못하고, 위인이 온순치 못하기로 부득지(不得志)라. '천하(天下)에 무불시저부모(無不是底父母)라'119) 하니, 형이 생각지 못하시냐?"

병부 소왈,

"사원이 이제 양매(兩妹)를 다 불합히 여길진대, 다시 숙녀를 취하리니 어찌 환거(鰥居)하리오?"

언파의 시녀로 소저를 청하되, 구태여 어사의 왔음을 전치 않고, 정소저 명일 원별의 슬픈 회포를 낮으로 펴고자 함을 일러 협문으로 오라 하니, 진씨 실로 출입할 의사 없으나 정소저를 원별하는 의사 참연(慘然)하여, 부득이 촉을 잡히고 정부 선화정을 향할 새, 정숙렬이 바야흐로 정당으로서 나오다가, 진소저를 보고 반기는 정과 슬픈 회포 교집하여, 바삐 손을 잡고 문을 열매, 어사와 병부 있는지라. 진소저 본부로 올 때에 어사의 허락을 듣지 못하였는지라. 매양 방심치 못하더니, 어사를 대하매 일만(一萬) 불안함이 있어, 서로 예필 좌정(坐定)에 병부 일어나며, 소왈,

"너의 부부 삼인이 일실의 모다 나의 있음을 괴로이 여기는 고로 마지 못하여 나가노라."

어사 미소 왈,

"형이 동기지정으로 남매 별회를 이르면 밤이 진토록 다하지 못할 바거늘, 어찌 소제를 맡기고 나가시느뇨?"

병부 웃으며 나가거늘, 어사 홍선으로 유아를 데려오라 하니, 수유에 신아를 데려 앞에 놓으니, 일척 백옥이 영형기이(英形奇異)하여 오악(五

---

119) 천하(天下)에 무불시저부모(無不是底父母)라 : 천하에 옳지 않은 부모는 없다.

嶽)[120]이 수기(秀氣)하며 일월정채(日月精彩) 어리었으니, 용미봉안(龍眉鳳眼)에 광채 징징(澄澄) 발월(發越)하며, 천정(天庭)[121]이 두렷하고 훤칠하여, 석대장맹(碩大壯猛)한 기골이 대소 비록 다르나 완연이 자기 형용이라. 부자천륜의 지극한 사랑이 황홀 융흡(隆洽)함이 정씨 생아로 다름이 없으되, 진씨를 미온(未穩)함이 심하여, 정색 양구의 봉안을 흘려 진씨를 보아 왈,

"생이 비록 용우하나 자에게는 소천이거늘, 이미 강정을 분산 전 떠나지 말라 하였는데, 돌아감을 이르지 않고 거취를 자행하여 생을 없는 것 같이 하고, 자의 제형이 욱여 데려가나 차아가 난 지 일칠 일이 지나대 소식을 전치 않아, 부자가 상견치 못하게 함은 어찌코자 하던 의사뇨?"

소저 어사의 불호(不好)한 색과 준절(峻節)한 책언을 들으매, 자기 그 허락을 듣지 못하고 돌아옴이 비록 소리(率爾)히[122] 하였으나, 그 조모와 숙모의 극악대흉을 생각하매, 비록 어사의 탓이 아니나 심리에 구가(舅家)도 감은한 의사 나지 않으며, 어사 그 가사를 돌아보지 않음을 그윽이 한하여 양안을 낮추고 묵연 불응하니, 어사 진씨의 품도(稟度)가 유열함이 부족하여 정씨의 천균대량과 춘양화기를 따르지 못함을, 본디 모르지 아니하되, 금일 이같이 냉렬(冷烈)한 사색을 보매, 크게 미흡하여 일장을 준책하여 여행(女行)과 부덕을 모르고 방자 교오(驕傲)함을 이르대, 짐짓 소저로 하여금 노분(怒忿)이 충격케 하나, 소저의 단엄정렬(端嚴貞烈)함이 금옥의 견고함과 추상의 냉담함을 겸하여, 말씀이 적으며 예모 빈빈(彬彬)하여 부부 언전힐난(言戰詰難)을 기괴히 여기므로,

---

120) 오악(五嶽) : 얼굴의 두 눈과 두 콧구멍, 입을 말함.
121) 천정(天庭) : 관상에서, 두 눈썹의 사이 또는 이마의 복판을 이르는 말.
122) 소리(率爾)히 : 솔이(率爾)히. 말이나 행동이 신중하지 못하고 가벼이.

어사의 곤책(困責)을 당하되 구태여 불평한 답언이 없어, 날호여 염임(斂衽)하고 왈,

"첩이 불능누질(不能陋質)로 성문에 의탁하매, 행사(行事)가 불미하고 사덕(四德)이 박하여 망측한 죄루 층출하여, 일명이 보전키 어려운지라, 이미 존당이 죽음을 명하시니 감히 살고자 뜻이 없사옵거늘, 일루잔천(一縷殘喘)이 구구(區區)히 투생하여 오늘날까지 세상에 있음이 군자의 구활지덕(救活之德)이라. 생사거취 다 군자 장리(掌裏)에 있으니, 어찌 감히 친전에 돌아감을 자행(自行)하리까마는, 가형의 호의(狐疑) 없는 마음에 첩의 거처가 외로움을 잊지 못하여 위력으로 데려오니, 첩이 또 강정을 떠나지 말고자 하되, 그윽이 사량(思量)하매, '무족언(無足言)이 비천리(飛千里)라'[123]. 첩이 살아 강정에 엄류함을 존당이 아신 즉, 한갓 첩이 죽고 남지 못할 죄일 뿐 아니라, 군자 또한 수책(受責)이 중하실 듯하니, 여러 가지 사세(事勢) 난안(難安)함으로 마지못하여 돌아오나, 이로써 여러 가지 죄를 삼으심이 여차하니, 이 도시(都是)[124] 첩의 불민함이라, 감히 어지러운 회포를 펴지 못하나이다."

청화아성(淸和雅聲)이 낭랑하고 쇄연하여 금반(金盤)에 진주(眞珠)를 구을니고, 안모(顔貌) 기려광윤(奇麗光潤)한 염태(艶態) 작작(灼灼)하니, 정소저로 병익(竝翼)하여 하나는 추천양일(秋天陽日) 같고, 하나는 계궁소월(桂宮素月) 같아서, 보고 다시 볼수록 눈을 옮기기 아까오니, 어사 심리의 저 같은 숙녀 철부로 더불어 화란 없이 동주(同住)치 못함을 차탄하며, 정소저 원별은 더욱 참연하여, 정소저를 향하여 가로되,

---

123) '무족언(無足言)이 비천리(飛千里)라' ; '말은 비록 발이 없지만 천 리 밖까지도 순식간에 퍼진다'는 뜻으로, 말을 삼가야 함을 비유적으로 이르는 말.

124) 도시(都是) : 도무지. 모두.

"자의 행사며 사덕을 생의 밝히 아는 바라. 한갓 동렬을 질투하여 발검해명(拔劍害命)함은 이르지도 말고, 천고궁흉일악대죄(千古窮凶一惡大罪)[125]를 지었다 하여도 의심치 않을지라. 이제 죄루를 실어 장사 원적이 여자의 슬픈 행색이나, 작죄 없어 앞이 굽지 않으니, 필경은 원억(冤抑)을 신설(伸雪)할지라. 장사가 요원하나 사지(死地) 아니니, 마음을 굳게 잡아 명철보신(明哲保身)하여, 천백(千百) 가지 수한(愁恨)을 부운의 던져, 비고(悲苦)함을 즐거운 일같이 할진대, 못 견딜 바 없느니, 우리 자위 궁천극통(窮天極痛)을 품으시고 여러 세월의 남다른 경계를 지내시나, 당차시하여 외로우심이 심하되 슬퍼하심이 없고, 만상비고(萬狀悲苦)를 좋은 일같이 하시니, 원컨대 자는 방신을 보중하여 타일 서로 만나기를 기약할지라."

정소저 공경 문파의 염님(斂衽) 대왈,

"첩수혼암미열(妾雖昏暗微劣)[126]이나 군자의 성언(聖言)이 여차하시니, 어찌 감동함이 없으리까? 일로부터 명심감골하여 삼가 잊지 말고, 아무 일이 있어도 다만 살기를 위주하리니, 원(願)하건대 군자는 첩을 염두에 머무르지 마시고, 존당을 모셔 안강하심을 바라나이다."

어사 재삼 당부하고 떠나기를 연연(戀戀)하다가, 이에 개연이 팔을 들어 읍하여 작별하고 밖으로 나가니, 정·진 이소저 절하여 이별하고, 서로 이끌어 진부인 침루에 이르러 부인께 시좌하여 별정을 고하니, 부인이 손을 잡고 처연(悽然)이 눈물을 드리워 왈,

"질아의 성행숙덕(聖行淑德)으로 기구한 액경을 지내며, 여아 또한 망측한 화란을 당하니, 어찌 너의 운액의 괴이함이 이다지도 할 줄 알리

---

125) 천고궁흉일악대죄(千古窮凶一惡大罪) : 세상에 없는 지독히 흉하고 악한 큰 죄.
126) 첩수혼암미열(妾雖昏暗微劣) : 첩이 비록 어둡고 보잘 것 없으나….

오. 윤낭이 질아를 비록 크게 그릇 여길지라도 다시는 옥누항을 디디기 어려우리니, 차라리 거거 슬하에 길이 모셔 남매 즐기고 흉한 구가를 생각지 말라."

진씨는 함루무언(含淚無言)이요, 정소저 탄 왈,

"만사 다 명이라. 소녀 등의 궂김이[127) 다 운수 불리함이니, 구태여 사람을 탓하지 못할지라. 구가 존당을 원(怨)하여 자부(子婦)의 도(道)를 잃으리까? 소녀는 국가가 찬출하시니 가군이 임의로 거취를 정치 못하오나, 진제는 오히려 평상한 몸이라, 살았음을 아신즉 구가 명령을 좇음이 옳은지라. 모친은 어찌 이런 말씀을 하시나니까?"

진부인이 슬픈 한을 이기지 못하여 종야토록 정·진·하 삼인을 곁에 누이고, 각각 신세를 참비(慘悲)하여, 효신(曉晨)에 여아 발행할지라. 모녀의 유유한 정이 비할 곳 없으되, 정소저 참기를 위주하여 일절 비색을 나토지 않더니, 이미 효계(曉鷄) 창명(唱鳴)하니, 진소저 일장 작별에 서로 읍체(泣涕) 연연(戀戀)하여 창연(愴然) 비절(悲絶)함을 형상치 못하되, 진씨 살았음을 혹자 엿볼 이 있을까하여, 무궁한 정회를 참고 분수하여 협문으로 돌아가니, 진부인이 양녀를 데리고 존당에 들어와 행리(行李)[128)를 차릴 새, 금평후 모친 비회하심을 민박하여 화기를 작위하나, 천금 소교(小嬌)를 누천 리 원지의 찬적하는 정사가 차악하고, 병부 등이 면면이 비한(悲恨)을 정(定)치 못하니, 하물며 태부인 심사는 형용할 것이 있으리오. 소저를 붙들고 천항루(千行淚) 옷깃을 적시니, 소저 불효를 더욱 슬퍼 척연(慽然)이 탄식하고, 태모를 위로 왈,

---

127) 궂기다 : ①고생하다. 궂은일을 당하다. 일에 헤살이 들거나 장애가 생기어 잘 되지 않다. ②죽다. 윗사람이 죽다.
128) 행리(行李) : =행장(行裝). 여행할 때 쓰는 물건과 차림.

"불초아(不肖兒) 한 일도 효의를 빛내지 못하고, 기구한 죄루의 빠져 원적(遠謫)하게 되오니, 한갓 이측(離側)하는 하정(下情)이 비절할 뿐 아니라, 왕모의 상회(傷懷)하심이 과도하시어, 성체 손상(損傷)하심을 생각지 않으시니, 소녀의 마음이 베는 듯하온지라. 복원 태모는 소녀를 없는 이로 아시어 성녀를 허비치 마르시고, 성체 안강하시어 길이 만수 무강하소서."

태부인이 비도참절(悲悼慘絕)함을 겨우 금억하여 소저의 보중함을 당부하더니, 공차(公差)가 이르러 길을 재촉하는지라. 정소저 옥화산 존고께 하직을 고코자 하매, 날이 늦음을 민망하여 천만 비원을 참고 몸을 일으켜 존당에 하직하여, 행거(行車)가 바쁨을 고하니, 태부인과 진부인이 가슴이 막혀 말을 이루지 못하고, 금평후는 여아의 손을 잡아 원로에 무사히 득달하여 보중함을 이르고, 병부 등은 타일 환쇄(還刷)할 날이 있으리라 하여, 가는 심사를 위로하나, 부모 동기의 이정이 차아(嵯峨)함은 사별을 당한 듯, 일좌에 비풍(悲風)이 사기(使氣)하고, 세설(細雪)이 서리를 섞어 뿌리는 듯하여 가는 마음과 보내는 정이 상하키 어려운지라. 시랑이 또한 부모 존당께 하직하여 소매를 호행할 새, 태부인과 진부인이 목이 메고 앞이 어두어 시랑더러 이르대,

"너는 누의를 장사에 두고 돌아오면 혈혈(孑孑) 아녀(兒女)가 긴 세월에 어찌 능히 견디리오. 비록 상리(相離)하는 정이 어려우나, 여아를 위하여 너희 오인이 돌려가며 장사에 왕래하여 그 외로운 형세를 면케 하라."

시랑이 관위 왈,

"소자 수삼 삭 말미를 얻었으니 소매 적소에 잠깐 마음을 정하여 머무는 거동을 보고 돌아오리니, 그 사이 세흥이나 유흥이나 보내시어 소매를 위로케 하시고 과상치 마소서."

금평후 천만 강잉(强仍) 왈,

"자위 과상하심이 민박하거늘 부인은 어찌 이다지도 하여 자의(慈意)를 요동하고, 되지 못할 의논을 내어 오아를 돌려가며 여아를 지키자 하느뇨? 비록 오아(吾兒)가 들리지 않으나, 장사 태수는 문생 주계화이니 여아를 극진 고렴하여 위태한 염려 없는지라. 모름지기 과려치 말라."

부인이 겨우 안수(眼水)를 거두고 여아를 따라 중당에 나오니, 문양공주는 본디 투현질능(妬賢嫉能)하는 고로, 소고(小姑)의 출인 비상함을 또한 질오(嫉惡)하던 바라. 이 경색을 당하여 거짓 비도결연(悲悼缺然)한 체하는 안색을 지으나, 하소저와 소이씨(小李氏)는 이정(離情)이 참절하여 일천 줄 누수(淚水) 채수(彩袖)를 적시며, 서로 붙들어 차마 손을 놓지 못하니, 진부인이 천만 보중함을 재삼 이르며, 소저는 존당 부모의 안강하심을 청하여 비정(悲情)이 참참(慘慘)한 중, 신생아는 자모 떠나는 줄 모르니, 소저 아자(兒子)의 낯을 대고 이윽히[129] 오열하다가, 아해(兒孩)를 모친께 드리고, 고 왈,

"세상 만사 오로[130] 다 인력의 미칠 바 아니오니, 복원 자위는 할단인정(割斷人情)하시어 잔 호의(狐疑)를 마시고, 차아의 인명과 사생이 천야(天也)요, 화복이 관수(關數)하니, 비인력지소위야(非人力之所爲也)[131]라. 유아를 구태여 위태함이 없을 줄 아나, 그윽한 가운데 무슨 궁흉한 계교 있을 줄 뉘 알리까? 차라리 제 집에 보내어 아해 사생 유무간 우리 집 탓이 되게 마소서."

부인이 참연 왈,

"네 말이 옳으나, 세상에 난 지 일삭도 못한 것을 차마 어찌 호혈(虎

---

129) 이윽하다 : 시간이 오래되다. *이윽히; 오래도록.
130) 오로 : 모두. 전부.
131) 비인력지소위야(非人力之所爲也) : 사람의 힘으로 할 수 있는 일이 아님.

穴)에 보내리오. 천흥과 의논하여 좋도록 하리니, 너는 다른 염려 말고 네 몸이나 무양하라."

시랑이 날이 늦음을 재촉하니, 소저 겨우 수명하고 모든 데 무한한 회포와 가득한 정을 그쳐 거교(車轎)에 오르니, 홍선 등 제시비 뒤를 좇아 말에 오로니, 금평후 적소에 군관과 노복을 정하여 보내고, 장사 태수에게 서간을 부치니라.

병부 제제를 거느려 소매를 수십 리 장정(長亭)132)에 송별할 새, 윤직사 또한 수씨(嫂氏)를 배별하려 나와 거교 뒤에 좇아가니, 살인 중수로 적행(謫行)이 슬프나 위의 추종이 성만하여 죄인의 행색이 아니더라. 소저 거거 등에게 청하여 옥화산에 다녀감을 이르니, 병부 즉시 화산 조부로 가니라.

차시 조부인이 여아의 화란을 자세히 알지 못하여 그 거처 없음을 망연 부지함은, 양자(兩子)와 제거거(諸哥哥)가 다 기이므로, 다만 공주궁 저주사로 인하여 죄루(罪累)에 매여, 정부 농장 사오일 정(程)에 나가있음으로 알아, 그 전정이 불안함을 슬퍼하고 서신도 통치 못함을 비도(悲悼)한즉, 어사는 흐르는 구변으로 금평후가 매저의 편키를 위하여 고념(顧念)하시므로 그 몸이 반석 같음을 고하고, 자기 등 한없는 고경(苦境)을 영영(永永) 사색치 않으나, 부인이 일시도 방하(放下)치 못하여, 세 낱 자녀의 신세를 우려하며, 정·진 하·장 등의 위란을 잊지 못하여 슬퍼하더라.

구파는 어사의 신기한 약효로 인하여 옛 마음이 점점 돌아오고, 자기 상성(喪性)하였던 바를 괴이히 여기고, 옥누항에 돌아간즉 또 실혼 상성

---

132) 장정(長亭) : 예전에, 먼 길을 떠나는 사람을 전송하던 곳.

할까 두려 조부인을 지켜 서로 위회(慰懷)하여 세월을 보내며, 어사 형제 부부를 생각고 주야 가득한 염려 조부인께 내리지 않더라.

부인이 구파의 본심이 여전(如前)하고 병이 나음을 깃거, 매사의 지극함이 존고를 받들 듯하니, 구씨 더욱 감은하며, 부인이 구파로 더불어 심원 별처에 있어, 일찍 사람을 대함이 없고, 비회를 서로 이를 뿐이요, 부인과 구씨 직사 형제와 정·진 하·장 등을 생각할지언정, 일신이 한가하여 옥누항의 있을 적과 천지 현격하되, 다만 존고를 속이고 깊이 들어있으매, 천일을 다시 보지 못할까 사려(思慮) 간절하더니, 문득 정소저 이르러 배알함을 당하니, 부인이 일념에 잊지 못하던 정씨를 보매 반김이 넘쳐, 바삐 옥수를 잡고 운환을 어루만져 능히 말씀을 이루지 못하거늘, 소저 존고의 이렇듯 하심을 보오매 감은 각골하여, 나직이 존후를 묻잡고 오래 감지 폐함을 사죄하여, 말씀이 온순비약(溫順卑弱)하며, 장사 원지(遠地)에 적거하매 그 사이 성체 안강하심을 축(祝)하니, 부인이 비로소 연유를 물어 알고 크게 슬퍼 눈물을 드리우고, 원로에 보중하여 타일 산 얼굴로 반김을 재삼 기탁(期託)[133]하니 사의(辭意) 처연한지라.

소저 이에 호언으로 위로하여 물려(勿慮)하심을 청하매, 의문(議問)이 만치 않으나 사어(辭語)가 관곡(款曲)하여 지극한 정이 말씀 밖에 나타나고, 특출한 효성이 심곡으로부터 솟아나는지라.

부인과 구파의 가없이 반김과 한없이 두굿거워하는[134] 중이나, 연연(娟娟)하여[135] 옥돌 같고 얼음 같은 깨끗한 마음에, 원앙(寃怏)한 죄루를 무릅써, 규리(閨裏)의 자취로 살인죄명을 싣고 장사 누천리에 원억히

---

133) 기탁(期託) : 기약(期約)하여 당부함.
134) 두굿겁다 : 자랑스럽다. 대견스럽다. 기뻐하다.
135) 연연(娟娟)하다 : 아름답고 어여쁘다.

적거함을 슬퍼하니, 아끼는 정을 이기지 못하여 부인이 소저의 옥비를 어루만져 탄성 체읍하여 청루(淸淚) 산산(潸潸)하니, 나군(羅裙)에 우성(雨聲)을 화(和)하는지라.

정소저 더욱 불효를 느끼고, 이 같은 자애를 떠나 천리(千里) 애각(涯角)에 단취(團聚)의 기약이 아으라함[136]을 슬퍼, 옥빈화협(玉鬢花頰)[137]에 처색(悽色)이 은은하여, 능히 강인(强忍)치 못하니, 구파 읍체(泣涕) 왈,

"윤씨 문운(門運)이 불행하여 선상서(先尙書) 노야(老爺)가 만리타국에 가 인세(人世)를 버리시매, 위·유 부인이 양미토기(揚眉吐氣)[138]할 시절이 되어, 어사와 직사 장차 보전키 어렵고, 가란(家亂)이 상생(相生)하여 부인과 제소저 차차 위태한 경계를 당하시니, 노첩의 간장이 미여지는 듯, 설움을 이기지 못하나니, 어느 날 우리 부인과 소저 액운을 소멸하시고 풍운의 길시를 만나 고택의 모다 예같이 즐기실꼬? 만일 한 당의 합취(合聚)하여 즐길진대, 노첩이 석사(夕死)나 무한(無恨)이라. 오직 위·유 양부인의 책선(責善)하심만 원할 따름이로소이다."

부인이 탄 왈,

"도시(都是) 첩의 모자고식(母子姑媳)이 명박다천(命薄多淺)[139]함이라. 어찌 사람을 원(怨)하며 남을 탓하리까?"

언파에 추연 희허(唏噓)하니[140], 정소저 존고와 구파의 슬퍼함을 불

---

136) 아으라하다 : 아득하다. 어떻게 하면 좋을지 몰라 막막하다.
137) 옥빈화협(玉鬢花頰) : 옥 같은 귀밑머리와 꽃 같은 뺨이라는 뜻으로, 젊고 아리따운 여자의 얼굴을 이르는 말.
138) 양미토기(揚眉吐氣) : '눈썹을 치켜뜨고 기를 토한다'는 뜻으로, 기를 펴고 활개를 치는 것을 이르는 말.
139) 명박다천(命薄多淺) : 명(命)이 엷고 얕음.
140) 희허(唏噓)하다 : 탄식하여 울다.

승절민하여 붙들어 위로하고, 또한 걸음을 돌이키는 심사 자못 차아(嵯峨)하여, 추파(秋波)에 추수(惆愁) 그림자 어리어, 위로 고 왈,

"소첩이 명도 기박(奇薄)하여 생각지 못할 죄루에 빠졌으나, 원억함은 창천이 살피실지라. 타일 신설하여 환쇄(還刷)하는 날 다시 존전에 봉배(奉拜)하여 슬하에 무애하심을 받잡고 길이 하정을 펴올까 하옵나니, 복망 존고는 불초아(不肖兒)의 일시 화액을 과려치 마르시고 만수무강하소서."

또 구파를 향하여 길이 안보함을 청하매, 일색이 거의 반오(半午)의 이르러는 총총히 거교에 들매, 직사 또한 이곳에서 수수(嫂嫂)를 배별하고, 병부 등이 소저를 따라 칠팔 리(里)를 더 행하여, 강외(江外)에 다다라 남매 분수할 새, 병부의 지극한 우애로써 소매를 원억히 죄적(罪謫)하니, 임별(臨別)에 참연비도(慘然悲悼)함을 이기지 못하여 봉안(鳳眼)에 누수 삼삼(森森)하니, 세흥 등 삼공자의 실성오열(失性嗚咽)함은 동기의 상변(喪變)을 당한 듯하고, 소저는 거거(哥哥)와 제남(弟男) 등을 대하여 존당 부모를 모셔 길이 안강함을 축하고, 행도(行途) 바쁘므로 무궁한 정을 참아 갈 길을 각각 나눌 새, 병부 시랑을 재삼 당부하여 매제를 편히 머무르고 쉬이 돌아오라 하나, 남매의 이회(離懷) 참연하여 눈물이 흐르되, 시랑은 소저를 데리고 감으로 급히 분수치 않으매, 겨우 체읍하기를 면하여 제 형제를 향해 돌아가기를 청하고, 거교를 호행하여 공차(公差)로 더불어 장사로 행하니, 병부 곤계는 부중으로 돌아오니라.

어시에 조부인이 구파로 더불어 아부(兒婦)를 이별하고 참비(慘悲)한 심사를 지향치 못하니, 직사 차일 머물러 모친을 위로하여 질아의 출범 특이함을 고하더니, 이윽고 어사 이르러 자위께 뵈옵고, 춘양화기와 유열한 말씀으로 정씨의 찬출함이 오래지 않을 바를 고하며, 진씨의 생아

가 정씨의 소생과 같음을 고하여, 하나는 기린(騏驎) 같고 하나는 채봉(彩鳳) 같음을 일컬으니, 부인이 만첩(萬疊) 수회(愁懷) 중이나, 어사의 풍융호일(豊隆豪逸)한 기상과 유수지언(流水之言)을 들으면 오히려 잠깐 위회(慰懷)함이 되어, 탄식 왈,

"자식이 십삭 태교에 품수(稟受)하매 닮은 것이 많으니, 정·진 이부의 특이함으로 자녀를 생산하매 범상치 않으려니와, 그대도록 기이함은 천의(天意) 오히려 윤가를 보존(保存)케 하심이니, 적지 않은 경사(慶事)라. 기쁨이 헐치 않되, 정현부 원적(遠謫)이 차악하여 유씨 죽음이 벅벅하니, 타일 신설할 기약이 있으리오."

어사 화성유어로 천만 위로하고, 문견(聞見)한 기담미어(奇談美語)와 가소지사(可笑之事)를 갖추 고하여, 자위 웃으심을 요구하더라.

병부 등이 소매를 송별하고 부중의 돌아오니, 태부인의 비척함은 이르지 말고 진부인이 심사를 붙일 데 없어, 침실에 고요히 누어 눈물이 하수(河水) 같은지라. 병부 크게 민박하여 제제로 더불어 조모와 자위를 천만 관위하여, 소매의 복록 완전지상을 일컬어, 타일 영귀할 바를 고하여 열친하기를 위주하매, 허다 가소지사 무궁하여 비록 슬프고 근심하던 자라도, 병부의 희소(喜笑)를 당하여는 웃기를 면치 못하는지라. 이로써 태부인과 진부인이 잠깐 심사를 진정하나 때때 참비함을 이기지 못하더라.

이적의 유씨 공교로운 꾀를 얻으니, 정소저를 살인지죄로 함(陷)하매 죽을 줄로 알았다가, 찬적함을 보고 불승통완하여, 신묘랑으로 하여금 장사왕비 교아에게 글을 전하여, 정씨 찬출한 소유를 베풀고 장사에 배소(配所)함이 때를 묘히 얻었으니, 모름지기 왕을 촉하여 정씨를 죽도록 하라 하고, 마음 속에 흔흔자득(欣欣自得)하여 혜오되,

"나의 계교를 행하매 조씨로부터 정씨, 진씨까지 근심 없이 서르진 모양이니, 광천 형제와 하·장을 마저 없애리라. 하물며 하공 내외 미구(未久)에 상경한즉, 현아의 안면을 거리껴 하녀를 해함이 쉽지 못하리니, 차라리 희천으로 부부지락(夫婦之樂)을 영영 이루지 못하게 하여, 가부가 조사(早死)한즉, 하시 홍안박명(紅顏薄命)을 한하여 외로운 명도를 탓할 것이 없으리니, 다만 광천 형제를 급히 죽이리라."

하여 직사 곤계를 날로 조로고 질타하여 편할 날이 없이 보채되, 어사와 직사 갈수록141) 성효를 다하여 일호 원망함이 없으니, 유씨 그 어질며 기특함을 모르지 않으나, 작인(作人)의 비상함과 역량의 침원(沉遠)142)함이 못 견딜 고경(苦境)을 좋은 듯이 겪음을 더욱 괴이히 여기더라.

어사 형제 사군찰임(事君察任)에 청명직절(淸名直節)이 사림의 추앙하는 바 되고, 성상의 총우하심이 만조에 솟아날 뿐 아니라, 어사는 치세경륜지재(治世經綸之才)143)와 결승천리지외(決勝千里之外)144)하는 총명(聰明) 지모(智謀)를 겸하여 영기(靈氣) 출인하며, 정축직절(貞忠直節)이 이윤(伊尹)145) 여망(呂望)146)의 뒤를 따르고, 출천대효는 대순(大舜) 증왕(曾王)147)의 일류(一類)라. 효행이 세고무적(世古無敵)148)이요, 정

---

141) 갈수록 : 시간이 흐르거나 일이 진행됨에 따라 더욱더.
142) 침원(沉遠) : 심원(深遠). 헤아리기 어려울 만큼 깊고 멀다.
143) 치세경륜지재(治世經綸之才) : 천하를 다스리고 계획할 만한 포부를 가진 인물.
144) 결승천리지외(決勝千里之外) : 교묘한 꾀를 써서 천리 밖의 먼 곳에서 일어나는 싸움의 승리를 결정함.
145) 이윤(伊尹) : 중국 은나라의 전설상의 인물. 이름난 재상으로 탕왕을 도와 하나라의 걸왕을 멸망시키고 선정을 베풀었다.
146) 여망(呂望) : 중국 주(周)나라 초기의 정치가. 태공망(太公望)의 다른 이름. 여(呂)는 그에게 봉해진 영지(領地)이며, 상(尙)은 그의 이름이다. 강태공(姜太公). 여상(呂尙) 등의 다른 이름으로도 불린다.
147) 증왕(曾王) : 중국의 대표적 효자인 증자(曾子 : BC505-435)와 왕상(王祥 :

충직백(貞忠直白)이 자고(自古)에 희한(稀罕)하니, 호호(浩浩)한 기상은 추천(秋天)이 묵묵함 같고 발췌특이(拔萃特異)[149]하여, 영준대현(英俊大賢)의 틀을 겸하여 세고(世古)에 무쌍(無雙) 하거늘, 직사는 군자유풍(君子遺風)과 성자도덕(聖姿道德)이 공맹안증(孔孟顏曾)[150] 이후의 한 사람이라. 흡흡(洽洽)한 도덕과 빈빈(彬彬)한 예행(禮行)이 대성(大聖)[151]이 대좌(對坐)하시나 무하(無瑕)[152]할지라. 충효 성행이 이윤(伊尹)[153] 부열(傅說)[154]의 충과 제순(帝舜)의 효를 본받자오니, 만단(萬端) 질타지성(叱打之聲)을 당하나, 온화한 낯빛과 부드러운 말씀이 생철(生鐵)을 녹일 바로되, 위흉(凶)의 포려(暴戾)함과 유악(惡)의 간힐(奸黠)함이 그 성효대덕이 만고에 희한함을 절치하고, 경아의 독악함이 어사 곤계의 어질며 효우함을 모르리오마는 이럴수록 질지이심(嫉之已甚)[155]이 밉게 여기고 통완하니, 아지못게라! 흉계 장차 어느 곳에 미칠꼬?

184-268)을 함께 이르는 말.

148) 세고무적(世古無敵) : 세상에 견줄만한 사람이 없을 정도로 뛰어남.

149) 발췌특이(拔萃特異) : 무리 가운데서 특별히 뛰어나고 특이함.

150) 공맹안증(孔孟顏曾) : 유학의 네 성현인 공자, 맹자, 안회, 증삼을 아울러 이르는 말.

151) 대성(大聖) : 큰 성인. 유교에서 공자(孔子)를 높여 이르는 말.

152) 무하(無瑕) : 흠잡을 것이 없다. 흠이나 치가 없다. 원문의 '무불하자(無不瑕疵)'는 '하자(瑕疵; 흠과 치)가 없지 않다'는 뜻이 되어 비문(非文)이다. '무하부자(無瑕不疵)'의 오기인 듯.

153) 이윤(伊尹) : 중국 은나라의 전설상의 인물. 이름난 재상으로 탕왕을 도와 하나라의 걸왕을 멸망시키고 선정을 베풀었다.

154) 부열(傅說) : 중국(中國) 은(殷)나라 고종(高宗) 때의 재상(宰相), 토목(土木) 공사(工事)의 일꾼이었는 데, 당시(當時)의 재상(宰相)으로 등용(登用)되어 중흥(中興)의 대업을 이루었음

155) 질지이심(嫉之已甚) : 시기하기를 더욱 심히 함.

익설. 선시(先時)에 촉지 하부에서 하공과 조부인이 여아를 실산한 슬픔이 구곡(九曲)[156]이 스러지는 듯하나, 슬하에 원상 등 삼아가 충충이 넘놀아 만 결[157] 회포를 관인(寬忍)할 적이 만고, 옥수(玉樹) 신월(新月) 같은 자부(子婦) 안저(眼底)에 기화일월(奇花日月)이 되었으니, 자연 금억(禁抑)함이 되었더라.

윤소저 상문(相門) 교옥(嬌玉)으로 생어교애(生於嬌愛)하며 장어호치(長於豪侈)하니, 자소(自少)로 세상 고락(苦樂)을 알지 못할 바로되, 아시 맹약으로 수절간고(守節艱苦)와 비상(悲傷)을 지내고, 서촉(西蜀) 만리에 종가(從嫁)하매 가향(家鄉)이 아으라하여[158], 부친이 상경하신 후는 존문(存問)이 자주 임치 아니하니, 여자의 연연약장(戀戀弱腸)이 신혼모정(晨昏慕情)[159]에 북천(北天)[160]을 창망(悵望)하는 심회 어쩌하리오마는, 친측(親側)의 부모은애를 느낄수록 구고(舅姑)의 적지(謫地) 고초로 생계 처량하심을 우러러 슬퍼함이, 천성지효로 비롯한바 효감(孝感) 소치(所致)라. 세세(歲歲)[161] 삼상(參商)[162]하매 존당 부모를 이측(離側)한 심사 참연비절(慘然悲絶)하나, 천생(天生) 품수(稟受)한 바 침위(沈威) 유열(愉悅)하여 일개 소녀자(小女子)의 역량이 창해의 깊기와 중산(重山)의 무거움을 가져, 그 너름이 천지와 방불하고 화순유열(和順

---

156) 구곡(九曲) : '구곡간장(九曲肝腸)'의 줄임말. 굽이굽이 서린 창자라는 뜻으로, 깊은 마음속 또는 시름이 쌓인 마음속을 비유적으로 이르는 말.
157) 결 : 갈래. 무늬.
158) 아으라하다 : 아스라하다. 보기에 아슬아슬할 만큼 높거나 까마득하게 멀다.
159) 신혼모정(晨昏慕情) : 이른 아침과 늦은 밤에 사모하여 그리는 정.
160) 북천(北天) : 북쪽 하늘. 여기서는 북당(北堂) 곧 어머님이 계신 곳, 나아가 부모님이 계신 곳을 말함.
161) 세세(歲歲) : 해마다. 해가 갈수록.
162) 삼상(參商) : 멀리 떨어져서 그리워함. 삼상(參商)은 본래 동·서로 멀리 떨어져 있는 별인 삼성(參星)과 상성(商星)을 아울러 이르는 말임.

愉悅)함이 모란이 춘풍에 휘듣는163) 듯, 춘풍화기(春風和氣)와 동일지
애(冬日之愛)164)를 겸하여, 심리(心裏)의 천단(千端) 비원과 만가지 괴
로움이 있으나, 외모 화(和)함은 동풍에 화왕(花王)이 웃으며 춘일(春日)
이 만방에 다사함 같아서, 본부 부귀와 촉지 간고를 헤건대 천상 신선과
지하 귓것 같되, 처빈(處貧)을 안연(晏然)하여 모맥(麰麥)과 채소를 불
염(不厭)하고, 구고를 받드는 성효 출천하여 온순한 빗과 너그러운 성행
이 갈수록 유열하여, 혹자 구고의 뜻을 어김이 있을까 조심하고 삼가,
가작한 정성이 하생이라도 이에 더하지 못하고, 원상 등 삼아를 혈심으
로 무애하여 수숙(嫂叔)의 서어(齟齬)함을 버리고 친동기의 지극한 뜻을
다하여, 백행에 예모(禮貌) 빈빈(彬彬)하고 법도(法道) 숙숙(肅肅)하여
임하(林下) 사군자(士君子)의 풍(風)이 있으니, 그 마음이 옥(玉) 같이
깨끗하고 그 행실이 얼음같이 맑아, 여러 일월에 하자(瑕疵)할 곳이 없
고 탄복(歎服) 칭선(稱善)할 바라.

소저의 수출한 용화와 성심사덕으로, 구고 자애와 가부의 중대는 재
기중(在其中)이로되, 구고는 세월이 갈수록 연애 귀중함이 친생 여아로
일반이나, 생의 염박함은 날로 심하여, 진고람이로라 하던 도적의 흉참
함과 더러운 서간의 음참하던 바를 생각하면, 비위 동하여 부부윤의(夫
婦倫義)를 몽리(夢裏)에도 차릴 마음이 없는지라. 그 용모의 수려 쇄락
함이 계궁소월(桂宮素月)과 금분화왕(金盆花王)165) 같되, 소년 풍정에
조금도 요동치 않아 그 성효 출천하며 행사의 기이(奇異)함을 보나, 탄
복하는 마음이 없어 그윽이 음악찰녀(淫惡刹女)로 치워, 부모의 의심을

---

163) 휘듣다 : 휘휘 떨어지다.
164) 동일지애(冬日之愛) : 겨울 햇살의 다사로움.
165) 금분화왕(金盆花王) : 금빛 화분 속에 피어 있는 모란꽃. 화왕(花王)은 모란꽃
을 말함.

이루지 아니랴, 외친내소(外親內疏)함을 주(主)하여 사실과 부모 면전에
상대함이 무상하나, 마침내 이성지합(二姓之合)을 이루지 않아, 그 고운
용화는 생의 눈에 밉고, 아름다운 행실은 생의 마음에 분완하니, 어디로
좇아 금슬우지(琴瑟友之)166)에 종고낙지(鐘鼓樂之)167)하여 유자생녀(有
子生女)할 뜻이 있으리오.

일양 맥맥히 염박(厭薄)하여 차라리 집에 없기를 바라며, 부부의 의를
그쳐 상대치 말기를 원하나, 뜻과 같지 못하여 부모는 매양 윤씨의 현숙
함을 칭찬하여, 생을 권하여 비록 아내 수하(手下)나 그 위인을 공경 중
대함을 범연이 말고, 윤공을 은인으로 알아 그 소교(小嬌)의 일신이 안
정(安定)토록 하라 당부하니, 생이 부공의 성품이 강엄하심을 두려워하
고, 화란 후로 불평하신 심위(心憂) 이신즉, 반드시 성질(成疾)하시는
고로, 혹자 윤씨 박대함을 아실까 하여 짐짓 후대하는 체하나, 사실(私
室)에 고요히 대하면, 묵묵한 미우(眉宇)가 씩씩하고 설풍이 은은하며,
창엄(滄嚴)168)한 기위(氣威)는 견자로 하여금 송연경구(悚然敬懼)함을
이기지 못할 바라. 소저 생세 십칠에 행신 만사를 상량(商量)하나, 가부
의 이다지도 하는 묘맥(苗脈)이 없을 것이로되, 신혼 초야에 흉변으로
인하여 자기를 비하(卑下)히 여기며, 음악(淫惡)으로 치워 염박함을 지
기하매, 스스로 명도(命途)를 탄할지언정 부부 사정은 몽리에도 생각지
않고, 무죄히 박대함을 슬퍼하지 않아 비홍(臂紅)을 행여 볼 이 있을까
감추며, 구고 알지 못하니, 여러 세월에 생의 미워함이 갈수록 심하며,

166) 금슬우지(琴瑟友之) : '거문고와 비파를 타며 서로 사귄다'는 뜻으로 『시경』
〈국풍〉 '관저(關雎)'편에 나오는 시구.
167) 종고낙지(鐘鼓樂之) : 종과 북을 치며 서로 즐긴다는 뜻으로 『시경』〈국풍〉
'관저(關雎)'편에 나오는 시구.
168) 창엄(滄嚴) : 차갑고 엄함.

비록 구고 자애함이 친생 부모 같으나, 여자 일생이 가부의 장리(掌裏)에 있거늘, 그 박정 매몰함이 이상(異常)이 태심(太甚)하여 조금도 인정이 없으니, 무엇을 믿으며 전정만리(前程萬里)에 바랄 것이 없으되, 윤 소저 화열단중(和悅端重)함이 사색(辭色)의 한(恨)함이 없으나, 누천리 궁향(窮鄕)에 부모를 원별하고 적거(謫居) 수졸(戍卒)의 가실(家室)이 되어, 형차포군(荊釵布裙)을 불염(不厭)하고 음식이 맥반과 질긴 채소 아니면 일기(一器) 속죽(粟粥)이라. 부귀호화 중 생장하여 이런 고초를 견디기 어렵거늘, 초실(草室)이 누추하여 짚자리[169] 초벽이 겨우 풍우를 가리나, 빙자귀골(氷姿貴骨)이 좌와간(坐臥間) 불평누악(不平陋惡)하되, 소저 고루화당(高樓華堂)에 호치(豪侈)를 띠었음같이 괴로움을 모르는 듯하나, 하생의 참엄(斬嚴)한 노기와 열일(烈日)한 안광이 자기를 흘겨보기에 당하여는, 가만한 가운데 옥장(玉腸)이 사위여[170] 자기 평생이 위태함을 차아(嗟哦)하나[171], 외모는 더욱 여일화평(如一和平)하여 무사무려(無思無慮)히 지내니, 하생이 여러 세월에 두고 보매 그 인물과 상모를 측량치 못하여, 도리어 윤공의 자녀 가운데 괴이한 것이 났음을 탄하고, 그 완전지상과 행사처신이 초출 특이함을 그윽이 의려(疑慮)하여, 제 신혼 초일에 간부(姦夫)를 들이며, 미혼전(未婚前) 진고람으로 정을 맺었으되 행지거동은 유법단일(有法端壹)하여, 숙녀 명풍과 사군자(士君子) 기상(氣像)이 있으니, 내외 다름이 어찌 이다지도 심한고. 가히 측량치 못할지라.

아무려나 오래도록 음부의 비루지사(鄙陋之事)를 살펴 간부를 쾌히

---

169) 짚자리 : 짚으로 만든 자리.
170) 사위다 : 다 타버리다. 불이 사그라져서 재가 되다.
171) 차아(嗟哦)하다 : 탄식하다. 한탄하다.

잡은 후, 음악지죄(淫惡之罪)를 다스리는 것이 옳으니, 아직 불호지색 (不好之色)을 나토지 않으리라 하여, 잠깐 외면에 후한 색을 작위하나 소저의 총명영기로 어찌 그 뜻를 모르리오. 그윽이 팔자를 한하고 신세 를 탄하여, 심리에 남다른 회포 만첩(萬疊)하여도, 일찍 초영 벽난 등 비자를 대하나 심사를 이르지 않고, 경사 노복이 왕래함을 인하여 친당 에 서간을 부치되, 자기 괴롭고 간초(艱楚)함을 편지에다 적는 일이 없 어, 일양(一樣) 무사함을 고할 뿐이요, 모친이 어질지 못함을 근심하여 가사를 염려함이 깊되 언두에 일컫지 않으니, 하공 부부 부자는 윤부 사 고를 알 길이 없는지라. 조부인이 소저를 대하여 타루(墮淚) 문 왈,

"내 집이 옥누항에 있어 부귀를 누릴 때 여아를 윤랑과 정혼하니, 이 런 참화가 있을 줄은 모르고 세월이 쉬이 감을 원하여, 연장대문(連墻大 門)172)에 자녀를 바꾸어 조왕모래(朝往暮來)하여 작소(鵲巢)173)에 깃들 임을 보고자 하였더니, 삼아(三兒)를 참망하고 죄루(罪累) 망측하여 촉 (蜀) 중 수졸(戍卒)이 되니, 구약을 성전함이 영존대인(令尊大人)의 남다 른 신의라."

하더라.

---

172) 연장대문(連墻大門) : 담장과 대문을 서로 이어 가까이 살아감.
173) 작소(鵲巢) : 까치집. 신혼부부의 신방. 『시경』〈소남(召南)〉'작소(鵲巢)'편에 신부가 시집가는 신랑의 집을 작소(鵲巢)라 함.

명주보월빙 권지삼십삼

어시에 조부인이 윤소저를 대하여 타루 왈,

"촉(蜀) 중 수졸(戍卒)이 되었거늘, 구약(舊約)을 성전(成典)함이 영존 대인(令尊大人)의 남다른 신의라. 진실로 감은하되 여아 본디 미약잔질(微弱孱質)로 화란여생(禍亂餘生)이라. 비록 금평후와 진부인의 무양하는 은애를 입어 그 양녀(養女)가 되나, 부행(婦行)과 여공(女工)을 아름다이 배우지 못하였을지라. 영제(令弟) 윤랑의 품질은 현명하나 오히려 채 모르거니와, 조부인과 유부인이 능히 여아의 저른[174] 것을 가르치며 부행(婦行)을 경계하여 가도를 온전히 하고, 고식(姑媳)의 정의 모녀간 같아서, 서로 틈나는 일이 없으랴? 모름지기 현부는 나를 내외치 말고, 영존당 태부인으로부터 조·뉴 양부인의 성품을 일러, 나의 여아(女兒) 위한 근심이 풀어지게 하라."

소저 존고의 말씀이 이에 미처는 모친의 과악을 생각하매 능히 답언이 나지 아니하되, 천연이 재배 대왈,

"소고의 숙자인품(淑姿人品)과 천향이질(天香異質)이 고왕금내(古往今來)에 성녀철부(聖女哲婦)라. 인심에 아름답기를 이기지 못하리니, 백모

---

174) 저르다 : 짧다.

자모로 더불어 애중함은 거의 짐작할 일이요, 백모부인은 천고에 희한
(稀罕)하신 숙녀시라, 성심인덕이 하천에도 학정(虐政)이 없사오니, 하
물며 자부 귀중함이니까? 수연(雖然)이나 세사를 난측이요, 장래를 미
리 예탁치 못하오리니, 소첩이 또한 소고의 신세 아무런 줄 몰라 우민우
탄(憂悶憂歎)이로소이다."

부인이 본디 총명한지라, 윤씨의 말이 불쾌함을 그윽이 의아하나, 다
시 묻지 않음은 윤씨 답언을 어려이 여길까 하여 말을 않으나, 일녀를
수천리 애각(涯角)에 상리(相離)하여 못 잊는 정이 주야에 일시를 방심
치 못하여, 영주의 평안한 소식을 들으면 잠깐 위로함이 되나, 고사를
삼상(參商)175)하여 비절(悲絶)함을 이기지 못하더라.

촉(蜀)에 내려온 지 칠년 신정(新正)에 미치니, 하공이 전일 몽사를
생각고 원상 등을 얻으매 참망(慘亡)한 삼자로 다름이 없으니, 혹자 신
원(伸冤)이 머지않을까 바라더니, 홀연 경사로서 사명(赦命)이 내려와
삼자의 신원이 거울 같고, 하공으로 참지정사 정국공을 봉하여 안거사
마(安車駟馬)176)로 부르시는 조명(詔命)이 내리고, 예관이 적소에 이르
니, 하공 부자가 원억을 신설한 곡절을 모르고, 다만 사명이 이르매 여
취여치(如醉如痴)177)하여, 놀라고 슬픔이 교집하매, 도리어 심혼이 황
홀하거늘, 본읍 태수와 경사 예관이 허다 위의를 거느려 시비(柴扉)에
이르매, 하리추종(下吏騶從)이 운집하고 공의 작차(爵次) 존중하매, 벌
써 경사 관부 하리와 정국에서 받드는 환미(宦米)178)를 어지러이 드리
니, 공이 의관을 정히 하여 사명(詞命)179)을 받잡고, 북향 사배하여 성

---

175) 삼상(參商) : ①멀리 떨어져서 그리워함. ②마음속으로 어떤 일을 골똘히 생각함.
176) 안거사마(安車駟馬) : 네 필의 말이 끄는 호화롭고 편안한 수레.
177) 여취여치(如醉如痴) : 취한 듯 바보가 된 듯 정신을 가누지 못함.
178) 환미(宦米) : 녹미(祿米). 녹봉으로 주던 쌀.

은을 숙사(肅謝)하고, 몸을 굽혀 예관이 사명(赦命)을 전하고, 상교(上敎)를 옮겨 이름을 들을 새, 정병부로써 신원이 두렷하고, 성의(聖意) 깊이 뉘우치시고, 사(使)를 보내사 바삐 조현하라 하신 뜻이라.

공이 비로소 신설한 근본을 알매, 새로이 삼자의 참망함을 각골 통도하여, 초왕과 김탁을 일만 조각을 내고자 함이 각골할지언정, 일호(一毫) 성상을 원망함이 없어, 사사에 정부마 은혜를 감사하여, 골수의 사무칠 뿐이라.

이에 사명(使命)을 대하여 수루(垂淚) 탄 왈,

"누인(陋人)이 삼자를 참망하여 목전에 참지 못할 경계를 당하나, 완인(頑人)이 죽지 않고 성주(聖主)의 호생지덕(好生之德)으로 촉지에 보전함을 얻으니, 비록 망아(亡兒) 등이 원억하나, 죄명인즉 역적 중수(重囚)거늘, 어찌 감히 신설(伸雪)하여 영혼인들 좋은 데 돌아가고, 누인의 해골인들 고원(故園)에 묻히기를 바라리오. 이제 성주의 일월지명(日月之明)이 복분(覆盆)의 원(冤)을 신설하시니, 이른바 죽는 날이 사는 해 같은지라. 어찌 사관(使官)을 좇아 상경함을 더디 하리요마는, 실로 화란 이후에 정신이 모손(耗損)하고 천질(賤疾)이 미류(彌留)하여 사환에 뜻이 없는지라. 능히 성상 덕음(德音)을 받들지 못할까 두려워하나니, 예관이 잔도(棧道)180) 검각(劍閣)181)에 수고로이 이르심을 불안하여이다."

사관이 황상의 추연 차석(嗟惜)하시어 하공을 바삐 부르시던 바를 일일이 전하며, 행거(行車)를 재촉하고, 삼학사를 추증하시어 그 원사함을 제문 지어 설제(設祭)하랴 하심을 이른대, 공이 읍읍(泣泣) 사왈(謝曰),

---

179) 사명(詞命) : 임금의 말이나 명령.
180) 잔도(棧道) : 험한 벼랑 같은 곳에 낸 길. 선반처럼 달아서 낸다.
181) 검각(劍閣) : 중국 사천성에 있는 현(縣) 이름. 특히 검각현의 대검산 소검산 사이에 난 잔도(棧道)는 험하기로 유명하다.

"성주의 여차하심을 망아 등 정녕(精靈)이 알진대, 성은을 감격하여 백골에 사무칠지라. 일문참화(一門慘禍)에 일명(一命)을 살려냄이 성상의 호생지덕이니, 어찌 감히 환쇄(還刷)하는 은명과 고관대작(高官大爵)으로 은명을 받들지 않아, 예사 사람과 같아서 향리에 안연이 있어 사직하는 소표(疏表)를 올리리오. 신자의 사생거취 다 주상께 있는지라, 마땅히 한번 상경하여 천은을 숙사(肅謝)하고 해골을 비러 향리로 돌아갈 것이로되, 일기 한랭(寒冷)하여 병신(病身)이 수천 리 험도(險道)에 행역(行役)이 더딜까 하나이다."

사관(使官)이 하공의 말을 듣고 병세 가볍지 않음을 또한 우려하여 왈,

"소관이 성지(聖旨)를 받자와 풍우를 무릅쓰고 이에 이르며, 이미 각 읍에 영송(迎送)[182]하는 위의를 준비케 하여, 수고로움이 없을지라. 합하 비록 신질(身疾)이 계시나, 춘한(春寒)이 엄동(嚴冬)과 내도하니 하관이 삼가 모셔 가리니, 성주의 기다리시는 바를 어기오지 마시고, 솔가(率家)하여 바삐 행하게 하소서."

공이 석년 참화를 생각건대 환욕(宦慾)이 사연(辭然)하나, 성상의 과도히 추회(追悔)하심을 당하여 인신지도(人臣之道)에 불령지심(不逞之心)[183]으로 추사(推辭)하면 황명을 역(逆)하고 석사를 공치(攻治)함[184] 같아서 충심이 아니니, 원경 등 원사(冤死)함을 각골 통상하나, 원상 등 삼아(三兒)가 환도인세(還道人世)[185]하여 슬하의 넘노니 회포를 잠깐 위로하는지라, 사관의 촉행(促行)함을 좇아 사오일 치행하여 상경함을 이르니, 사관 왈,

---

182) 영송(迎送) : 맞아들이는 일과 보내는 일.
183) 불령지심(不逞之心) : 원한, 불만, 불평 따위를 품고 어긋나게 행동하려는 마음.
184) 공치(攻治)하다 : 공치(攻治)하다. 비난하다. 헐뜯다.
185) 환도인세(還道人世) : 인간 세상에 다시 태어남.

"각읍이 영송하니 행도를 사사로이 할 바 아니니 명일이라도 발행하사이다."

본읍 태수 또 행거를 재촉하며, 지원지통(至冤至痛)을 신원함을 치하하여, 스스로 경사를 당함 같이 함은, 평일 공의 정사(情事)를 참연하고 거처 의식의 견디기 어려움을 슬퍼 여기되, 능히 일푼일리(一分一履)186)와 양찬(糧饌)187)을 보태지 못함은 공이 기아이사(飢餓而死)할지언정 일물(一物)도 받지 않음이러라.

인읍(隣邑) 주현(州縣) 자사(刺史)와 동향(同鄕) 사태우(士大夫) 하공의 환쇄함을 듣고 일시에 모여 치하하며, 인심이 자연 부귀를 붙좇는지라, 대역 중수로 적거함을 업신여겨 찾지 않던 자가, 언사를 치레하고 의관을 빛내어, 성은의 새로운 경사를 치하하며, 삼학사의 참망함을 아니 슬퍼할 이 없으니, 시문(柴門)에 안마(鞍馬)가 운집(雲集)하고 초실에 빈객이 벌 뭉기188)듯 하니, 공의 부자가 추연(惆然) 사사(謝辭)하고 도리어 너무 요란함을 깃거 아니하더라.

예관이 하공자의 출인(出人)한 의표(儀表)를 보고 칭선불승(稱善不勝)하여, 공의 팔자가 매몰(埋沒)치 않음을 기특히 여기더라. 석양에 예관이 본 읍으로 들어갈 새, 우명일(又明日)로 발행함을 언약하고, 치행은 각 읍이 영송(迎送)함으로 하부에서는 차릴 것이 없더라.

이윽고 경사로 좇아 정부 시노(侍奴)가 이르러 금평후의 서간을 올리니, 공이 반겨 떼어 보니 다만 통원(痛冤)을 신설하고 고토(故土)에 돌아올 바를 치하하고, 옥누항 고택(古宅)으로 가지 말고 바로 취운산 별

---

186) 일푼일리(一分一履) : 돈 한 푼, 신발 한 짝.
187) 양찬(糧饌) : 양식과 반찬을 통틀어 이르는 말.
188) 뭉기다 : 엉겨서 무더기를 이루다.

원으로 오기를 청하고, 사관을 좇아 쉬이 상경하라 하였더라.

공이 사사에 감사하여 아자(兒子)더러 이르되,

"정형 부자와 윤명강은 우리 집 은인이라. 생세에 다 못 갚으리로다. 근간 명강이 유질하다 하더니, 서사(書辭) 통정(通情)이 전과 다르니 병이 깊은 연고라. 어찌 근심이 적으며, 이제 정형이 나의 심곡을 알아, 옛집을 버리고 운산으로 나오라 하니, 내 뜻이 또 고택을 보지 말고자 하더니, 언지 기쁘지 않으리오."

드디어 내실에 들어가 부인을 대하여, 정병부의 의기로 삼자의 신원이 거울 같고, 간당이 패함을 전하며, 새로운 비회를 이기지 못하고, 정병부의 지혜를 칭복(稱服)함189)을 억제치 못하니, 부인이 슬픈 가운데나 간당이 복멸(覆滅)함을 크게 행심하여, 절치(切齒) 타루(墮淚)함을 마지않더라. 이러구러 우명일이 다다르니 사관이 행거를 재촉하여 이르되,

"일기 화란(和暖)치 못하여 춘한이 심하나 바삐 행하시어, 초왕과 김탁의 간담(肝膽)을 헤쳐 영윤(令胤) 삼인의 원수 갚기를 생각하소서."

하공이 함루 장탄 왈,

"초왕과 김탁의 장부(臟腑)를 헤치고 골절을 짓마아도190), 아등의 지원극통을 다 갚지 못하리니, 오아 등은 비원참사(悲怨慘死)하였으나, 하늘과 귀신이 한가지로 슬피 여기사 다시 우리 슬하에 돌아왔거늘, 간당은 궁극히 사람을 모함하여 참화에 몰아넣을 적은 양양자득(揚揚自得)191)하여 저희 굿길 바를 생각지 못 하다가, 이제 악사 발각하매 제 또 멸망지화를 취하니, 인(仁)을 버리고 악(惡)을 취하매 무엇이 유익하

---

189) 칭복(稱服)하다 : 칭찬(稱讚)하여 마음으로 따르다.
190) 짓마으다 : 짓부수다. 짓이기다시피 잘게 부스러뜨리다.
191) 양양자득(揚揚自得) : 뜻을 이루어 뽐내며 꺼드럭거림. 또는 그런 태도

리오."

이렇듯 문답하여 일희일비(一喜一悲)하여 도리어 의희몽환(依俙夢幻)[192]하니, 보는 이가 다 감탄함을 이기지 못하고, 공자는 주야 모셔 화성유어로 위로함을 마지아니하며, 발행일이 다다르매 본 현에서 일쌍 금교(一雙錦轎)와 준마(駿馬), 행장(行裝)이며, 아역(衙役)[193] 관리와 무수한 시녀 차환(叉鬟)을 보내어 행거를 도우니, 석일 촉지(蜀地) 한 가에 파월(播越)[194]할 때와 내도하여, 내려올 적은 역적중수(逆賊重囚)의 부형으로 적거하매, 각 읍 수령이 안면 있던 재라도 나와 보기를 인언(人言)을 취할까 저허하고[195], 공이 화란여생으로 심려를 허비하고 참척을 애상하여 반생반사 중 거동이 위위(危危)하거늘, 부인이 비불자승(悲不自勝)[196]하며 유사지심(有死之心)하고 주야 혈읍(血泣)하여 눈물로 세월을 허비할 뿐이더니, 천도 순환하매 돌아가는 위의는 휘휘황황(輝輝煌惶)하여 비록 행공치 않으려 주의를 정하였으나, 열후(列侯) 국공(國公)의 고관대작을 띠어 길에 오르니, 열읍(列邑)이 진동하여 주현(州縣) 자사(刺史)가 십리(十里)에 영송(迎送)하고, 애매한 죄루를 신설함이 명경(明鏡)을 닦음 같으니, 삼학사의 작위를 추증하여 목묘(木廟)[197]를 모셔 채여(彩輿)에 안운(安運)[198]하여 잔도검각(棧道劍閣)[199]

---

192) 의희몽환(依俙夢幻) : 말이나 행동 따위가 꿈이나 환상 속에서 하는 것과 같음.
193) 아역(衙役) : 아노(衙奴). 수령이 지방 관아에서 사사롭게 부리던 사내종.
194) 파월(播越) : 파천(播遷). ①임금이 도성을 떠나 다른 곳으로 피란하던 일 ②멀리 유랑함. 정처 없이 떠돌아다님.
195) 저허하다 : 두려워하다. 꺼리다. 염려하다.
196) 비불자승(悲不自勝) : 슬픔이 너무 커 이겨내지 못한 채 애통함.
197) 목묘(木廟) : 나무로 만든 위패(位牌).
198) 안운(安運) : 안전하게 운반함.
199) 잔도검각(棧道劍閣) : 중국 사천성 검각현(劍閣縣)에 있는 잔도(棧道). '잔도'는 험한 벼랑 같은 곳에 선반처럼 달아서 낸 길로, 특히 검각현의 대검산 소검산

을 조심하여 지나니, 석일 하운이 외로이 삼학사와 임소저의 상구(喪柩)를 붙들어 소주(蘇州)에 가 안장(安葬)하고, 목주(木主)를 배행(陪行)하여 촉으로 갈 적과 비길 바 아니라.

공의 부부 영화로운 일을 당하매 더욱 비회교집(悲懷交集)하여 세사(歲事)가 춘몽 같으나, 공자와 윤소저 주야 위로하며, 원상 등 삼아 또한 옥수(玉樹) 신월(新月) 같아서, 선풍기골(仙風奇骨)이 하생으로 난형난제(難兄難弟)라. 이로써 위로하여 발행 수월에 겨우 황성을 디디니, 이는 공의 부부 참척(慘慽)200)에 상한 병이 있어 급히 행치 못함이러라.

공이 입경(入京)하는 날 친붕제우와 일가족친이 다 문외에 나와 맞을새, 금평후가 병부를 데리고 서문에 나오매, 윤어사 형제 또한 나와 영대(迎待)하되, 윤추밀은 요약에 변심하여 연무 중 사람으로 하공의 환쇄함을 깃거하나 움직여 맞을 뜻이 나지 않아, 매양 유씨 침실에 머리를 박고 있으니, 이에 오지 못하였더라.

일색이 반오(半午)에 하공의 위의 문외에 임하니, 금평후 장막을 둘러 놓고 기다리다가, 바삐 하공이 하거(下車)함을 인하여 서로 집수(執手) 장탄에 예를 폐하고 연슬좌정(連膝坐定)201)하니, 병부와 윤어사 곤계(昆季)가 하공을 향하여 배례하매, 공이 병부의 손을 잡고 눈을 들어 정병부와 윤어사 형제를 보니, 그 작인이 비상 특이함은 모르는 바 아니나, 육칠년 사이 편발동몽(編髮童蒙)202)을 면치 못하였던 것이 옥당금마(玉堂金馬)203)의 명사가 되어, 팔척장부의 언건한 체지(體肢)를 이뤄

사이에 난 잔도는 험하기로 유명하다. '검각(劍閣)'은 지명(地名).

200) 참척(慘慽) : 자손이 부모나 조부모보다 먼저 죽는 일.

201) 연슬좌정(連膝坐定) : 무릎을 서로 닿게 가까이 앉음.

202) 편발동몽(編髮童蒙) : 예전에, 관례를 하기 전에 머리를 길게 땋아 늘이고 지내던 어린아이.

노성군자(老成君子)[204]를 압두(壓頭)하고, 겨우 관례(冠禮)를 이루나 아태(兒態)를 면치 못하였던 정병부는 당차지시(當此之時)하여 완연한 재상으로, 자금관(紫金冠)에 홍포옥대(紅袍玉帶)로 수앙(秀昻)한 격조와 장대한 신장이 귀격달상(貴格達相)을 이뤄, 추월명광(秋月明光)과 용봉미목(龍鳳眉目)이 산천의 정기를 거두어, 백련빈상(白蓮鬢上)[205]에 재상의 관자(貫子)[206]가 두렷하고, 한번 움직이매 늠준(凜俊)하여 용린(龍麟)의 틀이요, 앉으매 엄위(嚴威)하여 태산의 암암(巖巖)함과 천일(天日)의 의의(猗猗)[207]함 같아서, 어찌 한갓 속세 미남자의 '화지용(花之容) 유지풍(柳之風)'[208]에 비하여 의논하리오.

윤어사 광천의 기상과 품격이 정병부로 많이 방불하니, 당당한 상모와 굉걸뇌락(宏傑磊落)한 기상이 천고영걸(千古英傑)이오 세대(世代) 열장부(烈丈夫)거늘, 윤시랑 희천의 선풍옥골이 더욱 숙연하여 낯 위에 미인의 염태(艷態)를 묘시(藐視)하고, 청빙(淸氷)의 맑음을 우습게 여기는

---

203) 옥당금마(玉堂金馬) : 중국 한(漢)나라 대궐의 옥당전(玉堂殿)과 금마문(金馬門)을 함께 이르는 말로, 한림원 또는 황제를 가까이서 받드는 한림원 벼슬아치를 뜻한다. 옥당전은 한림원이 있었던 전각의 이름이며 금마문은 전각의 문으로, 문 앞에 동마(銅馬)가 있어 붙여진 이름이다. 조선에서는 홍문관을 옥당이라 했다.

204) 노성군자(老成君子) : 나이에 비해 어른 티가 나는 어질고 학식이 높은 사람.

205) 백련빈상(白蓮鬢上) : 백련 같이 하얀 귀밑머리. *빈상(鬢上); 귀밑머리가 난 뺨에서 귀에 이르는 부분의 얼굴을 말하는 데. 망건을 쓸 때 귀밑머리는 살짝 밀이를 이용하여 망건 안으로 밀어 넣어 보이지 않게 감추기 때문에 사실상 하얀 민낯만 보이게 된다. 따라서 이 부분을 '흰 연꽃' 또는 '하얀 눈' 등에 비유해 '백련빈상(白蓮鬢上)' 또는 '설빈(雪鬢)' 등으로 표현하기도 한다.

206) 관자(貫子) : 망건에 달아 당줄을 꿰는 작은 단추 모양의 고리. 신분에 따라 금(金), 옥(玉), 호박(琥珀), 마노, 대모(玳瑁), 뿔, 뼈 따위의 재료를 사용하였다.

207) 의의(猗猗) : 아름답고 성(盛)한 모양.

208) 화지용(花之容) 유지풍(柳之風) : 꽃 같은 얼굴과 버들 같은 풍채라는 뜻으로 아름다운 얼굴과 날씬한 몸매를 가리킴.

격조가 쇄락하고, 구추상천(九秋霜天)에 일륜명월(一輪明月)이 밝았으며, 단산(丹山)209)에 봉황이 내린 듯, 미처 말씀을 발치 않으나 예모 삼엄(森嚴)하고 도행이 빈빈하여, 성현 품질이 공안(孔顏)210)의 후를 이을지라.

하공이 눈이 밤비고211) 반가운 정이 무량하여 할 말을 잃고, 어린 듯이 평후의 팔을 어루만져 말을 이루지 못하니, 금평후 추연이 안색을 고치고 왈,

"우리 석년에 명천형 곤계로 더불어 교도를 이루며, 일일불견(一日不見)을 여삼추(如三秋)하고 관포(管鮑)212)의 지음(知音)을 효칙하여 평생 동기 같은 정의(情誼)를 온전코자 하였거늘, 불행하여 명천형을 금국에 가 맞고, 퇴지를 서촉에 원별하니, 생세 즐거움이 칠팔(七八) 할이나 줄어져, 외로운 일신이 좌하(座下)에 서로 찾을 동기 없고 피차에 심폐를 비추던 문경지교(刎頸之交)213)가 없는지라. 비록 형의 슬픈 정사와 같든 않으나 울울한 회포 어느 때 퇴지를 생각지 않으리오마는, 봉로지하(奉老之下)214)에 관사(官事)가 다첩(多疊)하니, 형을 촉에 이별한 지 칠

---

209) 단산(丹山) : 중국 복건성(福建省) 북부(北部) 무이산(武夷山) 안에 있는 산 이름. 벽수단산(碧水丹山)의 수려한 경치로 유명하다.
210) 공안(孔顏) : 공자(孔子)와 안자(顏子)를 함께 이르는 말.
211) 밤비다 ; 빛나다. 부시다.
212) 관포(管鮑) : 중국 춘추시대 사람인 관중(管仲)과 포숙(鮑叔)을 함께 이르는 말. 우정이 아주 돈독한 친구사이였다.
213) 문경지교 (刎頸之交) : 서로를 위해서라면 목이 잘린다 해도 후회하지 않을 정도의 사이라는 뜻으로, 생사를 같이할 수 있는 아주 가까운 사이, 또는 그런 친구를 이르는 말. 중국 전국 시대의 인상여(藺相如)와 염파(廉頗)의 고사에서 유래하였다.
214) 봉노지하(奉老之下) : 부모나 조부모를 모시고 있는 처지. 또는 그런 처지의 사람.

년이 거의로되, 몸소 가 반기지 못하니 평일 정의(情誼) 아니라. 이제 지원극통을 신설하고 은사를 띠어 영화로이 돌아오니 기쁨이 적다 못하려니와, 석사를 생각하매 자안 등 삼인의 참사는 세월이 오랠수록 심한 골경(心寒骨驚)하니, 참연비절한 심회를 참지 못할 바나, 사이이의(事而已矣)니 현마 어찌하리오."

하공이 비로소 심신을 정하여 길이 탄식자차(歎息咨嗟)[215] 왈,

"소제 석사를 추감(追感)[216]하매 슬픔이 오내(五內)[217]를 베는 듯하니, 다시 제기함이 유익치 않을 줄 알되, 허다 긴 세월의 슬픔을 금억(禁抑)키 어렵거늘, 이제 고국에 생환하매 물색이 의연한지라. 아심(我心)이 비철비석(非鐵非石)이니 어찌 상감(傷感)치 않으리오. 이러므로 심사를 정치 못하더니, 형의 말을 들으니 무색한 흉금이 시원한지라, 다시 추감(追感)치 않으리라."

설파에 병부의 손을 잡고 탄 왈,

"노부의 이번 생환함이 전혀 현계(賢契)[218]의 심은후덕(深恩厚德)이니, 우리 부자가 몰신(歿身)토록 잊지 못하리니, 차생에 갚기를 기약치 못하리로다."

돌아 윤태우 형제를 보고 왈,

"아지못게라! 영존대인이 무슨 사고 있어 이의 서로 반기지 못하느뇨?"

병부 먼저 몸을 일어 절하고 가로되,

"가엄이 전일 연숙(緣叔) 아심이 동기 같으시니, 소질배 평일 연숙의

---

215) 탄식자차(歎息咨嗟) : 한숨을 쉬며 한탄함.
216) 추감(追感) : 지나간 일을 생각하며 슬퍼함.
217) 오내(五內) : 오장(五臟). 간장, 심장, 비장, 폐장, 신장의 다섯 가지 내장을 통틀어 이르는 말.
218) 현계(賢契) : 문인(門人), 제자, 친구 등을 존중해서 이르는 말.

무애하시는 은의를 받자와 의앙하는 하정이 범연한 곳에 비길 바 아니라. 학사 등 삼형이 일시에 참망하고 연숙이 위태하시니, 소질이 아소지심(兒小之心)에 창황절민(惝怳切憫)함을 이기지 못하여, 우스운 거조를 하여 김후를 속이고 간정을 알되, 기시 소질이 형세 서어(齟齬)하여219), 세월이 오래되 존문 지원극통을 신설치 못하고, 등양하여 세재 구의(久矣)로되 때를 얻지 못하와, 연숙으로 하여금 촉지 간고를 겪으시게 하오니, 연질(緣姪)이 언사 용둔하고 인사 불민(不敏)하와 벌써 이 일을 들춰내지 못하옴이 황괴하거늘, 과도히 칭은하심을 받자와 더욱 참황하여, 아뢸 바를 알지 못하리로소이다."

윤태우 곤계 말씀을 이어 지원극통을 신설하여 영화로이 환조하심을 치하하고, 계부의 환후가 거춘(去春)으로부터 비경하시어 상요를 떠나지 못하시므로 대답하고, 시랑은 부친 환후를 일컬으매 면모에 우색(憂色)이 은연하여 절박한 근심을 놓지 못하더라.

하공이 친붕제우와 일가족당을 향하여 수고로이 문외에 나와 맞음을 사사(謝辭)하고, 친옹 임공의 손을 잡고 반기는 정을 이기지 못하며, 임공이 생녀하여 망녀와 같음을 이르니 공이 더욱 이상히 여기더라.

날이 늦고 예관이 재촉하여 궐정에 복명할 새, 공이 제우친척을 명일 보기를 일컫고 성내로 들어가니, 제인이 다 뒤를 좇아 들어가되 금평후 부자와 윤학사 형제 잠깐 지류하더니, 이윽고 하생이 모친 행거를 모시고 윤씨를 호행하여 이르니, 평후 청하여 서로 볼 새, 하생이 시년 십칠에 체위 장엄하고 기도(氣度) 정숙하여, 두렷한 면모는 남전백옥(藍田白玉)220)이요, 와잠용미(臥蠶龍眉)는 문명(文明)221)이 영영(盈盈)하여222)

---

219) 서어(齟齬)하다 : ①틀어져서 어긋나다. ②익숙하지 아니하여 서름서름하다. 여기서는 ①의 의미로 '맞지 않다' '마땅하지 않다'는 뜻.

맑은 봉안과 너른 천정(天庭)에 정화(精華) 찬란하니, 낯 위에 광채 홍
일(紅日)이 부상(扶桑)에 오름 같은지라. 추포혁대(麤布革帶)223)에 갈건
야복(葛巾野服)이 더욱 그 풍신의 빛남을 도우며, 골격의 표표(表表) 특
이(特異)함은 더욱 기이하니, 이른 바 명주(明珠)를 사석(沙石)에 던지
니 보광(寶光)이 더욱 찬란하고, 황금을 진토에 버리나 광채 흙빛에 물
들지 않음이라. 평후 크게 흠복 연애하는 정을 이기지 못하여, 집수(執
手) 추연(惆然) 왈,

"전에 자의를 이별할 때 오늘이 있음을 일렀더니, 하늘이 마침내 현인
열사(賢人烈士)가 참화에 빠짐을 살피심이 소소(昭昭)하시어, 간인의 악
사 드러나 자안 등의 신설이 명정하고, 영엄과 자의의 환쇄하는 날 행색
이 쾌하다 이를 것이로되, 다만 사자(死者)는 이의(已矣)라. 국가가 은
전을 쓰시나 기쁨을 알 길이 없으니 어찌 참연치 않으리오. 연이나 영자
당(令慈堂) 태부인이 해를 연하여 삼개 기린을 탄생하시니, 범상한 경사
가 아니라. 자안 등의 돌아옴을 거의 알리니 어찌 행심치 않으리오."

하생이 비읍 배사 왈,

"연숙의 대은과 죽청 형의 의기현심으로써, 소질의 집이 지원극통을
신설하니, 한갓 환쇄함을 즐길 뿐 아니라, 망형 등의 청춘 참사함은 궁
천비원(窮天悲怨)이거늘, 죄루를 씻지 못하여 영백(靈魄)이 슬퍼하리러
니, 죽청형의 지모재략이 간인의 복초를 수고 않아 받음이 되니, 어찌

220) 남전백옥(藍田白玉) : 남전산(藍田山)에서 난 백옥(白玉)이란 뜻으로 명문가에
    서 난 뛰어난 인물을 이르는 말. 남전은 중국(中國) 섬서성(陝西省)에 있는 산
    이름으로 옥의 명산지.
221) 문명(文明) : 문채(文彩)가 뛰어나고 분명함.
222) 영영(盈盈)하다 : 용모 따위가 곱고 아름답다.
223) 추포혁대(麤布革帶) : 발이 굵고 거칠게 짠 베옷을 입고 가죽띠를 두른 차림.

기이치 않으며, 감은 쾌열(快悅)치 않으리까? 망형 등 시체를 완전히 하여 해골을 향진(鄕塵)에 장(葬)함이 다 연숙과 윤대인 은덕이니, 사곤(舍昆) 등이 명명지중(冥冥之中)에 감은백골(感恩白骨)하여 구원(九原)의 함환결초(銜環結草)[224]하리로소이다."

인하여 정병부를 향하여 은덕을 칭사하되 감은한 마음이 골절에 사무치는지라. 금평후 가로되,

"영엄과 나는 서로 은혜와 덕을 이를 사이 아니요, 이런 범연한 일에 우리 부자를 칭송함을 아심이 진정으로 불평하니, 자의는 다시 일컫지 말라."

언파에 원상 등 삼아를 불러 앞에 이르매, 개개히 출인비상(出人非常)할 뿐 아니라, 의연히 하학사 삼인이 돌아온 듯하니, 대소가 다르나 전형(全形)인즉 일호(一毫) 차착(差錯)이 없으니, 크게 사랑하고 기특하여 하공의 팔자 궁치 않음을 깃거하더라.

하생이 윤태우 형제를 처음 봄이 아니로되 그 사이 장대함이 노성군자(老成君子)의 틀이 이루어졌음과 존귀현달지상(尊貴顯達之相)이 당당

---

224) 함환결초(銜環結草) : '남에게 입은 은혜를 꼭 갚는다' 의미를 가진 '함환이보(銜環以報)'와 '결초보은(結草報恩)'이라는 두 개의 보은담(報恩譚)을 아울러 이르는 말로, '남에게 받은 은혜를 살아서는 물론 죽어서까지도 꼭 갚겠다.'는 보다 강조된 의미가 담긴 뜻으로 쓰인다. 두 보은담의 유래를 보면, '함환이보'는 중국 후한 때 양보(楊寶)라는 소년이 다친 꾀꼬리 한 마리를 잘 치료하여 살려 보낸 일이 있었는데, 후에 이 꾀꼬리가 양보에게 백옥환(白玉環)을 물어다 주어 보은했다는 남북조 시기 양(梁)나라 사람 오균(吳均)이 지은 『續齊諧記』의 고사에서 유래한 말이다. 또 '결초보은'은 중국 춘추 시대에, 진나라의 위과(魏顆)가 아버지가 세상을 떠난 후에 서모를 개가시켜 순사(殉死)하지 않게 하였더니, 그 뒤 싸움터에서 그 서모 아버지의 혼이 적군의 앞길에 풀을 묶어 적을 넘어뜨려 위과가 공을 세울 수 있도록 하였다는 『춘추좌전』〈선공(宣公)〉15년 조(條))의 고사에서 유래하였다.

하니, 하나는 발호하여 천일(天日)의 의의한 기상과 제월(霽月)의 표표
한 기질이 금고에 희한한 영준군자거늘, 시랑의 성현품질의 빈빈한 예
모와 삼엄한 위의는 대성군자(大聖君子)의 제일좌(第一坐)를 점득할지
라. 암암히 칭찬흠복(稱讚欽服)하고 정병부의 노창(老蒼)225)함이 나이
로 좇아 내도하여, 벌써 명공 후백이 되매, 체위 존중하고 기상이 엄준
하여 천승(千乘)을 기필할지라.

하생이 자기 안면에 합당한 자를 촉지에서 보지 못하였다가, 금일 윤·
정 등을 보매 흠선함을 마지아니하고, 윤학사의 성현품질을 더욱 과애
(過愛)하여 매제의 배우 쾌함을 행열(幸悅)하고, 정·윤 등은 하생을 처
음 만나매 흔행(欣幸)함을 이기지 못하여 골육동기를 상봉함 같은지라.

태우형제 매저(妹姐)의 거교를 바로 본부로 향함을 청한대, 생이 소저
의 유무를 불관이 여기므로 행로(行路)226) 같으나, 부모의 뜻이 소저를
먼저 취운산으로 데려가 가사를 안둔하고 방소를 정하여 든 후 종용이
윤부로 보내랴 하시던 고로, 부모께 고하고 돌려보냄을 이르니, 태우 형
제 결연하나 이미 경사의 왔으니 서로 빈빈 왕래하여 지극한 정을 펴며
우공하는 마음을 다할지라. 재청치 않고, 하생이 학사를 대하여 왈,

"자정이 사빈을 보지 못하심이 매양 깊은 한이 되시나, 누천리 애각에
관산(關山)이 격하고 하수(河水)가 즈음치니227), 능히 정리를 펴지 못한
지라. 일야 경사를 첨망하시어 사빈으로 하여금 동방 출입하는 재미를
알지 못하시고, 소매 상리함을 슬퍼하시더니, 이제 돌아오매 자당이 사
빈을 보고자 하심이 일시 급한지라. 모름지기 한가지로 행하여 운산 가

---

225) 노창(老蒼) : 점잖고 의젓함.
226) 행로(行路) : 행로지인(行路之人). 오다가다 길에서 만난 사람이라는 뜻으로,
　　　아무 상관이 없는 사람을 이르는 말. 늑행로인(行路人)
227) 즈음치다 : 가로막히다. 격(隔)하다.

영매를 보고 자위께 현성함이 어떠하뇨?"

시랑이 대왈,

"형이 비록 이르지 않으나 소제 등이 누이를 반길 뜻이 급하고, 악모께 배현함이 인사에 폐치 못할지라. 한 가지로 운산에 가리니, 형이 또한 악모의 우제 생각하시는 심사를 추이하여, 우리 자위 형을 동상 오년의 상견함을 얻지 못하시고 참연이 슬퍼하시는 정리를 생각하여, 배현함을 더디게 하지 말라."

하생이 유씨의 간흉을 알지 못하고, 윤씨는 비록 염박하나 악모는 미운 의사 없는지라 하생 왈,

"내 몸이 만리에 적거죄수(謫居罪囚) 아니면 천리를 지척(咫尺)인 듯 행하여, 일 년에 일이 순을 악장께 배알하여 한갓 반자지도(半子之道)228)를 차릴 뿐 아니라, 천지 같은 대은을 쇄신분골하나 다 갚기 어려우니, 의앙하는 정성이 범연한 곳에 비겨 예사 옹서지간(翁壻之間) 같으리오마는, 촉지 수졸(戍卒)로 있어 마음을 펴지 못하였으나, 이미 고토에 생환한 후조차 배알하기를 더디 하리오. 사당을 모셔 운산의 가사를 정하고 명일 존부로 나아가리라."

태우 등이 하생의 말을 듣고, 자기 집 변고를 아득히 모르는 거동이라, 타일 불미한 소문이 자연이 날 바를 부끄러워하고, 계부의 변심 상성(喪性)함을 더욱 애달프고 슬퍼하나 미칠 길이 없는지라. 다만 사색이 화열하여 피차 흡애하는 정을 띠었을 뿐이라.

금평후 하생을 재촉하여 바삐 내행(內行)을 모셔 운산으로 나옴을 이르고, 자기 먼저 병부를 데리고 부중으로 향하니라. 하생이 일행을 휘동

---

228) 반자지도(半子之道) : 사위의 도리. *반자(半子); 아들이나 다름없다는 뜻으로, '사위'를 이르는 말.

하여 운산을 향하니, 윤태우 형제 뒤를 좇아 한가지로 행하고, 하부 노복과 공의 군관의 유(類) 경사에 있던 무리 일시에 문에 메여 맞아 부인 행거를 호위하니, 장한 위의 일로(一路)에 휘황하니 도중 구경하는 이들이 서로 전하여, 왕래(往來)의 비환(悲歡)이 상반(相反)함과 명맥을 보전하여 기쁨을 이르되, 하학사 삼인은 원억을 신설하되 사자(死者) 부생(復生)치 못함을 탄하더라.

하부 일행이 운산 정부에 이르러 별원에 가니, 윤학사 부인이 하운의 처 박씨로 더불어 이에서 기다리다가, 모친 교자가 내정 (內庭) 아래 다다라 하생이 들어오니, 소저 주렴을 헤쳐 부인을 붙들어 내매, 거거(哥哥)의 옷깃을 잡아 천항루수(千行淚水) 오월장수(五月長水) 같아서, 남매 산 낯으로 반김을 영행하나, 지원을 신설하되 삼학사는 능히 사지 못함을 각골 비절하니, 부인이 여아를 보매 오년 사이 아해 바뀌어 봉관화리(鳳冠花羅)229)의 명부(命婦) 되고, 삼오춘광(三五春光)을 당하여 꽃이 바야흐로 봉오리 채 피고자 하고, 달이 보름을 만난 듯, 옥부(玉膚) 추영(透映)이 기려(奇麗) 광윤(光潤)하여, 육척향신(六尺香身)에 백태만염(百態萬艶)이 새로이 찬란하니, 위·유의 보채이는 종이 되어 있음은 알지 못하고, 그 일신이 존귀하고 영화로움을 크게 깃거하나, 기쁜 정과 반기는 심사 황홀하여, 석사를 추념(追念)하매 여아를 붙들고 실성비읍함을 그치지 않으니, 하생이 소매를 가득히 반기고 외모기질이 조금도 상치 않았음을 행심하나, 모친과 매제의 과상(過傷)함을 민망하여 모친을 위로 왈,

"왕사는 이의(已矣)라. 슬퍼하여 미칠 길이 없삽고, 삼제 벌써 삼형의

---

229) 봉관화리(鳳冠花羅) : 예전에 여성들이 쓰던 봉황 모양으로 장식한 쓰개와 꽃을 수놓아 만든 얼굴 가리개.

대신이라, 천수의 정한 바를 생각하시어 이다지도 상회치 마소서."

돌아 소저더러 왈,

"소매 오년 이측(離側)에 금일 슬하에 봉배(奉拜)하기를 당하여, 이성 낙색(怡聲樂色)으로 열친(悅親)을 위하지 않고, 무익한 석사를 일컬어 새로운 비회로 자위 심사를 요동하느뇨?"

인하여, 모친과 소매를 당에 오르심을 청하니, 부인이 겨우 심회를 금억하여 소녀의 손을 잡고 방사(房舍)에 들어오니, 정부에서 일용즙물(日用什物)을 일일이 갖추고 채석포진(彩席鋪陳)230)이 정제하여 비록 사치와 부려(富麗)를 피하나, 별원 내외 당사의 광활함과 방소의 정쇄함이 후백의 가사며 명공 재렬의 거처라. 촉지 초옥누실로 비컨대 풍도지옥(酆都地獄)231)을 벗어나 백옥선계(白玉仙界)232)의 오름 같으니, 아로새긴 난간과 분벽(粉壁) 사창(紗窓)의 채색기둥이 현황(炫煌)하여 평생 처음으로 주궁패궐(珠宮貝闕)233)을 구경한 듯, 도리어 휘휘하며234) 광활하여 인신의 거처같지 않으니, 전자 옥누항 고택이 정부 별원도곤 사치(奢侈)하던 줄 깨닫지 못할지라.

윤소저와 삼아(三兒)가 다 거륜에 내려 들어오매, 하소저 윤소저로 예필 좌정에 원상 등을 나오게 하니, 그 신장거지(身長擧止) 숙성하고 풍

---

230) 채석포진(彩席鋪陳) : 바닥에 깔아놓은 아름다운 색깔로 꾸민 돗자리와, 방석, 요 따위를 통틀어 이르는 말.
231) 풍도지옥(酆都地獄) : 도가에서, '지옥'을 이르는 말.
232) 백옥선계(白玉仙界) : 백옥루(白玉樓)가 있다는 천상의 신선들이 사는 세계. *백옥루(白玉樓); 문인(文人)이나 묵객(墨客)이 죽은 뒤에 간다는 천상의 누각. 당나라 시인 이하(李賀)가 죽을 때에 천사가 와서 천제(天帝)의 백옥루가 이루어졌으니 이하를 불러 그것을 기록하게 하려 한다고 말했다는 데서 유래한다. ≒옥루(玉樓).
233) 주궁패궐(珠宮貝闕) : 진주나 조개 따위의 보물로 호화찬란하게 꾸민 대궐.
234) 휘휘하다 : 고요하고 쓸쓸하다.

신용화(風神容華)가 완연이 삼형이 돌아옴 같으니, 혹비혹희(或悲或
喜)[235]하여 천도 소소(昭昭)한 고로 삼형이 참망하나 즉시 환도(還道)하
여 부모 슬하 되매, 동기의 정을 다시 이어 느껍고[236] 통원한 회포를 족
히 펼지라. 삼제의 손을 잡고 눈물을 거두어 길이 탄하고, 모친께 고 왈,
  "석년 참변을 당할 때 어찌 오늘날이 있으며, 삼거거의 영백(靈魄)이
그대도록 신기하여, 세상을 느꺼이 버리고 지원극통히 마침을 인하여,
지기를 펴지 못하고 충효를 헛 곳에 던짐을 슬퍼, 모친 복중을 의지하여
세상의 환생하니, 삼형이 망하나 삼제 해를 연하여 슬하 되니, 이른바
불행 중 경사요, 망극한 문호를 다시 흥기함이라. 부모의 적덕여음(積德
餘蔭)을 힘입음이니 슬하 어찌 매몰하리까. 당금(當今)하여는 궁극히 슬
픈 집이라 일컫지 못할 것이요, 화변지시로 비길진대 즐겁고 영화로움
이 이 밖에 더하리까. 삼형의 시신을 염장(殮葬)함과 지원을 신설함이
다 양부모(養父母)와 병부 거거의 천지대은이라. 소녀의 목숨을 구하여
부모께 산 얼굴로 뵙게 함도 양거거(養哥哥)[237]의 은덕이니, 소녀를 부
모 낳으시나 급화에 구함은 병부 형이요, 지성 애휼(愛恤)하여 친생과
같이 하심은 양부모(養父母)시니 호천대은(昊天大恩)이 구로지혜(劬勞之
惠)[238]와 다름이 있으리까."
  부인이 잠깐 마음을 진정하여 왈,
  "병부의 대은은 우리 부부와 너희 살을 헐고 뼈를 빻아도 갚을 길이

---

235) 혹비혹희(或悲或喜) : 일희일비(一喜一悲). 한편으로는 기쁘고 한편으로는 슬
    픔. 기쁨과 슬픔이 번갈아 일어남.
236) 느껍다 : 어떤 느낌이 마음에 북받쳐서 벅차다. 서럽다.
237) 양거거(養哥哥) : 양형(養兄). 양부모(養父母)의 아들 가운데서 손 위 남자형제
    를 이르는 말.
238) 구로지혜(劬勞之惠) : 자기를 낳아서 기른 어버이의 은혜.

없으니, 언어로 이를 바 아니요, 너의 구부(舅父) 윤공의 은덕이 또한 정공과 다름이 있으리오. 너를 정병부 구활하고 금후 부부 친녀 같이 애휼한 덕화는 오히려 이르지 말고, 여형 등의 궁천 원상을 신백함이 정병부의 대은이라. 감은함이 골절에 사무쳐 지하에 결초(結草)239)를 기약할 따름이라."

윤씨 모친의 대단히 수패(瘦敗)치 않음을 환열(歡悅)하고 부인은 여아의 고상(苦狀)240)을 모르고, 그 외모 여전함을 깃거 모녀남매지회(母女男妹之懷)를 이를새, 하시 윤씨의 풍완윤택한 용모 수려쇄락하여, 선풍옥골이 촉지 간고를 겪으나 조금도 수약(瘦弱)함이 없음을 또한 깃거241), 탄식 왈,

"소매는 저저로 더불어 동기지정을 펴지 못하고, 괴이한 액화로 촉지를 떠나매 결홀(缺欻)242)한 회포 심리(心裏)에 쌓였는지라. 저저(姐姐) 부모를 효봉하시어 지극한 성효로 궁향벽처에서 한없는 간고를 겪으시되, 천우신조하여 오히려 형용이 여전하시니, 천성의 화열하심이 편협히 우수울억(憂愁鬱抑)하지 않은 연고라. 이제 요행 국은으로 합문이 상경하니 저저의 이측(離側)하신 심사 소매로 일양이라. 하물며 존고 신석(晨夕)에 저저를 생각하시어 참연 비열(悲咽)하심이 날로 더하시니, 존당과 존고의 존안을 첨망하올 적마다, 태태의 소매 생각하시는 정리를 헤아려 더욱 슬픔을 이기지 못하는지라, 어찌 상경하신 후조차 현성(見成)243)하심을 지완(遲緩)하시리오. 금일은 벌써 저물었으니 명일에 빨

---

239) 결초(結草) : =결초보은(結草報恩). '풀을 맺어 은혜를 갚는다'는 말로, 죽어서도 은혜를 잊지 않고 갚음을 이르는 말.
240) 고상(苦狀) : 고생스러운 사정이나 형편.
241) 깃거하다 : 기뻐하다.
242) 결홀(缺欻) : 무엇인가를 잃은 것 같은 서운한 마음이 일어남.

리 옥누항에 나아 가소서."

윤씨 기모의 악심을 헤아려 소고의 불평함을 지기하매 심사 불호하
나, 오직 유열한 사색으로 천연 화답할 뿐이라. 하씨 거거의 성취 오년
에 남녀간 유치(幼稚) 없음을 의아하고, 부모의 일야 기다리는 바에 지
금껏 묘망(渺茫)하니, 실로써 절민(切憫)함을 일컬으니, 부인 왈,

"네 또한 성혼 삼재(三載)에 생산치 못하나, 너의 남매는 청춘녹발이
라, 타일에 자녀 번성할지라도, 우리는 화란여생으로 녹발이 다 희는지
라. 이렇듯 쇠로하니 원상 등의 성인(成姻)함과, 여등의 생산함을 보지
못할까 슬퍼하노라."

하씨 모친 말씀을 듣자오매, 자기는 부부 금슬지락을 그 존고 원수같
이 막지르거늘[244], 모친은 윤부 변고는 망연부지(茫然不知)하고 생산
바라심을 도리어 웃어, 말을 아니 하더라.

생이 윤학사 밖에 왔음을 고하니, 부인이 반겨 즉시 청하여 볼 새, 비
록 아시 적 보던 바나 당금에 노성장대(老成長大)함이 대귀인의 골격이
일어, 팔척신장에 가작[245]한 풍채 진승상(晉丞相)[246] 두사인(杜舍
人)[247]을 묘시(藐視)하니, 수앙(秀昻)한 골격과 쇄락한 광휘 춘양화기와
동일지애를 겸하여 성현군자의 학례(學禮)를 효칙하니, 동용거지 출어
범류(出於凡類)하여 속세 범인의 비길 바 아니라. 부인을 향하여 멀리서
배례하고 염슬좌정(斂膝坐定)하여 원로 행역을 치위(致慰)하고, 궁천원

243) 현성(見成) : 현신(現身). 아랫사람이 윗사람에게 예를 갖추어 자신을 보이는 일.
244) 막지르다 : 앞질러 가로막다.
245) 가작하다 : 가지런하다. 나란하다. 고루 다 갖추다.
246) 진승상(晉丞相) : 중국 서진(西晉)의 미남자 반악(潘岳). 자는 안인(安仁). 승상
을 지냈고 미남자의 대명사로 쓰인다.
247) 두사인(杜舍人) : 중국 만당(晚唐)때 시인 두목지(杜牧之). 이름은 두목(杜牧).
중서사인(中書舍人)에 올랐고, 중국의 대표적 미남자로 꼽힌다.

상(窮天冤傷)을 쾌설(快雪)²⁴⁸⁾함을 치하하매, 단순호치(丹脣皓齒)에 백옥이 간간이 비쳐 청월쇄락(淸越灑落)²⁴⁹⁾한 성음이 유열하고, 금옥의 견고한 기질이 사람으로 하여금 기경(起敬) 탄복케 하는 풍도가 유열 화평하며, 낯 위에 일만 가지 찬연한 염태는 미인의 고움을 더럽게 여기니, 좋은 품격과 맑은 광채 백일이 당전하며 추월이 탁운(濁雲)을 벗은 듯, 상연이 높은 기상은 추천(秋天)이 아스라한 데, 일점 편운(片雲)이 없음과 방불하고, 수연이 맑고 기이함은 옥청진군(玉淸眞君)²⁵⁰⁾이 하강한 듯, 부인이 황홀(恍惚) 과망(過望)하여 추파(秋波)에 비루(悲淚)를 머금고 말씀을 정히 하여 왈,

"석년에 윤·하 양문이 연장대문(連墻大門)하여 각별한 교도를 이으매, 어린 자녀를 가져 혼사를 뇌약(牢約)하여, 세월이 쉬이 감을 원하여 현부기서(賢婦奇壻)를 바삐 보고자 하더니, 문호 망극한 시운을 만나 삼아를 참망하고, 흉화가 장차 불측한 지경에 이르되, 영존대인과 금평후지성 간구하시어, 상공과 원광이 겨우 보전함을 얻었고, 삼아의 형체를 완전하여 선영(先塋)에 안장함이 다 영존대인과 정공의 여천대은(如天大恩)이라. 주주야야에 감격한 마음이 골절에 사무치고, 오문이 여지없는 화개(禍家) 되매 자녀의 혼취를 구약(舊約) 대로 치름을 바라지 못하더니, 영존대인의 남다르신 현심 신의로써 윤·하 양문의 구약을 이뤄, 원광을 먼저 동상을 삼으시어 천금옥녀로 촉지 궁향에 던지고 돌아오시니, 현부의 용모기질과 백행사덕은 세월이 오랠수록 바람에 넘치고 광아에게 외람한 아내로되, 촉지 무궁한 간고를 겪으니 자닝힘을 이기지

---

248) 쾌설(快雪) : 원한이나 치욕 따위를 시원스럽게 씻어버림.
249) 청월쇄락(淸越灑落) : 소리가 맑고 높으며 깨끗하고 상쾌함.
250) 옥청진군(玉淸眞君) : 도교의 최고의 신인 원시천존(=옥황상제)이 산다는 옥청궁에서 옥황상제를 보좌하는 신선.

못하고, 여아는 화란을 만나 정병부의 구활지덕을 힘입어 일명을 겨우 보전하고, 존문에서 거두어 대군자로 대례(大禮)251)를 이루매, 벌써 삼 년 춘추가 지났으되 상견할 날이 멀어 기약이 아득하니, 구구한 정과 가 득한 회포를 펼 길이 없어, 다만 석년 정혼지시를 촉처(觸處)에 생각하 여 인사의 변역함을 슬퍼하더니, 정병부의 지모재략을 인하여 원억을 신설하고, 고토에 돌아와 모녀 남매 산 낯으로 반기고, 현서의 풍용을 상견하여 대군자 도덕을 앙망하매, 불민한 소녀의 감당치 못할 바를 부 끄러워하나, 사정이 무한(無恨)하여, 일녀의 전정이 쾌하고, 문난(門欄) 의 광채 비상함을 행열(幸悅)하나이다.”

학사 투목(偸目)으로 그 악모를 보매, 정숙한 덕행이 외모의 현출하여 일개 숙녀명염이라. 심리의 흠복하여 몸을 굽혀 그 말씀을 들으매, 공수 사사하여 불감함을 일컫되, 본디 부인 여자와 흔연 다설(多說)하기를 못 하는 성품이라. 겨우 두어 조 말씀으로 인사를 차릴 뿐이요, 다시 개구 (開口)함이 없어, 의연 단좌하매, 중산의 무겁기와 창해의 깊이를 가져 금옥의 견고한 것을 겸하니, 그 구석과 가를 엿보기 어려운지라. 부인이 아름답고 기이함을 이기지 못하여 여아의 평생이 쾌함을 깃거하니, 뉘 도리어 위·유의 보채이는 종이 되었음을 뜻하였으리오.

윤소저 나와 학사를 보매, 남매 반기는 정이 상하키 어려운지라. 소저 는 존당 부모의 체후를 묻고, 학사는 원로 행역의 무사 환경을 치하하 여, 피차 기쁨을 이기지 못하는지라. 태우 또한 저저를 보랴 외헌(外軒) 에 있더니, 부인이 소저를 침소를 정하여 보내고 태우를 청하여 보라 하 니, 소저 물러와 태우를 청하여 남매 삼인이 좌를 이루고 별래(別來) 회 포를 이를 새, 태우의 준열(峻烈) 굉위(宏偉)함과 장엄한 체도는 학사의

---

251) 대례(大禮) : 혼례(婚禮).

청수함과 다를 뿐 아니라, 학사는 수약(瘦弱)함이 심하였는지라. 소저 위하여 근심함을 마지않더라.

날이 저물매 태우 곤계 명일 다시 옴을 일컫고 돌아가니, 하생이 머물고자 하되 추밀의 병이 진퇴하여 쾌소(快蘇)함이 없음을 듣고, 진실로 그러함으로 알아 밤을 한가지로 지냄을 청치 못하더라.

차시에 사관(使官)이 하공을 데리고 복명하여 상경함을 주달하고, 상이 크게 반기시어 바삐 인견(引見)하실 새, 공이 사환(仕宦)의 뜻이 없으나 군전에 평복으로 뵙지 못하여, 금포(錦袍) 오사(烏紗)²⁵²)를 갖추어 탑전에 산호무도(山呼舞蹈)²⁵³)하니, 준일(俊逸)한 신채 늠름하며, 연급사순(年及四旬)에 비상(悲傷) 참척(慘慽)하고 경력(經歷) 화란(禍亂)하매, 수미(鬚眉)에 추상(秋霜)이 섞임을 면치 못하였는지라. 상이 반가움을 이기지 못하시어 환시(宦侍)로 수돈(繡墩)²⁵⁴)을 주어 좌를 이루라 하시고, 하공이 송률(悚慄)하여 좌에 나아가지 못하니, 상이 재삼 권유하시어 가까이 나아오라 하시니, 공이 여러 번 사양치 못하여 이에 용상(龍床) 아래에 나아가니, 상이 공의 손을 잡으시고 천안이 추연하시어 용루(龍淚)를 흘려, 가라사대,

"이제 경을 보매 짐이 참연 수괴할 뿐 아니라, 원경 등의 비명원사함

---

252) 오사(烏紗) : 오사모(烏紗帽). 관복을 입을 때 머리에 쓰던 검은 사(紗)로 만든 모자.

253) 산호무도(山呼舞蹈) : 나라의 중요 의식에서 신하들이 임금의 만수무강을 축원하여 두 손을 치켜들고 만세를 부르며 절하던 일. *산호(山呼); '산호만세(山呼萬歲)'의 준말로 나라의 큰 예식에서 황제나 임금의 축수를 표하기 위해 신하들이 두 손을 치켜들고 '천세' 또는 '만세'를 일제히 외치던 일. *무도(舞蹈); 절하는 동작을 비유적으로 표현한 말.

254) 수돈(繡墩) : 수를 놓은 앉을 자리.

이 전혀 짐의 불명함이라. 무죄한 신하를 죽임이 만대의 시비를 면치 못할 바니, 금차지시(今此之時)하여 뉘우치고 애달아하나 가히 미치랴? 경은 촉지 간고를 겪었으되 오히려 일루(一縷)를 보전하여, 우리 군신이 다시 산 얼굴로 보아, 짐의 뉘우치는 마음과 경의 슬픈 심사를 서로 이르니, 가히 생인은 천만리 애각에 유찬(流竄)하나 영화로이 돌아옴을 얻었거니와, 사자는 앎이 없어 청춘에 참사한 원혼이 짐의 불명함을 원망하리니, 어찌 슬프지 않으리오."

하공이 복지하여 성교를 듣자오매 새로운 슬픔을 이기지 못하나, 지척 천안에 감히 비색을 나타내지 못하여, 오직 재배 고두(叩頭) 주왈,

"미신이 충년(沖年)에 등양(騰揚)하와 양조(兩朝)의 성은을 입사오미 하늘이 낮고 땅이 좁을 것이거늘, 한 일도 국가를 보좌함이 없삽고 지량(智量)이 회홍(恢弘)치 못하와, 사람의 불미지사(不美之事)를 보아 어진 곳에 이르게 하는 재덕(才德)이 업사옵고, 다만 질악(嫉惡)을 여수(如讐)하와 사군지도(事君之道)가 성주의 덕화를 널리지 못하고, 살육(殺戮)을 권하옴이 초한(峭悍)255)키를 면치 못함이니, 어찌 사람의 좋이 여김을 얻으리까? 이로써 삼자를 죽이고 망극한 죄루 천일지하의 서지 못할 부끄러움이 있으나, 성주의 호생지덕이 미신의 초로일명(草露一命)을 빌리시어 촉지(蜀地)에 찬배하시니, 비록 무죄하오나 누얼이 당당한 주륙을 면치 못할 바거늘, 낭관기루(䬱官刳縷)256)로 더불어 아니 하심을 각골 감은하올 뿐 아니라, 감히 신설(伸雪)을 바라지 않사옵더니, 성상의 일월지명이 복분(覆盆)의 원(寃)을 신설케 하시고, 과도하오신 은전이 미신으로써 고관대작을 더하시어 예관으로 부르시는 성총이 새로우시

---

255) 초한(峭悍) : 매우 엄격하고 매서움.
256) 낭관기루(䬱官刳縷) : 참형(斬刑)에 처해야 할 탐학(貪虐)한 관리.

니, 신이 황황송구하와 향할 바를 알지 못하옵나니, 신이 본디 부재박덕 (不才薄德)으로 조항(朝行)에 충수(充數)하와, 작직을 도모하여 국녹을 도적함이, 욕심이 무궁하여 그칠 줄 모르므로, 하늘이 참화를 내리시니, 어찌 한갓 간당의 탓이리까? 원경 등의 참사하옴도 다 각각 저의 명도 다박흉험(多薄凶險)하옴이니, 성상의 불찰하신 바 아니라. 저의 영백(靈魄)이 폐하의 이렇듯 후회하시는 성권(聖眷)을 감은하옴이 백골에 사무쳐 원혼이 되지 않으리니, 복원 성명은 저의 미세한 소자(小子) 등의 죽음을 아까워 마시고 신의 작직을 환수하시어, 성대지치(盛代之治)에 한가한 백성이 되게 하소서."

말로 좇아 체루를 금치 못하니, 상이 탄식하시어 왈,

"경이 비록 참척 환난을 경력하나 가히 퇴사(退仕)할 때 아니요, 기백이 추상 같거늘 짐의 불명박덕을 그윽이 한(恨)하여 직임을 거절하니, 짐심이 더욱 참괴함을 이기지 못하리로다."

공이 황망이 배복(拜伏) 대주왈(對奏曰),

"신이 비록 무상 불충하오나 감히 성상을 원(怨)하여 직사를 찰임치 않으리까? 진실로 천질(賤疾)이 미류(彌留)하와 정신이 혼모(昏耗)하고 기운이 사라져, 소소한 가사도 불찰하오니, 행공찰직하올 근력이 없으므로 진정 소회를 주달하오미요, 일호도 국가를 원할 바 없사오니, 성상의 일월지명으로써 미신의 심폐를 살피실까 바람이로소이다."

상이 가라사대, 참지정사는 소임이 소년명류(少年名流)와 다름을 이르사 행공함을 이르시고, 정국공은 더욱 한가함을 이르시니, 공이 진정으로 사양하여 더욱 봉국(封國)할 공이 없음을 사양하여, 국공(國公) 인수(印綬)를 거두심을 주(奏)하여 혈심소발(血心所發)[257]이로되, 상이 그

---

257) 혈심소발(血心所發) : 진심에서 우러난 바임.

충의를 저버림을 차석(嗟惜)하시어 그 고사하는 말이 일분 가식지언(假飾之言)이 아닌 줄 아시되, 마침내 환수할 뜻이 없으시니, 공이 고두 간걸하여 그칠 줄 모르는지라. 상이 그 고집을 아시어 작위를 띠어 조항간(朝行間) 관사(官事)에 참예치 않으려 함을 지기하시고, 마지못하여 참지정사를 환수하시고, 정국공 인수는 거두지 않으시어 이르시되,

"자고로 현인군자와 충신열사가 소인의 모해함을 면치 못하여, 성왕(成王)258) 같은 성군이 숙부(叔父)259)를 의심함이 있으니, 간참(姦讒)이 성함이라. 짐이 비록 불명하나 간참이 없으면 경의 부자를 의심치 않았을 것이요, 개용단(改容丹)의 요괴로움이 아니면 초왕과 오화 두석으로써 원경 등으로 알 바 없을지라. 국운이 양신을 참혹히 마쳐 없이할 때요, 경의 가화(家禍) 공참(孔慘)260)하여 원경 등이 초통참사(楚痛慘死)261)하니, 짐이 당시하여 후회 참비함이 경이 삼자를 죽이고 슬퍼하는 마음에 못지아니하니, 경은 식리장부(識理丈夫)로 예의 통철한지라. 짐을 원치 말고 군신대의를 참섭(參攝)262)게 하리니, 경의 질양이 미류함을 들으매, 참지정사는 행공키 어려운 고로 환수하나, 정국공은 다만 정읍(邑) 정사만 사실(私室)에서 결하고 소지절목(小之節目)은 정후백(侯伯)이 가음알263) 것이니, 경은 대사만 결(決)할지라. 병중이라도 어

---

258) 성왕(成王) : 중국 주나라의 제2대 왕. 이름은 송(誦). 어려서 즉위하였기 때문에 처음에는 숙부 주공단(周公旦)이 섭정하였으나, 후에 소공(召公)·필공(畢公) 등의 보좌를 받아 주나라의 기초를 쌓았다

259) 숙부(叔父) : 중국 주나라의 정치가 주공(周公). 문왕의 아들로 성은 희(姬). 이름은 단(旦). 형인 무왕을 도와 은나라를 멸하였고 어린 조카 성왕(成王)을 섭정하여 주나라의 기초를 튼튼히 하였다. 예악 제도(禮樂制度)를 정비하였으며, ≪주례(周禮)≫를 지었다고 알려져 있다.

260) 공참(孔慘) : 매우 참혹함.

261) 초통참사(楚痛慘死) : 몹시 원통하고 참혹하게 죽음.

262) 참섭(參攝) : 힘을 보태어 굳건하게 지킴.

려올 바 없고 경이 공로가 없음을 일컬어 사양하나, 경의 위국정충이 백일에 꿰어있고, 하북(河北)을 진정하여 도적을 양민을 삼으며, 수한재이(水旱災異)264)를 없이하며 염질귀매(染疾鬼魅)265)를 진정하여 백성을 보전함이 적은 공로 아니라. 어찌 국공을 사양하며 정국으로써 식읍을 삼지 못하리오. 경이 다시 고사한즉, 결단코 짐의 박덕을 함원함이라."

하공이 성교 이에 미쳐는 진실로 난안하여 다만 읍체여우(泣涕如雨)하여 사은 왈,

"성교 이 같으시니 신이 감히 국공작위를 사양치 못하오나, 한 조각 이룬 공이 없이 국공을 봉하심이 어찌 외람치 않고 두렵지 않으리까?"

상이 옥배에 어온(御醞)을 친히 잡아 권하여 가라사대,

"왕사(往事)는 이의(已矣)라. 차후나 우리 군신이 휴척(休戚)을 한 가지로 하여, 경은 석년 참화를 물외(物外)에 던지고 짐의 뉘우치는 뜻을 알아, 경의 아들 원광을 과장에 출입(出入)하게 하라. 짐이 원광을 십일 세 동몽인 때 보았으나 그 비상함을 알았으니, 경이 원광을 두었으니 타인의 십자를 부러워 않으리니, 무익한 석사를 추념(追念)치 말고 새로 즐거움을 누리고, 삭망(朔望) 조알(朝謁)과 국지대사(國之大事)는 참예하여 빠지는 일이 없게 하라."

공이 성은을 감격하여 쌍수로 어온(御醞)을 받자와 거우르고, 날이 저물기로 퇴조할 새, 공이 크게 취하였으므로 붙들어 보내시니, 새로운 은영이 일시에 빛난지라.

고택에 돌아오매 삼자의 형용이 묘망(渺茫)하여 흔적이 없으니, 유유천

---

263) 가음알다 : 관장(管掌)하다. 다스리다.
264) 수한재이(水旱災異) : 장마와 가뭄으로 인한 여러 재난.
265) 염질귀매(染疾鬼魅) : 전염병과 귀신의 작변.

지(悠悠天地)에 이 설움을 어찌 참아 견디리오.

성음이 끊일락 이을락 각골 통원함이 형상치 못하니, 윤추밀이 변심상성중(喪性中)이나, 하공의 참절(慘絶)한 곡성(哭聲)을 듣고 추연비절(惆然悲絶)하여 나아가 바삐 하공의 손을 잡고, 위로 왈,

"소제 병이 괴이하여 몸을 움직이지 못하는 고로 형을 문외의 맞지 못하여, 자질(子姪)만 보냈더니 형이 무사 환경함을 듣고 환행할 뿐 아니라, 지원(至冤)을 신설하여 거리낀 한이 없으니, 형의 심사 쾌할 줄로 알았더니, 어찌 이다지도 슬퍼하느뇨? 사자(死者)는 부생(復生)함이 없으나, 형은 자안 등 삼기(三忌)를 마치지 못하여서 다시 슬하에 환생하여 옥골 영풍이 한판에 박아 일호 착난(錯亂)이 없으니, 자란 것으로 어린 것을 바꾸는 한이 있을지언정, 그 형용이 없음을 슬퍼할 바 아니라, 평일 신백(伸白)하기 전(前)에도 오히려 참고 견디었거늘, 이제 무익한 비회를 발하여 때 없는 통곡이 어찌 놀랍지 않으리오. 모름지기 한가지로 백화헌에 가 우리 심회를 이르고 이곳에서 심사를 상해오지 말라."

하공이 크게 반겨 울음을 그치고 윤추밀을 보니, 안광의 정명지기(正明之氣)를 잃고 거동이 괴이하여 보기에 당황함을 그윽이 염려하여, 광수(廣袖)로 누흔(淚痕)을 제어하고 길이 탄 왈,

"소제 퇴조하매 벌써 날이 기울어 취운산으로 가지 못하고, 형을 차자 밤을 지내고자 하나, 형의 유질함을 들으니 소제를 만나 별래(別來)를 이르노라 침수(寢睡)가 불안하면, 병세 더할까 두려 찾지 못하고, 이곳에 돌아와 망아 등의 처소 유적을 보매, 인비석목(人非石木)이라, 새로이 통도비절(痛悼悲絶)함을 어찌 참으리오."

윤태우 하공을 호언 관위하고 계부(季父)와 한가지로 부중의 돌아오니, 윤시랑은 부중에 있다가 계(階)의 내려 맞아, 부공을 출입의 부호(扶護)하여, 온중정대하고 숙연(肅然) 경근(敬謹)하는 예절이 공부자(孔

夫子)의 후(後)를 이어 세대의 무적한 대현군자라. 하공이 흠애 칭복함을 이기지 못하여, 종야토록 추밀과 태우 곤계로 담화하되, 추밀의 거동이 전자와 내도하여 정신과 인사가 흐리고 풀어저 어림장이 같음을 크게 경려하더라.

명일 효신에 하생이 부공의 돌아오지 않으심을 괴이하여, 고택의 이르러 사묘(祠廟)의 배알하고 윤부에 나아와 부공께 야래 존후를 묻잡고 악장을 배견(拜見)할 새, 추밀이 반가움을 이기지 못하여 손을 잡고 별래 정회를 이르니, 하생이 눈을 들어 악장을 보매 크게 전일과 다름을 의아하여, 사람의 변작(變作)함이 이 같음을 괴이히 여기더라.

하생이 왔음을 내루(內樓)에 통하고, 태우 형제 소매를 이끌어 경희전에 들어가 태부인과 유씨께 배알하매, 생이 특이한 풍채 늠름쇄락하여 화벽(和璧)266)이 티끌을 씻으며, 맑은 봉안(鳳眼)은 광채 징징 발월하여 추수(秋水) 긴 강에 사일(斜日)이 비췬 듯, 와잠미(臥蠶眉)는 문명(文明)이 정정하니, 정화가 찬란하거늘, 호비주순(虎鼻朱脣)267)과 연함호두(燕頷虎頭)268) 씩씩 수려하여, 반악(潘岳)269)의 고움을 능만(凌慢)하며, 이두(二杜)270)의 호풍(好風)을 허랑이 여기니, 침위(沈威)함이 산악

---

266) 화벽(和璧) : 명옥(名玉)의 일종. 전국시대 초(楚)나라 변화씨(卞和氏)의 옥(玉)으로, '완벽(完璧)', '화씨지벽(和氏之璧)' 등으로 불리기도 한다. 그 후 이 '화벽'은 조(趙)나라 혜문왕(惠文王)의 손에 들어갔으나, 이를 탐내는 진(秦)나라 소양왕(昭襄王)이 진나라 15개의 성(城)과 이 옥을 교환하자고 한 까닭에 '연성지벽(連城之璧)'이라는 이름이 붙기도 하였다.
267) 호비주순(虎鼻朱脣) : 호랑이 코와 주사(朱砂)처럼 붉은 입술.
268) 연함호두(燕頷虎頭) : 제비 비슷한 턱과 범 비슷한 머리라는 뜻으로, 먼 나라에서 봉후(封侯)가 될 상(相)을 이르는 말.
269) 반악(潘岳) : 247~300. 중국 서진(西晉) 때의 문인. 자는 안인(安仁). 미남이었고 망처(亡妻)를 애도한 〈도망시(悼亡詩)〉가 유명하다.
270) 이두(二杜) : 중국 만당(晚唐) 대의 시인 두목지(杜牧之 : 803~852)를 달리 이

의 무거움을 가져, 예필 좌정하매 공수(拱手) 묵묵(黙黙)하여 위풍이 열숙(烈肅)하여 말 붙이기 어려운지라. 어찌 연소 서생의 연연(軟軟) 청약(靑弱)함이 있으리오.

유씨 하가 참화를 꺼려 서촉 수졸이라 나무라 버리고, 여아의 뜻을 앗아 김중관으로 동상을 삼으려 하던 일이 당시하여 뉘우쁘고271) 참괴하니, 비록 하생이 알지 못하나 하마면 천금귀녀의 전정을 마칠 뻔함을 생각하매 스스로 놀랍고, 하생의 천일지표 정병부의 출류(出類)함을 부러워할 바 아니고, 석생의 십배승(十倍勝)이라. 황홀한 정과 무궁한 사랑이 좌우로 병출하여 쾌활함을 이기지 못하되, 생이 가볍지 않으므로 모양 없이 사랑하는 빛을 나토지 못하고, 오직 웃는 입이 벌어 지원(至願)을 신설하고 영화로이 환쇄함을 치하하여, 옹서지의(翁壻之義) 오년에 처음 봄을 일컬어 빛난 말씀이 현하(懸河)272)를 드리운 듯, 간힐(奸黠)한 거동이 갈수록 요악(妖惡)하여 정인군자의 자연 알아볼 바거늘, 태부인의 어리게 치례(致禮)하고 기괴히 존대하는 체하는 거동이, 의상을 쓰다듬으며 소리를 부드러이 하여 사랑하는 정을 일컬으매, 능휼한 언사와 번득이는 양안(兩眼)에 흉포한 거동이 나타나니, 하생이 본디 부인여자를 자세히 살피지 못하는 바나, 차 양인의 기용(氣容)273)이 심상치 않음을 괴이히 여겨, 잠깐 투목송아(偸目竦訝)274)하매, 시험간흉(猜險姦凶)한 무리임을 지기(知機)하니, 자기는 저를 두려워할 것이 없으나 일매(一妹)의 평생이 안안(晏晏)치 못할까 근심하매, 불쾌하여 겨우 수

르는 말. 미남자로도 유명하다.
271) 뉘우쁘다 : 후회(後悔)스럽다. 뉘우치는 생각이 있다.
272) 현하(懸河) : 급한 경사를 세게 흐르는 하천.
273) 기용(氣容) : 기색과 용모.
274) 투목송아(偸目竦訝) : 놀랍고 의심스러워 곁눈질로 봄.

인사를 펴고 조부인께 배현코자 한데, 태부인이 그 거처 없이 실산(失
散)함을 일러 가내에 없음을 이르니, 생이 대경의혹(大驚疑惑)하여 태우
형제 그 모친의 거처를 모르고는 평상이 행세할 리 없을지라. 그 가변을
측량치 못하여 즉시 하직(下直)고 나와 악장과 태우 곤계로 이윽히 말씀
하다가, 부공을 모셔 돌아갈 새, 추밀이 하공을 대하여 여아를 쉬이 귀
녕(歸寧)함을 청하니, 하공이 쾌허한대, 추밀이 시랑을 명하여 거교를
차려 누이를 데려오라 하니, 학사가 수명하여 한가지로 취운산을 향해
나올 새, 하공이 옛 가사를 다시 디디기 싫으나, 사묘(祠廟)를 아주 모
셔 운산으로 가려, 잠깐 부중에 들어가 사묘에 현배(見拜)하고, 위의를
갖추어 운산으로 나아가니, 금평후 부자가 벌써 하부 사우(祠宇) 봉안
(奉安)할 당사를 정하여, 범사에 군속(窘束)한 일이 없어 자상이 함으
로, 하공 부자 가묘를 봉안하고 환쇄(還刷) 이사(移徙)함을 사묘에 고축
(告祝)하여 나례(儺禮)275)를 필하매, 고사를 상감(傷感)하여 슬픔을 이
기지 못하더라.

하공이 여아를 보매 반갑고 아름다움을 이기지 못하여, 운환(雲鬟)을
어루만져 추연이 양항루를 내려 가로되,

"석년 참화 때에 오늘날이 있음을 기약치 못하고, 촉지에서 너를 마저
실리(失離)하매 우리의 참절한 심사 촌할(寸割)함을 형상치 못하더니,
천도 오히려 살피시어 통원(痛冤)을 신백(伸白)하고, 고토의 돌아와 부
녀가 산 얼굴로 반기니 차생에 무한이로되, 원경 등의 자취는 묘연하니,
세월이 오랠수록 비도함을 어찌 잊으리오."

---

275) 나례(儺禮) : 민가와 궁중에서, 음력 섣달 그믐날에 묵은해의 마귀와 사신을
쫓아내려고 베풀던 의식. 본지 중국에서 시작한 것으로, 새해의 악귀를 쫓을
목적으로 행하다가 차츰 중국 칙사의 영접, 왕의 행행(行幸), 인산(因山) 때 따
위에도 행하였다.

소저 화성유어로 위로하고, 부안을 우러러 조백(早白) 쇠로(衰老)하심을 슬퍼하더라.

공이 윤공의 병세를 염려하고, 식부를 명하여 금일 귀녕하여 누년 이친(離親)한 회포를 위로하라 하더라.

명주보월빙 권지삼십사

어시에 하공이 윤공의 병을 염려해, 식부를 명하여 금일 귀녕하여 누 년 이친(離親)한 회포를 위로하라 하니, 소제 배사수명하고 밖에 윤학사 재촉하는 고로, 구고께 하직 배사하매, 물러 침소에 와 생에게 돌아감을 고하니, 생이 그 가내에 없을수록 깃거하는지라. 쾌허하니, 소제 어찌 가부의 뜻을 모르리오마는, 자기 도리를 차리려 귀근을 고하고 즉시 거 교에 들매, 하소저 중당에 나와 송별하여 왈,

"소제는 부모를 모셔 이회를 편 후 돌아가리니 이제는 저저(姐姐)로 동기지정을 폄이 긴 세월에 무한할까 하나이다."

윤씨 답 왈,

"첩이 현매로 작일 상봉하여 금일 떠남이 결연하나, 부모의 기다리시 는 바를 위로하여 빨리 돌아가나, 차후 서로 모임이 빈빈하리니, 현매는 구고를 모셔 누년 회포를 펴소서."

언파에 교부 채거(彩車)를 메고 집 문을 나니, 윤학사 호행하여 본부 의 돌아오매, 위·유 이 부인이 마주 나와 발을 걷고 소저를 볼 새, 추 밀이 또한 급급히 나와 여아를 붙들고 반기는 정을 이기지 못하니, 소저 존당 부모께 배례를 마치고 모셔 침전의 들어오니, 장씨 처음으로 보는 지라. 예필 좌정에 위·유가 누년 그리던 정을 이르고, 촉지 관산(關山)

이 천양(天壤)을 격한 것이나 다르지 않던 바를 일러, 반가움이 미칠 듯, 눈물이 샘솟 듯하니, 소저는 조모의 안강하심과 모친의 쇠패(衰敗) 치 않음을 기뻐하나, 야야의 신관276)이 환탈(換脫)277)하고 의형(儀形) 이 황당(荒唐)함278)을 경악하여 초우(焦憂)함을 이기지 못하니, 효성(曉 星) 추파(秋波)에 주루(珠淚)를 머금고 백련용화(白蓮容華)에 슬픔을 요 동하여, 조모 체후(體候)를 묻잡고, 야야의 환후 증정(症情)을 묻자와 누년 사친하던 회포를 잠깐 펼 새, 조부인이 좌의 계시지 않음을 의아하 여 백모의 안위를 묻자오니, 태부인이 실산(失散)한 설화를 누누(屢屢) 히 전하니, 소제 경악(驚愕) 발비(發悲)하여 돌아다 태우 곤계를 보니, 처연(悽然)이 안색을 고치고 관을 숙여 말이 없으니, 소제 체루 왈,

"백모의 실산하심이 적실하면 양제(兩弟) 천하를 주류(周流)하여, 쇠 신279)이 뚫어지기를 기약하고 일신이 시진(澌盡)토록 거처를 찾는 것이 옳거늘, 어찌 무사 평상한 사람 같이 청평화각(淸平花閣)에 즐기느뇨?"

태우 곤계 미처 대치 못하여서, 태부인이 가로되,

"조현부를 실산하였으나 그 지식이 원대하고 사리 통철한지라, 소소 아녀자로 미룰 바 아니니, 타일 필경 무사히 환귀할 것이오. 노모 근래 에 쇠로(衰老)함이 심하여 상석(床席)을 떠나지 못하고, 또한 여부 질양 이 가볍지 못한데, 광·희 양아가 장차 어디를 지향하여 나가 찾으리오. 그런 오활(迂闊)한 말을 다시 이르지 말라."

위흥의 말이 그친 후 시랑은 묵묵하고 태우는 안색이 씩씩하여 답왈,

"저저의 말씀이 마땅하시나 계부 환후 비경(非輕)하시어 심상치 않으

---

276) 신관 : '얼굴'의 높임 말.
277) 환탈(換脫) : 얼굴이나 몸이 살이 많이 빠져 모습이 크게 변함.
278) 황당(荒唐)하다 : 말이나 행동 따위가 참되지 않고 터무니없다.
279) 쇠신 : 쇠로 만든 신.

신지라. 아우가 시탕(侍湯)에 분주(奔走) 초전(焦煎)하는 바를 홀로 던지고 가중을 차마 떠나지 못하나, 근일은 저기 동정(動靜)이 계신 듯한지라, 종후(從後)하여 이발(離發)코자 하나이다."

추밀이 재좌(在坐)하여 모든 말을 듣되, 우려함도 없고 간예함도 없어, 만사 무념(無念)하여 비록 입을 열어 수작하고 눈으로 사람을 보나 주(主)한 소견과 정한 마음이 없어 단연히 목인(木人) 같으니, 소저 경황(驚惶) 절우(絶憂)하는 가운데, 구파를 찾으매 또 절강으로 가다가 실산함을 유씨 이르니, 듣는 말마다 차악 한심한데, 경아도 여전히 석가 기인(棄人)으로 있음을 보니 차석하여 형제 다 명도의 박함을 심리의 탄하고, 장씨 선풍월모(仙風月貌)와 숙자혜질이 하씨 아래 아님을 깃거하여, 제남(弟男)의 처궁이 복됨을 깃거한데, 모친의 거동이 결단코 효자 현부의 신상을 편히 할 리 없으니, 여러 가지 남다른 심우(心憂)가 요란한지라.

누년 상리(相離)하였던 친당에 돌아오나 즐거움이 없어 근심이 가득하니, 유씨 또한 총명한 고로 여아의 기색을 밝히 알아 행여도 간모(奸謀)를 알게 아니하고, 그 옥비섬수(玉臂纖手)를 어루만져 애중한 정을 이기지 못하다가, 비상(臂上) 앵혈(鸚血)이 완연하고 '하가자부(河家子婦)'네 자가 완연하니, 경악함을 이기지 못하여, 눈물을 흘려 왈,

"석군이 경아를 박대함이 각골비한(刻骨悲恨)이거늘, 너를 성혼 오재(五載)에 금슬 후박을 남같이 모르고, 지금 남녀 간 생산치 못함을 한하더니, 이제 너의 비홍(臂紅)280)을 보니 하랑의 박정을 묻지 아녀 알리

---

280) 비홍(臂紅) : 팔에 있는 붉은 점이라는 뜻으로, '앵혈'을 달리 이른 말. *앵혈; 중국의 '수궁사(守宮砂)'를 한국고소설에서 창작적으로 변용하여 쓴 서사도구의 하나. 도마뱀의 피에 주사(朱砂)를 섞어 만든 것으로, 이것을 팔에 한번 찍어 놓으면 성관계를 맺기 전까지는 절대로 없어지지 않는 속설 때문에, 고소

로다. 너의 사람됨이 용화기질과 백행 사덕이 일무소흠(一無所欠)이라. 초군(超群) 특이(特異)함이 실로써 너 같은 자를 구하여 만나기 어렵거늘, 하생은 하등지인(何等之人)이관데, 천고명염(千古名艶)의 절색숙녀를 박대함이 이 지경의 미쳤느뇨? 아지못게라!281) 저의 눈에 무슨 허물을 보였느뇨?"

소저 모친의 과도하심을 민박하여 자기 심사와 남다른 회포를 고치 못하고, 신혼초일에 망측한 변고를 구중(口中)의 올림도 측하여282), 다만 화열이 대왈,

"소녀는 본디 부부 사정을 여념(慮念)치 아니하고, 하군이 또한 고인의 유취지년(有娶之年)이 못되었음을 아처하나니283), 부부 후박(厚薄)이 주표(朱標)284) 유무에 달리지 않았으니, 모친은 어찌 부질없는 염려를 하시나니까?"

언파에 사기(辭氣) 태연자약하나 추밀과 태부인 이하가 다 하생의 박

설에서 여성의 동정(童貞)이나 신분(身分)의 표지(標識) 또는 남녀의 순결 확인, 부부의 합궁여부 판단 등의 사건 서사에 다양하게 활용되고 있다.

281) 아지못게라! : '모르겠도다!' '모를 일이로다!' '알지못하겠도다!' 등의 감탄의 뜻을 갖는 독립어로 작품 속에서 관용적으로 쓰이고 있어, 이를 본래말 '아지못게라'에 감탄부호 '!'를 붙여 독립어로 옮겼다.

282) 측하다 : 망측(罔測)하다. 언짢다. 섭섭하다. 원망스럽다.

283) 아처하다 : 꺼려하다. 싫어하다. 미워하다. 아쉬워하다. 안쓰러워하다. 흠잡다. 하자(瑕疵)하다.

284) 주표(朱表) : =앵혈. 중국의 '수궁사(守宮砂)'를 한국고소설에서 창작적으로 변용하여 쓴 서사도구의 하나. 도마뱀의 피에 주사(朱砂)를 섞어 만든 것으로, 이것을 팔에 한번 찍어 놓으면 성관계를 맺기 전까지는 절대로 없어지지 않는 속설 때문에, 고소설에서 여성의 동정(童貞)이나 신분(身分)의 표지(標識) 또는 남녀의 순결 확인, 부부의 합궁여부 판단 등의 사건 서사에 다양하게 활용되고 있다. 앵혈·비홍(臂紅)·홍점(紅點)·주점(朱點)·앵홍·앵점 등 여러 다른 말로도 쓰이고 있다.

정을 놀라고, 유씨 여아의 신세를 슬퍼하니, 무궁한 근심과 애다는 마음
을 한없이 형상치 못하다가, 묘랑의 추수(推數)285)를 생각하니, 현아로
써 오년 단장(斷腸)하나 타일 부귀복록이 융융(隆隆)하리라 하던지라.
여아의 상모 위인이 결단코 반첩여(班婕妤)286)의 장신궁(長信宮)287) 한
을 품어 마치지 않을지라. 일분 위로하나, 분한이 가득하더라.

하부 조부인이 여아를 데리고 적년(積年) 이정(離情)을 펴는 가운데,
옥비홍점(玉臂紅點)288)을 보고 가장 경려(驚慮)하여 학사의 박정을 슬
퍼하니, 소저 존고의 간흉대악을 차마 모녀 사이도 고치 못하여 묵묵하
고, 하생이 소매더러 조부인 거처를 물어 왈,
"사빈 형제는 대효의 군자거늘, 그 모부인을 실산하여 거처가 없으면,
결단코 평상히 있지 않으리니, 원간 윤부 가내에 무슨 변괴 있어 조부인
이 실산지화를 보며, 사빈 형제는 무슨 연고로 재취함이 있느뇨?"
소저, 그 거거의 묻는 바에 다다라 망연히 기일289) 길이 없어, '윤태
우 형제 재취 삼취한 연유로부터, 유부인 질녀가 입승(入繩)하여 사람됨

---

285) 추수(推數) : 닥쳐올 운수를 미리 헤아려 앎.
286) 반첩여(班婕妤) : 중국 한(漢)나라 성제(成帝)의 후궁. 시가(詩歌)를 잘하여 성
　　제의 총애를 받았으나 조비연(趙飛燕)에게 참소를 당하여 장신궁(長信宮)에 있
　　으면서 부(賦)를 지어 상심을 노래하였다.
287) 장신궁(長信宮) : 중국 한(漢)나라 때 장락궁 안에 있던 궁전. 여기서는 한(漢)
　　싱제(成帝)의 후궁 반첩여(班婕妤)가 이곳으로 물러나 시부(詩賦)로 마음을 달
　　랬던 고사를 말함. 원가행(怨歌行)이란 시가 전한다.
288) 옥비홍점(玉臂紅點) : =비홍(臂紅). 팔에 있는 붉은 점이라는 뜻으로 곧 앵혈
　　을 말함. 고소설의 서사도구의 하나로, 여성의 동정(童貞)이나 신분(身分)의
　　표지(標識) 또는 남녀의 순결 확인, 부부의 합궁여부 판단 등의 사건 서사에
　　다양하게 활용되고 있다. 앵혈・주표(朱標)・홍점(紅點)・주점(朱點)・앵홍・
　　앵점 등 여러 다른 말로도 쓰이고 있다.
289) 기이다 : 어떤 일을 숨기고 바른대로 말하지 않다.

이 평상한 예사 사람이 아니요, 간능다모(奸能多謀)하여 홀연 윤부에 가
변(家變)이 층출(層出)하며, 난데없는 호표(虎豹)란 것이 마치 소매 촉
지에서 만나던 변고를, 존고 야반에 당하시게 되니, 정숙렬이 기이한 신
명으로 사기를 미리 짐작하고 초인(草人)으로 존고의 전형(全形)을 이
뤄, 존고 진실로 취운산으로 언연이 가시는 듯이 하고, 존고는 즉시 옥
화산 친당에 안거(安居)하시는 연유와, 존당 이하로 윤부 상하가 다 호
표에게 해를 보실시 적실한 줄 이르고, 윤군의 형제는 짐짓 간인의 엿보
는 의심을 막으려, 천하사해에 주류하여 자당의 거처를 찾아 나서려 하
니, 존당이 막아 왈, "너희 대해(大海)에 부평초(浮萍草) 같은 어미를 위
하여 늙은 한미를 돌아보지 않는다"하시어, 윤태우 앞에서 자문(自刎)
키로 저히시니, 다투다 못하여 그치고, 매양 사람들을 대하여 자처죄인
(自處罪人)하나, 실로 그럴진대 윤군 형제의 출천효로 언연(偃然)이 입
어세(立於世)하리오.' 하더라.

　하생이 윤부 허다 변고를 듣고, 여신한 총명이 위·유의 과악을 깨달
아, 소매의 신세와 윤생 등의 남다른 지통(至痛)을 위하여 차석하여, 윤
씨의 위인을 추이컨대, 소양(宵壤)이 불모(不侔)[290]하나 그 음행이 위
·유의 끼친 여맥이매 그러한가 하다가, 다시 생각하니 소매 해하던 요
인이 '촉(蜀)을 못 취하니 농(隴)을 엿봄인가'[291] 하여, 천사만려(千思萬

---

290) 불모(不侔) : '가지런하지 않다'는 말로, 차이가 크다는 뜻을 나타냄. 소양불모
　　(宵壤不侔); 하늘과 땅처럼 큰 차이가 있음.
291) 촉(蜀)을 못 취하니 농(隴)을 엿봄인가 : 촉을 취하려 하다가 취하지 못하자 대
　　신 농을 취하기 위하여 엿본다'는 말로, 득롱망촉(得隴望蜀)을 변용하여 쓴 말.
　　*촉(蜀); 중국 주(周)나라 때와 삼국시대의 나라이름. 오늘의 사천성(四川省)
　　의 다른 지명. *농(隴); 중국 진(秦) 한(漢) 때의 지명. 오늘의 감숙성(甘肅省).
　　*득롱망촉(得隴望蜀); 농(隴)을 얻고 나니 촉(蜀)을 갖고 싶다는 뜻으로, 인간
　　의 욕심이 끝이 없음을 이르는 말.

慮)가 백출하여 지향치 못하더라. 조부인이 여아의 말을 듣고 가뜩이나 간장(肝臟)이 다 재 되기를 면치 못하더라.

날이 밝으매 하객이 작별(作閥)292) 운집(雲集)하니, 원래 삼학사의 참사함을 아니 슬퍼할 이 없어 형세를 붙좇는 고로, 하공이 서용(敍用)하여 국공작위를 받잡고 부귀영총이 새로우니, 만조 거경이 문전에 작벌 운집하여, 원억을 신설함을 칭하하매, 하공이 요란함을 깃거 않아, 다만 천은(天恩)을 일컬어 탄식하더라.

화설 금평후 제삼자 세흥의 자는 여백이니, 생성함을 각별 이상히 하여, 늠름한 신채 일만 버들이 춘풍에 휘들고293), 일천 화신(花信)이 춘월(春月)에 발화(發花)하여 고움을 비양(飛揚)하는 듯, 달 같은 천정(天庭)에 유성(流星) 같은 양안(兩眼)이요, 와잠봉미(臥蠶鳳眉)에 문명(文明)이 영영(盈盈)하여, 춘화조일(春花照日) 같은 기운이 천고영걸이라. 시년 십삼에 구각(軀殼)이 장대하여 팔척 신장이요, 원비(猿臂)294) 일요(逸腰)295)라. 겸하여 문장재화(文章才華)가 일세에 독보하여, 붓을 들매 귀신을 울릴 재주 있고, 성도(性度) 상활(爽闊)하여 추수(秋水)를 헤치며, 고집이 과격하여 한번 뜻을 정하매 일천 소가 끌어도 돌이키지 못하는 품질이라. 연과(年過) 사오세로부터 호승(好勝)이 태과하고, 능려(凌厲) 신기(神奇)함이 백형(伯兄) 여풍이로되, 병부는 천지지량(天地之

---

292) 작별(作閥) : 떼를 지음. 집단을 이룸. 벌(閥); 특수한 세력이나 권력을 지닌 개인이나 집단.
293) 휘드르다 : 흔들리다. 휘날리다.
294) 원비(猿臂) : 원숭이의 팔이라는 뜻으로, 길고 힘이 있어 활쏘기에 좋은 팔을 이르는 말.
295) 일요(逸腰) : 늘씬한 허리.

量)과 하해지심(河海之深)으로 여견만리(如見萬里)하는 총명이 있으며, 조심경(照心鏡) 안광(眼光)이 사람의 장부(臟腑)296)를 꿰뚫어 보나, 삼공자는 과격 준열하여 분기 발한 즉 전후를 생각지 않고, 활발호일하여 두려워하고 거칠 것이 없는 듯하고, 말씀이 흐르는 듯하여 언소(言笑)를 종일 그칠 사이 없고, 사람을 대한 즉 보채고 욕하기를 위주(爲主)하고, 부디 겨뤄 이기고 그치는지라. 만사 숙성하여 평남후 아래 한 사람이니, 존당 순태부인의 사랑이 근근체체(懃懃棣棣)297)하여 웃는 입을 줄이지 못하여, 가로되,

"나의 세아는 인중신선(人中神仙)이요, 조중난봉(鳥中鸞鳳)이라. 만사 출인하니 천흥의 아래 있지 않을지라. 정문이 무슨 복으로 다섯 기린이 개개이 비속(非俗)하니, 가도의 창성함을 가히 알지라. 어찌 아름답지 않으리오."

금후 대왈,

"다섯 아해(兒孩) 하나도 일컬을 행사가 없으되, 불관한 풍신이 남다른 고로 보는 이 더욱 칭찬하니, 세아는 더욱 방일(放逸)하여 소견이 주(主)한 것이 없고, 어린 기운이 사람을 침노하여 욕하기를 잘하고 정대함이 없어 위인이 염려로우니, 혹자 문호를 첨욕할까 두려워하나이다."

태부인이 불열하여 왈,

"세아의 출범함이 우연한 남이라도 친애하려든 너는 어찌 부자천륜으로 지식이 없어 괴이한 말을 하느뇨?"

금후 복수 대왈,

"자정이 천아 오인을 과도히 자애하시어 그 단처(短處)를 모르심이니

---

296) 장부(臟腑) : 오장육부(五臟六腑)를 줄여 이르는 말.
297) 근근체체(懃懃棣棣) : 정성스럽고 은근함.

이다. 천흥은 넘나며 방탕하고, 나이 이구(二九)가 지나고 위차(位次)가 후백(侯伯)에 당하되 아소(兒小)의 희해(戲諧)를 면치 못하고, 생각하는 바 주색(酒色) 두 가지요, 삼감이 없으니, 가다듬어 정도에 나아간즉 총명 상쾌함이 불인용우(不仁庸愚)한 유는 되지 아니하리이다."

태부인이 이르되,

"타일 제아(諸兒)의 영귀함이 너의 미칠 바 아니니 너무 아이들의 언참(言讖)을 흉히 말라."

하더라.

세흥 공자 장(壯)한 기운을 참아 조용함이 부전(父前)뿐이요, 금후의 자취 미치지 않은 곳에는 남사(濫事)가 무궁하여 충천장기(衝天壯氣)를 능히 제어치 못하니, 색욕이 조동(早動)하여 수년전부터 대월루 창기 사오 인을 유정하였으며 가중에 홍장시녀를 지내볼 이 없으되, 능대(能大)298) 신기(神奇)함이 금후 같은 부형을 오히려 기이니, 이런 까닭으로 부디 특이한 숙녀를 가려 세흥의 가실(家室)을 삼고자 하는지라. 황친국척과 명공후백의 딸 둔 자는 정공자의 풍신재화를 흠앙(欽仰)하여 구혼할 이 문정(門庭)에 메었으되, 금후가 동서로 밀막아 허락치 않고 택부하는 염려 일시를 방하(放下)치 못하더라.

하공이 별원에 옴으로부터 금후 부자가 조왕모래(朝往暮來)하여 아니 보는 때 없고, 하생이 금후 섬김이 숙친(熟親)299) 같이 하고, 남후 등으로 더불어 피차에 골육동기 아님을 깨닫지 못하여 금란교도(金蘭交道)300)에 관포(管鮑)301)를 효칙하니, 양가 정분이 갈수록 극진하고, 진

---

298) 능대(能大) : 일처리 하는 것이 매우 능함.
299) 숙친(熟親) : 오래 사귀어 친분이 아주 가까움. 또는 그런 사람.
300) 금란교도(金蘭交道) : 금란지교(金蘭之交). 단단하기가 황금과 같고 아름답기가 난초(蘭草) 향기(香氣)와 같은 사귐이라는 뜻으로, 두 사람 간에 서로 마음

부인이 하공 부자가 정부에 오는 때를 타 별원에 이르러 조부인과 말씀하매, 조부인의 유한요조(幽閑窈窕)함이 언사(言辭) 동용(動容)에 나타나니, 진부인이 가장 흠복하며, 또 진부인의 단일예중(端壹禮重)함이 사군자(士君子) 열장부(烈丈夫)의 풍(風)이라, 조부인이 경복함을 마지않아, 두 부인이 지기상합(志氣相合)하여 골육자매 같은 의(誼) 비길 데 없고, 조부인이 금평후와 남후의 천지 같은 대은을 일컬으니, 진부인이 실로 깃거 않아, 진정 금평후의 내상(內相)이러라.

하소저 생가에서 상경한 후, 생양부모(生養父母) 섬김이 조금도 간격이 없어, 협문으로 왕래하여 가득한 정성이 한결같으니, 금후 부부와 순태부인의 연애함이 더하고, 하·정 양가 남정(男丁)이 나간 때를 타 조·진 양부인이 서로 왕래하여 일가친척이 아님을 깨닫지 못하되, 양부인이 침묵(沈黙)한 고로 친절한 가운데도 희롱되고 부잡(浮雜)함이 없고, 조부인은 더욱 화란의 슬픔이 심두에 맺혀, 매양 석사를 느끼고 즐김이 없더라.

이때 국가에서 경과(慶科)를 정하여 인재를 뽑으실 새, 금평후 부자가 하공을 권하여 원광으로 장옥(場屋)302)에 들여보내니, 하공이 석년에

이 맞고 교분(交分)이 두터워서 아무리 어려운 일이라도 책임져 줄 만큼 우정(友情)이 깊은 사귐을 이르는 말. 『周易(주역)』〈繫辭上傳(계사상전)〉의 "二人同心其利斷金, 同心之言 其臭如蘭(두 사람이 마음을 합치면 그 단단하여 날카로움이 능히 쇠를 끊을 수 있고, 두 사람이 마음을 같이하여 한 말은 그 향기로움이 난초의 향과 같다)"에서 온 말.

301) 관포(管鮑) : 관포지교(管鮑之交). 중국 제(齊)나라 사람 관중과 포숙의 사귐이란 뜻으로, 우정이 아주 돈독한 친구 관계를 이르는 말. 『史記(사기)』〈管仲列傳(관중열전)〉에 나온다.

302) 장옥(場屋) : 과장(科場)에서, 햇볕이나 비를 피하여 들어앉아서 시험을 칠 수 있게 만든 곳.

삼자가 용방(龍榜)303)에 고등(高等)하였던 바로, 그 때를 상상하여 조달(早達)이 조물(造物)의 꺼리는 바임을 생각하여 아자를 과장의 들일 뜻이 없고, 생이 문달(聞達)을 구치 않아 부귀를 헌신같이 여기니 어찌 입과(入科)하리오. 남후 힘써 권유 왈,

"공명부귀란 것이 조물의 작희함도 두렵거니와, 원간 은거한 처사와 학문이 유여하여도 등양(騰揚)을 못하는 유는, 각각 신수(身數)와 상격(相格)을 타남이라. 자의는 영귀지상(榮貴之相)으로 부귀영미(富貴榮美)함으로써 종신영효(終身榮孝)를 구(求)치 않음은 원국(怨國)하는 마디 같으니, 익히 생각하여 입장출세(入場出世)304)하여 관일정충(貫一貞忠)으로 나라를 돕고, 타일 조각을 얻어 망형(亡兄)의 원수를 갚게 하라."

하공 부자가 그러하다고 여기나 마침내 깃거 아니커늘, 남후 다시금 극진히 역권(力勸)하니, 하공이 아자를 장옥에 들어가라 하고, 정부에서 유흥과 필흥은 어리므로 세흥만 응과하니, 하ㆍ정 양생이 한가지로 들어가 만인다사(萬人多士) 가운데 글제를 보대, 지을 의사 없어 한유하다가 시각이 늦음을 보고 양인이 명지(名紙)305)를 펴고 채필을 들어 휘쇄(揮灑)306)하니, 평생 닦은 재주가 어디 가랴! 장강(長江)이 호호하여 천리(千里)를 터버린 듯, 창룡(蒼龍)이 서리고 난봉이 춤추는 듯, 경각에 휘필하여 종자를 주어 바치라 하고, 서로 대하여 하생은 세흥의 재주를 칭찬하고, 세흥은 하생의 웅문대재(雄文大才)를 경복하는 중, 스스로 등공(騰空)하여 몸이 청운에 비등하여 경악(驚愕)에 근시(近侍)키를 바라거늘, 하생이 그 과욕(科慾)을 웃더라.

---

303) 용방(龍榜) : 과거시험 합격자 명단을 적어 붙인 글.
304) 입장출세(入場出世) : 과장(科場)에 들어가 급제하여 출세함.
305) 명지(名紙) : 시지(試紙). 과거시험에 쓰던 종이.
306) 휘쇄(揮灑) : 늑휘호(揮毫). 붓을 들어 글씨를 쓰거나 그림을 그림.

이날 상이 태학에 행행(行幸)하시어 제 시관을 거느려 글을 꿇으실[307] 새, 황야의 인재 바라심이 대한(大旱)에 운예(雲霓) 같은지라. 화대(花帶)[308] 청삼(青衫)[309]을 대후(待候)하시어 어전에 놓으시고, 시관이 올리는 글을 어람하시나 성의(聖意)에 가합(可合)한 재주가 없으니, 천심이 불예(不豫)하시더니, 최후에 승상 구준(寇準)[310]이 두 장 시권(詩券)을 용상 아래 바치고, 주 왈,

"득인(得人)하심을 하례하옵나니, 이 두 글이 고하를 정키 어렵도소이다. 그러나 한 장은 안민정국지재(安民靖國之才)를 가져 성현도학이 빈빈하고, 하나는 문채(文彩) 발월(發越)하여 영준호걸의 기상이니, 천감(天監)이 살피시어 고하를 정하실소이다."

상이 두 장 글을 어람하시매 먼저 그 필획이 찬란하여 만 리에 창룡이 서리고, 시의(詩意) 웅건(雄建) 청월(清越)할 뿐 아니라, 첩첩한 문한이 은하만리(銀河萬里)에 거칠 것이 없고, 하나는 공맹(孔孟)의 도덕을 전주(專主)하고 한 장 시권은 영걸 준격(峻激)이 글 위에 나타나니, 성의 대열하시어 친히 어필로 장원(壯元)과 탐화(探花)[311]를 쓰시고, 차례로 꿇으시어 수를 채와 방을 떼이시니, 전두관(銓頭官)[312]이 길게 소리하

---

307) 꿇다 : 잘잘못을 따져서 평가하다.
308) 화대(花帶) : 계화(桂花)와 옥대(玉帶).
309) 청삼(青衫) : 조선시대 과거급제자가 입던 푸른색 도포.
310) 구준(寇準) : 961-1023. 중국 송나라 진종 때의 정치가. 자는 평중(平仲). 재상에 올랐고, 내국공(萊國公)에 봉작되었다.
311) 탐화(探花) : 과거 최종시험인 전시(殿試)의 3등 급제자를 이르는 말. 1등은 장원(壯元), 2등은 해원(解元)이라 한다. 그런데 고소설에서는 전시(殿試)의 2등 합격자를 이르는 해원(解元)과 혼용되어 쓰이기도 한다. 여기서도, 정세홍이 2등 급제자이기 때문에 해원(解元)이라 써야 하는데, 탐화(探花)로 쓰고 있다.
312) 전두관(銓頭官) : 인재를 뽑는 일을 담당하던 부서인 전부(銓部)의 우두머리. 과거 시험 채점관.

여 장원은 호주인 하원광이니 연이 십칠이요, 부는 전임 병부상서 겸 문연각 태학사 정국공 진이라 부르는 소리 세 번에, 일위 소년이 만인총중(萬人叢中)에 추창(趨蹌)[313]하여 옥계 하에 응명하매, 풍광이 동인(動人)하여 강산의 출류(出類)한 정기요, 너른 천정(天庭)은 망월(望月)이 두렷함이요, 설빈(雪鬢)[314]은 백련(白蓮)처럼 곱고, 단사주순(丹砂朱脣)은 혈기 방광(放光)하니, 신장이 팔척오촌(八尺五寸)이요, 원비(猿臂)과 슬(過膝)하며, 대인의 기상이요, 장부위풍이라. 제세안민(濟世安民)할 재주는 흉중에 품었고, 높은 격조와 빼어난 신채는 세대에 독보하니, 경운화풍지상(慶雲和風之相)과 태산암암지용(泰山巖巖之容)이며 군자대현(君子大賢)의 틀을 가져, 바라매 의의(儀儀)하여[315] 약년소자(弱年小子)의 화지용(花之容) 유지풍(柳之風)으로 내도하니, 천안이 장원을 보시매 흡연이 기쁜 빛을 여시니, 전자에 하원광을 기특히 여기신 까닭이라. 국가의 동냥지재(棟樑之材)를 얻으심을 환열하시어, 즉시 전에 올려 옥대(玉帶) 아홀(牙笏)과 계화(桂花) 청삼(靑衫)을 주실 새, 일컬어 가라사대,

"산고옥출(山高玉出)이오 해심출주(海深出珠)니 하진의 생자가 어찌 비상치 않으리오. 경의 특이함이 족히 타인의 십자를 부러워 않을지라. 짐이 전일 실덕을 뉘우치는 중이나, 경부(卿父)의 유복함을 위하여 깃거하노라."

하시니, 만조문무 상교(上敎)로 좇아 일시의 만세를 불러 득인하심을

---

313) 추창(趨蹌) : 예도(禮度)에 맞게 허리를 굽히고 빨리 걸어감.
314) 설빈(雪鬢) : 눈처럼 하얀 귀밑머리. *귀밑머리; 뺨에서 귀의 가까이 난 머리털을 말하는 데. 망건을 쓸 때 귀밑머리는 살쩍밀이를 이용하여 망건 안으로 밀어 넣어 보이지 않게 감추기 때문에 사실상 하얀 민낯만 보이게 된다. 따라서 여기서는 이 부분을 '하얀 눈'에 비유하여 '설빈(雪鬢)'이라 했다.
315) 의의(儀儀)하다 : 의용이 아름답고 덕이 있는 모양.

하례하고, 눈을 쏘아 하장원의 동탕(動蕩)한 신광을 보고 뉘 아니 흠복
하리오. 장원이 계지청삼(桂枝靑衫)으로 옥계에 내려 팔배(八拜)하여 성
은을 사은하니, 동용예절이며 예의도학이 빈빈(彬彬)하니, 군전의 대례
를 반생을 익힌 자라도 이에 더하지 못할지라. 상이 어수(御手)로써 친
히 장원의 손을 잡으시고 추연이 옥음(玉音)을 내려, 가라사대,

"짐이 석자에 불명(不明)하고 실덕이 자못 태심하여, 여형 삼인이 비
명참사(非命慘死)하니 이제 추회하나 미치지 못하고, 만대의 불명한 시
비를 면치 못하려니와, 짐이 다시 경가로써 원억함이 없게 하리니, 경은
군신의 정이 부자로 다름이 없게 하라."

언파에 재삼 추회(追悔) 불락(不樂)하시니, 하장원이 차시를 당하매
심담이 붕렬(崩裂)하여, 부복하여 상교를 듣자오매 감히 비색을 나토
지316) 못하여, 오직 재배 사은할 뿐이라. 상이 옥배(玉杯)에 어온(御醞)
을 친히 잡으사 권하시며, 가라사대,

"일로 추이하여 생각하매 경부의 충의(忠義) 직백(直白)함으로 후사
(後嗣)를 복멸(覆滅)치 않음을 깨닫나니, 경은 짐을 어질게 도와 국가를
보익함을 바라노라."

장원이 배수(拜受) 계수(稽首)하여 황은을 숙사(肅謝)하고, 버거317)
차례로 부르시니 탐화(探花)는 금평후의 제삼자 세흥이라. 탑하의 추진
하매 동탕한 기상은 기린(麒麟)이 교야(郊野)에 내리고, 발월한 풍신은
침향전(沈香殿)318) 상에 청평사(淸平詞)319) 짓던 이청련(李靑蓮)320)이

---

316) 나토다 : '나타내다'의 옛말.
317) 버거 : 버금으로. 다음으로.
318) 침향전(沈香殿) : 중국 서안(西安)에 있는 당(唐) 현종(玄宗)의 별궁(別宮)인 화
　　　청궁(華淸宮) 내의 한 전각.
319) 청평사(淸平詞) : 당 현종이 양귀비를 데리고 침향전에서 모란을 구경하다가

아니면, 양주(楊州) 노상(路上)에서 귤(橘)을 탐하던 두사인(杜舍人)[321]
이라. 천만다사(千萬多士) 가운데 호호히 빼어나니 하나는 추천(秋天)의
계수(桂樹) 같고, 하나는 삼춘(三春) 화시(花時) 같으니, 영풍준골이 천
만 중 빼어나 태을진인(太乙眞人)[322]이 운리(雲裏)에 배회하며, 이백(李
白)이 침향전(沈香殿)에 취한 풍채라도 이 같지 못할지라.

날이 저물매 어가가 환궁하실 새, 여러 신래(新來)를 연(輦) 앞에 세
우시고 돌아가시니, 하장원으로 중서사인 한림학사를 하이시고 정탐화
로 춘방학사를 하이시니, 하장원이 진정으로 벼슬을 사양하여 사군보국
할 재주 없음을 주(奏)하니 상이 불윤하시고, 정탐화는 사양할 뜻이 없
으나 부공이 고사(固辭)치 않음을 책하실까 두려, 나이 어리고 소학(所
學)이 전무하여 직임을 차릴 길 없음을 주하여 십년 말미를 청하니, 상
이 웃어 가라사대,

"재주는 연치노소(年齒老少)로 가지 아니하나니, 짐이 너의 재주를 이
미 아나니 어찌 부질없이 사양하느뇨? 여형 등이 다 십삼의 등양하여
사군찰직하되 백행에 하자할 것이 없고, 이어 천흥은 문무에 대용(大用)

이백을 불러 짓게 해, 즉석에서 지어 바쳤다는 악부시(樂府詩) 3수.
320) 이청련(李靑蓮) : 중국 당나라 때의 시인 이백(李白)의 호(號). 701~762. 자는
태백(太白). 호는 청련거사(靑蓮居士). 칠언 절구에 특히 뛰어났으며, 이별과
자연을 제재로 한 작품을 많이 남겼다. 현종과 양귀비의 모란연(牧丹宴)에서
취중에 〈청평조(淸平調)〉 3수를 지은 이야기가 유명하다. 시성(詩聖) 두보(杜
甫)에 대하여 시선(詩仙)으로 칭하여진다. 시문집에 ≪이태백씨집≫ 30권이
있다.
321) 두사인(杜舍人) : 중국 만당(晩唐)때 시인 두목지(杜牧之). 이름은 두목(杜牧).
중서사인(中書舍人)에 올랐고, 중국의 대표적 미남자로 꼽힌다.
322) 태을진인(太乙眞人) : =태을성군(太乙星君). 음양가에서, 북쪽 하늘에 있는 별
인 태을성(太乙星)의 성군(星君)이면서 병란·재화·생사 따위를 맡아 다스린
다고 하는 천상선관(天上仙官).

하니, 너의 위인이 여형과 방불한지라. 짐이 정히 기뻐하거늘 어찌 십년을 허하리오."

하시니, 탐화의 사양이 진정이 아니라. 즉시 사은하고 인하여 환궁에 호가(扈駕)하여 행할새, 문무반열이 정정제제히 호위하고 여러 신래 계화청삼(桂花青衫)으로 금안백마(金鞍白馬)에 허다 추종이 전차후옹(前遮後擁)하여 대로에 압서, 어가(御駕) 환궁하신 후, 장원이 방하를 거느려 어화청삼(御花青衫)으로 부중에 돌아와 친전에 배알하니, 하공부부 두굿기고 아름다움을 이기지 못하되, 석년 삼자가 일방(一榜)에 고등하여 부중에 돌아오매 한없이 즐기던 바를 생각하니, 심장이 찢어지는 듯한지라. 공이 아자(兒子)의 손을 잡고 부인이 등을 어루만져 실성오열 왈, "산 사람은 비록 화란을 경력하나 목숨을 보전하매 오히려 기쁨을 보거니와, 사자(死者)는 영화 경사에 앎이 없는지라. 금일 너의 과경을 당하니, 석년 여형 등이 참방하여 돌아오던 일을 생각건대, 어찌 통원함을 참으리오. 사람이 유아 치자를 없이 하여도 통도하거든, 우리는 천지간 원억지통을 품어 능히 참고 견디지 못할 것이로되, 여러 세월에 좋은 사람같이 지내어, 이제 고토에 돌아와 성주의 후은이 새로우시니, 금차지시(今此之時)하여는 우리 부부 고루 화당에 안와(安臥)하여 근심이 없으니, 예를 잊어 새 즐거움을 보니, 사람이 석목(石木)이 아니라. 참통비절함을 어찌 참으리오."

장원이 삼형을 생각고 심회 비절하나 부모를 이성낙색(怡聲樂色)으로 위로하고, 윤소저 또한 호언관위(好言款慰)하더니, 내시 이르러 상교를 전하여, 장원의 비상함을 칭찬하시고, 황봉어주(黃封御酒)[323]를 드리

---

323) 황봉어주(黃封御酒) : 임금이 하시하는 술. 황봉(黃封)은 임금이 하사한 술을 단지에 담고 황색 천으로 봉(封) 것으로 임금이 하사한 술을 뜻한다.

니, 하공이 부복하여 전교를 듣잡고 북향 사은 후, 내시를 관대하여 가로되,

"망아 등의 참사(慘死)함은 팔자 기박한 연고요, 원억을 신설하여 영백이라도 죄루를 벗음이 성주의 지우(知遇)하신 덕이라. 돈아(豚兒)가 외람히 용루(龍樓)에 어향(御香)324)을 쏘이니, 황공하여 도리어 기쁜 줄을 알지 못하더니, 어온(御醞)을 사송(賜送)하시어 자식 잘 낳음을 일컬으시니, 황축(惶蹙) 불안(不安)함을 이기지 못하리로다."

언파의 주찬을 갖추어 중사(中使)를 관대하고 성은을 회주하니라.

시시에 정부에서 세홍 공자가 계화청삼으로 존당 부모께 배알하니, 태부인이 웃는 입을 줄이지 못하고 아름다움을 이기지 못하여, 탐화의 옥골선풍이 남후에 내리지 않음을 스스로 자랑하니, 금후는 자정의 희열하심을 영행하여 화평한 사색을 지으나, 그윽이 성만의 세를 두려 소년 등과하여 지기를 펴매 더욱 삼가는 일이 없을까 근심하는지라. 탐화를 앞세워 사묘의 현배하고 내려와, 경계 왈,

"네 나이 겨우 이륙이 갓 지나 구상유취(口尙乳臭)임을 생각하여 소심공근(小心恭謹)325)하라. 네 만사 무식하여 장자의 원대지량(遠大之量)이 없고 군자의 온중함도 없으니, 모름지기 삼가고 조심하여 어린 기운을 절차하고 정대함을 위주하라. 무슨 재덕으로 사군찰임(事君察任)에 허물이 없으리오."

태부인이 소왈,

---

324) 어향(御香) : 임금의 향기 또는 어전의 향기를 뜻하는 말로, 임금의 은혜를 비유적으로 표현한 말.
325) 소심공근(小心恭謹) : 매우 조심하고 공손하며 삼감.

"세아가 비록 호일(豪逸)하나, 너의 지극한 경계를 들으며 천아 등의 행사를 보는지라, 어찌 뛰어나게 허물을 지으리오. 금일을 당하여 부모지심이 즐겁지 않으리오. 장래를 근심하여 경계하는 말이 너무 급하도다."

금후 대왈,

"자교 마땅하시나, 소자 부재 박덕으로 외람히 위거열후(位居列侯)하고, 삼자가 연하여 과갑(科甲)의 고등하고, 더욱 천흥에 이르러는 융중한 위권이 문무의 임하오니, 저의 위인이 용렬하든 아니하오나 군자지행(君子之行)이 부족하오니, 소자 매양 염려하옵는 중, 지어(至於) 세흥하여는 제 형에서 더 오활(迂闊)하오니, 이른바 '다남자즉다구(多男子則多咎)'326)라 함이 이런 데 이름직 하온지라. 어찌 우구치 아니리이까?"

태부인이 이르되,

"나의 손아 오인이 필경은 가문을 욕지 않으리라."

하더라.

인하여, 외당에 하객이 작벌운집(作閥雲集)하니, 금후 부자 출외(出外)하여 제 객을 맞을새, 명공거경이 벌이 뭉기듯 하여 신래를 유희하는 중, 인흥은 취처한 줄 알고, 탐화는 금후 매양 정혼한 데 있음을 이르는 고로 구혼치 못하나, 취처치는 않았으므로 유의치 않는 이 없더라.

윤추밀이 변심상성(變心喪性)하였음으로도 서랑의 과경(科慶)을 흔흔쾌락하여 하고, 윤소저 본부에서 돌아오지 않았다가, 생이 등과하매 인사에 마지 못하여 운산에 돌아오매, 구고와 하소저 반김을 이기지 못하고, 촉지 간초(艱楚)를 면하여 봉관화리(鳳冠花羅)의 명부 되니 영행하나, 석년에 임씨 명부의 복색을 갖추고 즐기던 바를 생각하여 비회 새롭더라. 장원과 하소저 부모를 모셔 화안이성(和顏怡聲)으로 천만 위로함

---

326) 다남자즉다구(多男子則多咎) : 아들이 많으면 그만큼 걱정거리가 많음.

을 지극히 하더라.

차야에 금후 머물고 윤추밀을 청류(請留)하여 종용이 담화하며, 배작을 날릴새, 윤태우 곤계 추밀을 모셨고, 남후와 탐화(探花) 금후를 모셔 좌우로 부호(扶護)하여 경근지례(敬謹之禮)가 동촉(洞屬)하고, 주량이 남다르나 부전이라 일배를 접구치 못하고, 가장 가소절도지사(可笑絕倒之事) 있으나 미미히 웃을 따름이니, 장원은 더욱 예중군자(禮重君子)라. 아소(兒小)의 희해(戲諧)를 취치 않아, 부전에 화열한 낯빛과 조심하는 모양이 문왕(文王)327)이 왕계(王季)328)를 모심 같고, 윤학사의 삼엄한 예절과 기이한 성행이 일빈일소(一嚬一笑)329)에 다 예의를 잡아, 종일 좌석을 정돈하고 의관이 제제하여 옥 같은 용화에 잠깐 미한 웃음을 띠어 그 화평하고 너그러움이 춘풍이 이이(邐迤)330)하여 남훈전(南薰殿)331) 상에 경운이 새로움 같고, 늠연단좌(凜然端坐)한즉 열일(烈日)이 추상(秋霜)에 빛남 같아서 감히 말 붙이기 어려운지라. 윤·정·하·진 제 소년 가운데 공맹의 도덕이 빈빈한 이는 홀로 윤학사니, 하장원의 성자유풍이 적은 바 아니나, 웅위한 기상이 영준을 겸하였으므로 오히려 윤학사의 대도성학(大道聖學)에 수 삼층 미치지 못하고, 윤태우는 천고걸출이라, 용호기습과 천일지표가 정병부로 방불하니, 계부지전에 경

---

327) 문왕(文王) : 중국 주나라 무왕의 아버지. 이름은 창(昌). 무왕의 주나라 건국의 기초를 닦았고 고대의 이상적인 성인군주(聖人君主)의 전형으로 꼽힌다.

328) 왕계(王季) : 중국 주 문왕(文王) 창(昌)의 아버지. 이름은 계력(季歷). 자손이 왕업(王業)을 이룰 수 있는 기초를 닦았다.

329) 일빈일소(一嚬一笑) : 한 번 찡그리고 한 번 웃는다는 뜻으로, 성내기도 하고 기뻐하기도 하는 감정이나 표정의 변화를 이르는 말.

330) 이이(邐迤) : 잇따라 나아감.

331) 남훈전(南薰殿) : 순임금이 오현금(五絃琴)으로 남풍시(南風詩)를 타 백성들의 불만을 어루만져 주던 전각.

근(敬謹)을 잡으나 아따금 단사(丹砂)에 백옥(白玉)이 비추어 희소하기의 미처는 기담절도(奇談絶倒)할 일이 무궁하되, 소리를 낮추고 기운을 발치 않아 계부를 경근함이 엄부와 같이 섬기더라.

하생을 신진(新進)이라 하여, 자기 사관(四官)[332]의 도를 다하렸노라 하니, 하장원이 소왈,

"다른 사관(四官)은 아무 용렬한 자라도 마지못하여 좇으려니와 네 날을 침노할진대 네 눈에 재를 넣고 낯에 춤을 뱉으리라."

태우 소왈,

"형이 소제를 업신여겨 이 말을 하거니와, 공당(公堂) 체면이 사실(私室)과 내도하니, 소제 이제라도 중서성(中書省)[333]과 한림원(翰林院)[334]에 갈진대, 형이 마지못하여 소제(小弟)를 높이 앉히고 선생(先生) 예로 대접하리니, 어찌 한갓 신래(新來)로 보챌 뿐이리오."

하장원이 대답치 못하여서 금후 소왈,

"공당의 나아가면 선생 예는 마지못하려니와, 사실에서는 너의 수년 장이요, 또 저부(姐夫)라 공순히 보채일 리 있으리오."

태우 소이대왈,

"악장 말씀이 마땅하신지라. 소생이 종저부(從姐夫)라 하여 저를 공경

---

332) 사관(四官) : 조선 시대에, 과거에 관한 일을 맡아보던 사관(四館)의 관원(官員). 성균관, 예문관, 승문원, 교서관의 관원(官員)을 이른다. 당시 과거에 급제한 '신래(新來)'들은 이 네 관아(官衙)에 배속되어 관직생활을 시작하였는데 이때 통과의례로 선배관원들 곧 '선진(先進)'들에게 면신례(免新禮)를 행하던 관례가 있었다.

333) 중서생(中書省) : 중국 수나라·당나라·송나라·원나라 때에 일반 행정을 심의하던 중앙 관아.

334) 한림원(翰林院) : 중국 당나라 중기 이후에 주로 조서(詔書)를 기초하는 일을 맡아보던 관아.

하거니와, 그렇지 않으면 저를 기운이 시진(澌盡)토록 보채지 않으리까? 연기 수년 장(長)을 이르시나 견마지치(犬馬之齒)는 일백이라도 존경할 것이 없나이다."

금후 대소하고 장원이 날호여 소왈,

"네 날을 견마(犬馬) 같다 하거니와, 악장은 너와 선악(善惡)이 달라, 날을 언언이 칭선(稱善)하시고 동상에 맞으심은 어찌오? 택서를 그릇하심이냐? 안총이 너만 못하심이냐? '유(類) 유(類)를 따르고 무리가 무리를 지으니'335), 악장의 명감 없으심을 한하고 날을 견마의 비겨 욕하지 말라. 너희 인사 황당하도다."

일좌(一座)가 대소하고, 윤태우 웃고 하생을 꾸짖더라. 하공이 윤·정·진 삼공으로 더불어 좌를 이뤄, 제 소년의 동탕한 풍류 서로 찬란하고, 간간(衎衎)한 담소를 들어 그 위인의 심천(深淺)과 단중(端重) 걸호(傑豪)함을 짐작하니, 윤태우와 정병부의 충천한 호기를 흠애하고, 아자(兒子)의 침위(沈威)함을 또한 두굿기더라. 윤학사의 담연이 희학에 참예치 않음과 종일 염슬궤좌(斂膝跪坐)하여 이따금 부공의 체후를 묻자올 뿐이오. 여러 소년이 침노하여 희롱함을 들은 체 않음을 보매 도리어 괴이히 여기고, 그 골격이 티 없는 얼음과 맑은 수정 같아서 반점 속태에 물들지 아니하고, 가슴 가운데 백일이 비추며 심정이 추수(秋水) 같아서, 높음이 천고에 대두할 이 없을 듯하니, 하공이 혹자 그 수한(壽限)이 장원치 못할까 염려하여, 친히 일배주를 부어 학사를 향하여, 가로되,

"제 소년이 다 부형이 재좌(在坐)하여 술을 접구할 이 없거니와, 현서는 종일 좌석을 고침이 없고 한 마디 희학이 밖에 나지 않아, 오직 마음

---

335) 유(類) 유(類)를 따르고 무리가 무리를 지으니 : 유유상종(類類相從)을 풀어쓴 말. '같은 무리끼리 서로 사귐'을 이름.

에 골몰한 바 영엄(令嚴)의 기운을 물을 뿐이라. 좌중이 뉘 아니 부형을 두었으며 경근지례를 저마다 않으리오마는, 진실로 사빈의 대성유풍(大聖遺風)을 따를 이 없을지라. 공맹(孔孟)이 도덕을 만고에 유전하시고 학행이 천추만년에 민멸치 않을 바로되, 오히려 공부자(孔夫子)도 조두(俎豆)[336] 벌이는 희롱이 계시고, 맹자(孟子)의 달구질[337]하시는 거조가 사람으로 좇아 한번 웃으심을 면치 못하심이거늘, 사빈은 소년지심에 희학과 언소가 행여도 있지 아니하니, 내 도리어 괴이히 여기니, 하물며 사빈의 의형이 청수(淸秀)하여 진태(塵態)에 물들지 않은지라. 대개 마음이 세간에 있으나 뜻이 백옥선경에 오름 같으니, 장부란 것이 철석같이 견고하여 주색을 과히 말며, 욕화(慾火)를 멀리하는 것이 옳되, 사빈은 많이 세속범류와 같지 아니하니, 행여 수한(壽限)에 해로울까 염려하나니, 모름지기 술을 간간이 나오고[338] 뜻을 쾌활히 하여, 걸음마다 삼가며 말씀마다 조심키를 잠깐 덜할진대, 자연 진욕(塵慾)이 있을 것이라."

인하여 술을 권하고, 추밀이 또한 하공의 말을 좇아 학사의 술 먹기를 일러, 하공의 주는 배작을 사양치 말라 하니, 학사 마지못하여 받아 거우르고 하공을 향하여 사례하여, 가로되,

"소생이 무슨 사람이관데 악장이 과장하시어미 이에 미치시니까? 다만 고인이 유언(有言) 왈, '날을 꾸짖는 자는 스승이요, 날을 기리는 자는 원수라.' 하오니, 소생의 비박지행(鄙薄之行)과 불민한 위인이 한 일도 일컬음직 함이 없거늘, 악장은 역대 대성(大聖)으로써 비우(庇佑)하

---

336) 조두(俎豆) : 각종 제기(祭器)를 통틀어 이르는 말. 조(俎)는 고기를 담는 제기이고 두(豆)는 국 따위의 일반 음식을 담는 제기이다.
337) 달구질 : 달구로 집터나 땅을 단단히 다지는 일
338) 나오다 : (음식을) 내오다. (음식을) 드리다. (음식을) 들다.

시니339), 성현을 욕되게 하시고 소생으로 하여금 참괴함이 치신무지(置身無地)케 하시니, 평일 의앙(依仰)턴 바 아니로소이다. 하물며 주색(酒色)이란 것은 신상에 질을 이루고 행실에 해로움을 도우니, 악장은 반드시 소생배를 경계하시어 주색을 멀리하라 당부하심이 옳거늘, 어찌 도리어 권하시나이까?"

하공이 그 단중함을 심애(甚愛)하나 너무 진욕(塵慾)이 없어 수를 누리지 못할까 염려하니, 평남후 웃음을 머금고 고하여, 가로되,

"연숙이 사빈으로써 진욕이 물들지 않아 수한이 부족할까 근심하시거니와, 사람됨이 곤산(崑山)340)의 흰 옥 같고 여수(麗水)341)의 황금이 단련함 같은지라. 상모를 의논하여도 봉안이 징청(澄淸)하여 가을 물을 헤친 듯, 정기 사람에게 쏘이니, 반드시 수한이 장원할 것이요, 일월각(日月閣)342)이 일어서니 그 귀격(貴格)을 가히 다 이르지 못할 바라. 한 나라의 재상이 되어 이음양(理陰陽) 순사시(順四時)343)할 재덕이 있으니, 무슨 일로 진욕(塵慾)이 적으며 수한(壽限)이 장원치 못할까 염려하리까?"

---

339) 비우(庇佑)하다 : 비호(庇護)하다. 편들어서 감싸주고 보호하다.
340) 곤산(崑山) : 곤륜산(崑崙山). 중국 전설상의 높은 산. 중국의 서쪽에 있으며, 옥(玉)이 난다고 한다. 전국(戰國) 시대 말기부터는 서왕모(西王母)가 살며 불사(不死)의 물이 흐른다고 믿어졌다.
341) 여수(麗水) : 중국 양지강(揚子江) 상류인 운남성(雲南省)의 금사강(金砂江)을 이름. 〈천자문〉 '금생여수(金生麗水)'에서 말한 금(金)의 산지(産地)로 유명.
342) 일월각(日月角) : 관상법(觀相法)에서 부모운(父母運)을 나타내는 일각(日角)과 월각(月角)을 함께 이르는 말. 일각은 왼쪽 눈 위 약 3㎝ 부분, 월각은 오른쪽 눈 위 약 3㎝ 부분의 이마를 말하는데, 일월각이 뚜렷하면 높은 관직에 오를 상(相)이라 한다.
343) '이음양(理陰陽) 순사시(順四時)' : 음양(陰陽)을 다스리고 사시(四時; 春夏秋冬)의 변화에 순응함.

공이 소왈,

"창백의 달리(達理)한 말과 밝은 상법을 들으니, 사빈의 수복을 염려
치 아니하나니, 참화(慘禍) 후에 마음이 허랑하여 매양 아들과 사위를
위하매, 각별히 수복을 바라는 고로, 의사 구구하여 아니 날 염려 없어
자연 언단에 나타남이로다."

남후 함소 궤좌하고, 금평후 가로되,

"푸른 하늘의 밝은 해는 노예하천(奴隷下賤)344)도 또한 그 밝음을 안
다 하니, 사빈의 비상함을 천흥이 아니라고 몰라보리오. 스스로 상법을
아는 체하여 시비하는 것이 어리기 심한가 하노라."

낙양후 소왈,

"윤보는 창백의 명달하며 상쾌함을 시기하여, 소견이 승어부(勝於父)
함을 질투하여 깃거 않음으로, 본디 천흥의 말끝을 무주려345) 못하게
함이라. '사람마다 그 아들이 그 아버지보다 낫다 하면 그 아버지가 기
뻐한다.'고 하되, 윤보는 천흥보다 나은 체하니, 진실로 천흥이 그 자
식됨이 원민치 않으리오."

하·윤 양공과 진태상이 박소하고 금평후 흔흔히 삼각미염(三角美
髥)346)을 어루만져 웃으며 가로되,

"형언이 가소롭기를 이기지 못할지라. 용우(庸愚) 불사(不似)하여347)
그 부형의 용우함을 후리치는348) 버릇은 우리 가중(家中)에서는 보도
듣도 못한 일이니, 형이 본디 부형(父兄)을 헐뜯는 재주가 있는가 싶으

---

344) 노예하천(奴隷下賤) : 노예와 신분이 낮고 천한사람.
345) 무주리다 : 끊다. 자르다.
346) 삼각미염(三角美髥) : 세모 꼴 형태의 아름다운 수염.
347) 불사(不似)하다 : 닮지않다. 격에 맞지 않다.
348) 후리치다 : 사정없이 휘둘러서 때리거나 치다.

니, 모름지기 천흥을 가르치라."

낙양후 형제 금평후를 꾸짖고 서로 희롱하여 즐기기를 마지않다가, 야심하매 낙양후 삼곤계 자질을 거느려 먼저 돌아가고, 윤·정·하 삼공이 종용이 말씀할 새, 하공이 술이 취함으로 좇아 석사를 생각하여 망자(亡子) 등을 생각고 양항루(兩行淚)를 흘리며, 석년 백화헌 가운데서 왕래(往來)하며 윤명천 공과 추밀로 더불어 자기와 금평후가 모여 어린 자녀를 가져 정혼하던 바와, 복중의 골육이 있음을 서로 일러 각각 부인이 생산하여 아이들이 자라기를 기다려 성혼할 바를 의논하던 일들을, 다 감회하여 탄식키를 마지않아, 전전(前前) 고사를 이르며 슬픔을 이기지 못하니, 금평후 역시 추연하여 가로되,

"소제 명천형으로 더불어 어린 자녀를 가져 정혼하던 바 일장춘몽 같고, 비록 명천형이 없으나 구약을 성전하여 천흥으로써 윤가 동상을 삼고 사원으로 내 집 동상을 삼으니, 친옹이 비록 보지 못하나 자부(子婦) 여서(女壻)가 다 아심(我心)에 흡연하여, 식부는 천아에게 외람한 아내요, 사원은 여식의 감당치 못할 장부라. 저희 각각 화락할까 바라더니, 불행한 시절을 만나 여아는 살인죄수로 장사에 찬출하고, 식부는 공주 해한 누얼을 실어 옥누항으로 이이절혼(離異絶婚)하여 가다가, 도중에서 적난(賊難)을 당하여 지금 거처를 모르니, 참연한 심회를 형상키 어렵고, 지향하여 찾을 길이 없으니, 능히 사생존망을 알 길이 없는지라. 천아의 배항(配行)349)이 그대도록 차라할350) 줄을 어찌 알았으리요."

하공이 가로되,

"윤부인을 사오세 되도록 내 익히 본 바라. 귀복달수(貴福達壽)한 상

---

349) 배항(配行) : 아내의 지위 또는 그러한 지위에 있는 사람.
350) 차라하다 : 아득하다. 아득히 멀다.

(相)이 만고에 희한한지라, 수화중(水火中)에 들어도 위태할 일이 없으리니, 형은 과려치 말고 타일을 기다리라. 다만 우리 정분이 동기와 다름이 없고 형이 또 내 식부를 사오 세까지 본 바니 구태여 내외할 바 아니라, 촉지 간고를 참참이 겪으며 이친(離親)한 정사가 남다르되, 우리 부부를 효봉함이 진실로 원광이라도 현부에게 더하든 못할 것이요, 백행사덕이 여러 세월이 오랠수록 특이하니, 아문의 보배라. 형이 한번 볼지어다."

금평후 가로되,

"우리 정원즉 동기(同氣)에 감치 아니하고, 영아를 소제 양녀(養女)하매 제 우리 섬김이 친생 부모 같고, 우리 저를 사랑하는 뜻이 친생 기출과 다름이 없으니, 양가의 각별함이 여아로써 일호 간격이 없는지라. 어찌 다른 자녀를 내외하며 식부를 서로 뵈고자 않으리오마는, 소졸한 여자 타문 남자를 보지 않으려 하리니, 구태여 윤부인을 청치 말라."

하공이 소왈,

"형으로 더불어 정의 골육동기 아님을 알지 못하나니, 형이 이미 나의 여식을 양녀하여 사랑함이 친생에 넘거늘, 어찌 아부를 보지 못하며, 형의 집이 하늘같은 은혜를 소제 부자에게 드리우니, 식부 또한 형의 은덕을 감골하는지라. 반드시 일차 배견을 폐치 못할 것이요, 형이 명강형과 동기 같으니 식부 여러 가지로 서어한 일이 없으리니 이제 부를 것이라."

언필의 시녀로 하소저에게 전어하여 윤소저를 데리고 나오라 하니, 윤추밀이 또한 소왈,

"형이 소제와 관포(管鮑)351)의 지기(志氣) 있으니 여식을 잠깐 봄이

---

351) 관포(管鮑) : 중국 춘추시대 사람인 관중(管仲)과 포숙(鮑叔)을 함께 이르는 말. 우정이 아주 돈독한 친구사이였다.

방해롭지 않으며, 또 하형이 이같이 보고자 않으나 우리 사이 구태여 여(女)와 부(婦)를 내외하리오. 형은 구태여 사양치 말라."

금평후 하·윤 이공의 말을 좇아 다시 윤소저 보기를 막지 아니하고, 좌석에 시랑 곤계와 하장원과 윤태우 형제와 평남후 등이라. 정탐화는 사관(四官)이 지리히 보채므로, 금평후 명하여 일찍이 들어가 자고 명일 유가(遊街)352)를 마저 하라 하였는 고로, 좌의 없는지라. 평남후 윤부인의 나옴을 듣고 피하여 들어가고자 하거늘, 하공과 윤추밀이 소매를 잡아 가로되,

"창백은 원광과 형제 같고 하물며 윤부인353) 남편이라. 나의 식부를 창백이 못볼 리 없고 원광이 타일 윤부인을 또한 아니 보지 못하리니, 모름지기 피치말라."

평남후 가장 불안하되 마지 못하여 좌에 있더니, 이윽고 하소저 윤소저로 더불어 외헌에 나아오니, 원래 윤부인은 금평후의 있음은 알지 못하고 엄구대인의 부르시는 명을 응하여 나오매, 지게를 당하여 윤태우 형제 앉았다가 물러서고, 하공이 웃음을 머금어 식부와 여아 들어옴을 이르니, 하소저 거의 짐작하고 윤소저를 인도하여 실중의 들어가니, 평남후는 관을 숙이고 눈을 낮추어 원비(猿臂)를 정히 꽂아 섰으며, 금평후는 날호여 기동(起動)하니, 윤부인이 눈을 들어 살핌이 없으나 전자에 보지 못하던 남자가 있음을 어이 모르리오. 가장 경아하되 사색치 아니하더니, 하공이 웃고 가로되,

"정형은 나의 동기 같은 친우요, 삼생에 다 갚지 못할 은혜 있을 뿐

---

352) 유가(遊街) : =삼일유가(三日遊街). 과거에 급제한 사람이 사흘 동안 풍악을 잡히고 거리를 돌며 시험관과 선배 급제자와 친척을 방문하던 일.
353) 윤부인 : 여기서 윤부인은 하공의 며느리인 윤현아의 언니 윤명아를 말함.

아니라, 윤형으로 더불어 지극한 사이니, 현부 또한 아시에 항상(恒常)이 배견(拜見)한 바라. 모름지기 숙질(叔姪)의 예(禮)로 뵈고, 정병부는 원광의 문경지교(刎頸之交)요, 명천형의 동상(東床)이니 못볼 사이 아니라. 현부는 모름지기 괴이히 여기지 말라."

윤씨 놀라오나 배사 수명하여 금평후께 재배하매 평후 답배하니, 윤공이 과도함을 일러 자질같이 않음을 이르고, 윤소저 평남후로 예필하매 하공이 자기 곁에 앉히고, 태연이 웃는 용화를 열어 금후를 향하여 가로되,

"나의 식부는 여중사군자(女中士君子)라 외모용색을 족히 이를 것이 아니로되, 백사(百事)가 진선진미(盡善盡美)하여 색태 또한 이 같으니, 이 진정 '하주(河洲)의 옥 같은 숙녀(淑女)'354) 아니리오."

윤추밀은 하공의 여아 사랑함을 보고 자기도 전일은 하씨를 저같이 사랑하던 줄 깨달아, 또한 하씨를 자기 곁에 앉혀 잠깐 연애하는 정을 나타내니, 금평후 부자가 눈을 흘려 윤씨를 얼핏 본즉, 풍완호질(豊婉好質)이 수려쇄락하여 명광이 찬란하니, 가을 달이 벽옥루(碧玉樓)에 밝았으며, 추수향련(秋水香蓮)355)이 천엽(千葉)에 솟아있는 듯, 빼어난 미목(眉目)에 성덕이 비추고, 사일(斜日) 쌍광(雙光)이 정채 징징(澄澄) 발월(發越)하여, 미우팔채(眉宇八彩)356)에 성덕이 현어외모(顯於外貌)하며

---

354) 하주(河洲) … 숙여(淑女) : 강물 모래톱 가운데 있는 숙녀라는 뜻으로 주(周)나라 문왕(文王)의 비(妃)인 태사(太姒)를 말한다. 문왕과 태사 부부의 사랑을 노래한 『시경』〈관저(關雎)〉장의 "관관저구 재하지주 요조숙녀 군자호구(關關雎鳩 在河.之洲 窈窕淑女 君子好逑)"의 '하주(河洲)' '숙녀(淑女)'서 온말.

355) 추수향련(秋水香蓮) : 가을의 맑은 물 위에 떠있는 향기로운 연꽃.

356) 미우팔채(眉宇八彩) : 눈썹과 눈의 정채(精彩). *미우(眉宇); 이마의 눈썹 근처. *팔채; '팔채(八彩)'는 팔(八)자 모양의 눈썹 광채를 뜻하는 말로, 여기서는 눈빛 곧 눈의 정채를 대신 나타낸 것이다.

복덕이 어리었으니, 찬란한 태도와 선연(嬋妍)한 기질이 선원(仙苑)의 향기를 겸하여 천태만광이 꽃처럼 빼어나니, 육척신장과 일척나요(一尺羅腰)며 청운 같은 녹발과 비봉(飛鳳) 같은 어깨 표연(飄然)하여, 자약 기려한 가운데 유한숙요(幽閑淑窈)하고 청연정열(靑煙貞烈)하니, 이 진정 단일성장(端壹盛裝)의 천고 희한한 성녀(聖女) 명염(名艶)이라. 금후 부자가 크게 탄복할 뿐 아니라, 비록 한없는 명광은 오히려 잠깐 그 종형(從兄)을 미치지 못할 듯하나, 용화기질이 한 판에 박은 듯 흡연이 방불하여, 덕성이 출어이목(出於耳目)하고, 행지동용(行止動容)이 법도 단연(端然)하며 신중하여, 사군자 같은 품도 은연이 방불하고, 흐억하고 윤염(潤艶)하여 풍완윤택함이 그 종형에서 승하되, 천택(川澤)의 얼음이 티끌을 씻으며, 만리 장공(長空)에 한 조각 구름이 없는 곳에 양일(陽日)이 장천하여 광휘를 흘림같이 신기롭고 맑음은 그 종형에게 잠깐 불급(不及)한 듯하니, 소(小) 윤씨는 비컨대, 추천이 아스라하여 구만 리 장공에 일점 부운이 없는 곳에 중추망월이 옥누(玉樓)에 한가하여 명광을 만방의 흘림같으니, 금후 윤소저를 보매 자기 식부를 더욱 생각하여, 하공을 향하여 왈,

"형이 비상 참척하고 역경화변(歷經禍變)하였으나, 대효의 아들과 성녀의 현부를 슬하의 두어 문호를 흥기하며 가도를 창성함이 일로 좇아 지기(知機)하리니, 어찌 기쁘지 않으리오. 비록 윤부인을 금일 보지 아니하나, 비상특이 함은 아시에도 속류(俗類)와 다르니, 형의 과장을 듣지 않아서 밝히 아는지라. 소제의 실산한 자부 등을 생각하매 차석함을 이기지 못하리로다."

하공이 대취하여, 상시 품은 뜻을 감추지 못함으로 오래도록 취담을 그치지 아니타가, 윤소저의 손을 잡고 흔연히 그 팔을 빼어 왈,

"석자의 백화헌 가운데서 현부의 비상에 '하문자부(河門子婦)' 네자를

앵혈로 내 친히 썼더니, 흐르는 세월이 살 같아서 어느 사이 현부로 내 집 사람을 삼아 벌써 오년 춘추가 되었으니, 나의 사랑하는 정이 여아의 위라. 현부 또한 날 앎을 추밀 형에서 더하라."

이리 이르며 눈을 들어 소저의 팔을 보매, 옥 같은 비상에 홍점(紅點)[357]이 완연하고 석년에 '하문자부' 넉자 쓴 것이 분명하여 단사(丹砂)로 점(點)함 같으니, 하공이 우연이 식부의 팔을 빼매 문득 앵점을 본지라. 성혼 오재에 비홍이 완전함을 경해 차악하여, 자기 부부는 아자의 박행을 알지 못하고, 매양 농손(弄孫)의 자미를 바라던 일이 우스운지라. 아자의 현처 박대하는 행사를 분완절통하나 세쇄하기를 구치 않음으로, 날호여 윤씨의 팔을 놓으나 사색이 다름을 면치 못하니, 윤소저 천만 생각 밖에 비홍을 엄구의 보신 바 되매, 놀랍고 불평함을 이기지 못하나, 외모 천연(天然) 안상(安常)하여 무사무려한 거동이 세사를 모르는 듯하니, 하공이 더욱 사랑하나 그 단장박명을 자닝하여 주흥(酒興)이 사라지니, 하소저 야야의 기색을 스치매 윤소저의 불평한 심사를 헤아려, 즉시 일어나 내루로 들어가려 한대, 윤소저 금후 부자께 예하고 하씨로 더불어 내루로 들어가니, 하공이 금후를 향하여 왈,

"소제 명박험흔(命薄險釁)[358]함이 형의 남다른 유복을 감히 딸을 길이 없거니와, 형은 오자의 옥수신월 같은 손아가 층층하거니와, 소제는 삼자를 참망하고 원광이 큰 아해로 종사에 중탁과 일신 후사를 깊이 바람이 타인지자(他人之子)의 다름이 있는지라. 비록 원상 등이 있으나 겨우 유하를 면한 것이 어찌 장성한 원광과 같으리오. 주야 식부의 농장(弄璋)하는 자미를 보고자 천신께 비는 바로되, 성혼 오재(五載)에 식부

---

357) 홍점 : =앵혈. 비홍. 앵점.
358) 명박험흔(命薄險釁) : 명(命)이 박하고 험함.

생산하는 일이 없고, 영주를 사빈과 성례한 지 삼재(三載)에 태신(胎身)의 기미 없으니, 소제의 무궁한 적악과 한없는 재앙이 자녀간에 농장(弄璋)하는 자미를 보지 목할까 슬퍼하노라.”

금후 영주의 비홍이 완연함을 모르지 아니하던 바나, 하생이 윤씨 박대함이 행로(行路)359) 같음은 몽리(夢裏)에도 생각지 못하였으되, 하공이 그 비홍을 상고하고 말이 이 같으니, 남의 집 규녀의 주표를 아른 체함이 불가한 고로 다만 소왈,

“자의의 부부와 사빈의 부부 청춘녹발이 쇠(衰)할 날이 멀었고, 전정이 만리(萬里)라. 아직 생산하는 경사 없으나 타일 옥동화녀(玉童花女) 몇 사람을 둘동360) 알리오. 형의 연기(年紀) 우리 아래요, 비록 조백(早白)함이 있으나 기운인즉 백세(百歲) 하수(賀壽)361)를 기약할 것이니, 손아를 이르지 말고 증손을 넉넉히 볼지라. 너무 급히 서두름 즉하지 않도다. 수연(雖然)이나, 영주 이름이 출가한 여자나 규녀와 다름이 없으니, 어디로 좇아 생산할 기미 있으리오. 남자의 호주기색(好酒嗜色)함이 행실에 유해함도 없지 않거니와, 빙채(聘采)362) 백량(百輛363))으로 맞

---

359) 행로(行路) : ‘행로인(行路人)’의 줄임말.
360) -ㄹ동 : ‘-ㄹ지’의 뜻을 나타내는 어미로 무지(無知), 미확인의 경우에 흔히 쓰인다.
361) 하수(賀壽) : 장수(長壽)를 축하함.
362) 빙채(聘采) : =빙물(聘物). 납채(納采). 혼인례에서 정혼이 이루이진 증거로 신랑 집에서 신부집에 보내는 예물.
363) 백량(百輛) : ‘백대의 수레’라는 뜻으로, 『시경(詩經)』 「소남(召南)」편, 〈작소(鵲巢)〉시의 ‘우귀(于歸) 백량(百輛)’에서 유래한 말이다. 즉 옛날 중국의 제후가(諸侯家)에서 혼례를 치를 때, 신랑이 수레 백량에 달하는 많은 요객(繞客)들을 거느려 신부 집에 가서, 신부을 신랑 집으로 맞아와 혼례를 올렸는데, 이 시는 이처럼 혼례가 수레 백량이 운집할 만큼 성대하게 치러진 것을 노래하고 있다.

은 바 정실을 구태여 결발(結髮)364) 대륜(大倫)을 폐할 일이 아니라. 공
자(孔子) 대성(大聖)이되 공리(孔鯉)365)를 두시니, 반드시 부부윤의를
온전히 하심이요, 문왕이 성인이시되 요조숙녀(窈窕淑女)를 오매사복
(寤寐思服)하시어 모시(毛詩)366) 제 일편을 이뤄 계시니, 행실과 도덕이 아
무리 성학(聖學) 대도(大道)에 미처도 부부윤의를 어지럽힐 리 있으리오."

금후 이 말씀을 냄은 윤부 가란과 유부인 악심을 들음이 있는 고로,
학사 하씨 박대함을 윤공이 알아들을 만큼하여 학사의 금슬을 권장코자
함이라. 추밀이 비록 요약에 상성(喪性)하여 흐리고 풀어져 전일 강명지
기(剛明之氣) 없으나, 금후의 언내(言內)로 좇아 마음이 요동(搖動)하여,
쌍광을 빗기 흘려 시랑을 양구찰시(良久察視)에 날호여 문 왈,

"하현부는 너에게 외람한 아내라. 반드시 공경중대함이 옳거늘, 하고
(何故)로 부부윤의를 폐하여 여부의 농손(弄孫) 기다리는 마음을 돌아보
지 않느뇨?"

학사 피석부복하여 듣자올 뿐이요, 미처 대답지 못하여서, 태우 때를
좋이 얻었음을 환희하여, 숙모의 용심이라도 다시 학사 부부의 금슬을
막자르지367) 못하게 하려 함으로, 문득 좌를 떠나 계부 면전의 말씀을
고하오대,

"유재(猶子) 희천의 박처(薄妻)함을 벌써 아뢰여 엄히 계칙(戒飭)하시
게 하려 하오되, 제 매양 조혼소빙(早婚少聘)368)이 성인의 경계(警戒)아

---

364) 결발(結髮) : ①상투를 틀거나 쪽을 찌는 일. 또는 그렇게 한 머리. ②'혼인(婚
　　姻)'을 달리 이르는 말.
365) 공리(孔鯉) : 공자(孔子)의 아들 이름.
366) 모시(毛詩) : '시경(詩經)'을 달리 이르는 말. 중국 한나라 때의 모형(毛亨)이
　　전하였다고 하여 이렇게 이른다.
367) 막자르다 : 함부로 자르거나 끊다.
368) 조혼소빙(早婚少聘) ; 일찍 시집가고 어려서 장가 듦. 남녀가 어려서 혼인함.

님을 일컬어 나이 삼오(三五)나 차기를 기다려 부부윤의를 차리렸노라
하오니, 그 말이 또한 그르지 않은 고로 지금 계부 면전의 고치 못하였
삽더니, 금년이 희 제(弟)와 하 쉬(嫂)다 삼오(三五)의 나이를 당하였고,
하합하 상경하시어 필연 동방의 자미를 보고자 하실 것이요, 저의 도리
반자지도(半子之道)를 가작이 함이 옳을까 하나이다."

하공이 추밀을 향하여 딸과 서랑을 자기 집에서 삼사삭 머물게 함을
간절히 청하니, 추밀이 태우의 말을 옳이 여기고 하공의 청함으로 좇아
일언의 쾌허하여, 학사로 하부의 수삼삭 머물나 하니, 하·정 양공이 다
깃거 하되, 학사 양모의 마음을 스치매 실로 두려운 마음이 가득하여,
운산의 머물고자 마음이 없는지라. 부전에 재배 고 왈,

"아해 박행무식(薄行無識)하오나, 어찌 무단이 인륜을 폐하리까마는,
조혼소빙은 성인의 경계라. 소자와 하·장 등이 다 연기 유충키를 면치
못하였사오니, 불평함이 없지 아니하온 고로 수년을 더 기다려 부부윤
의를 차리고자 하옴이러니, 이런 미세지사(微細之事)에 성려를 번거로
이 하시니 죄 깊도소이다."

추밀이 다시금 경계하여, '윤기(倫紀)를 어지럽히지 말아 장옥(璋
玉)369)이 선선(詵詵)370)케 하라' 하고, 다시 운산에 수삼 삭 머물라 하
니, 학사 대왈,

"소자 감히 엄명을 역하오미 아니라, 대인 환후가 진퇴(進退) 무상(無
常)하오시거늘, 어찌 무고히 이곳에 유처(留處)하리까?"

추밀이 정색 왈,

"내 비록 유병하나 일일 위급한 증정이 아니요, 네 없으나 네 형이 있

369) 장옥(璋玉) : 아들. 농장지경(弄璋之慶: 아들을 낳은 경사)에서 유래한 말.
370) 선선(詵詵) : 수가 많은 모양

은즉 네 있으나 다름이 없을 것이요, 낮인즉 조참(朝參) 후 반일을 옥누
항에 있으리니, 모름지기 괴이히 굴지 말라."

　하더라.

명주보월빙 권지삼십오

　화설 윤추밀이 정색 왈,

　"내 비록 유병하나 일일위급(日日危急)한 증정(症情)이 아니오. 네 없으나 네 형이 있은즉 네 있으나 다름이 없을 것이요, 이곳에 있으나 낮인즉 조참 후 반일을 옥누항에 있으리니, 모름지기 괴이히 굴지 말라."

　학사 진실로 대모와 양모의 용심이 자기 이곳에 유식(留食)함을 깃거 않을 것이요, 주야 황황(惶惶) 가즉한[371] 바 조모와 양모가 회심하시어 조손 모자의 정이 온전키를 바람이요, 중심에 가득이 생각는 바 조모와 양모의 마음을 감화케 함이니, 하·장을 향한 은정이 헐함이 아니로되, 능히 처실에 대한 호화지심은 몽리에도 없는지라. 실로써 이의 머묾이 민민(憫憫)하나, 대인의 명이 이 같으시고, 하·정 양공과 남후며 하장원이 간절히 청하니, 이에 다시 사양치 못하여 부명을 순수할 뿐이라.

　하공이 아자(兒子)의 행사를 통한하여, 양안을 길게 떠 자주 장원을 보는 기색이 가장 엄렬(嚴烈)하니, 장원이 어찌 모르리오. 윤씨로 성혼 오재에 부부의 정을 이루지 않고 행로같이 여기나, 부모 모르시니 금슬을 권하시는 일이 없음을 그윽이 기뻐하다가, 금야에 대인이 윤씨의 비

---

371) 가즉하다 : ①가지런히 하다. 고루 갖추다. ②힘써 하다. 힘을 다하다.

흥을 보시고 이렇듯 하심을 불안하나, 능히 자기 심회를 세세히 고치 못하고, 매양 윤씨의 음비지행(淫鄙之行)을 들은 후는, 비위(脾胃)[372]에 눅눅함을[373] 이기지 못하여 윤씨를 불관이 여김이 행로도곤 심하되, 하공은 윤씨 사랑이 자못 과도하여 장원을 분노함이 적지 않은지라. 장원이 만인을 묘시(藐視)하는 재주를 두어, 몸이 청운에 올라 용안(龍顔)에 조회함이 복이 넘치거늘, 규각(閨閣)에 원을 두어 써 부모의 뜻을 받들지 못하니, 어찌 통완치 않으리오.

이날 윤공과 태우는 집으로 돌아가고, 학사는 취운산에 머물새, 하공이 동방(洞房)을 배설하여 여서(女壻)의 동실지락(同室之樂)을 두굿기나[374], 아자의 행사를 통완하여 한번 중책코자 마음이 있으되, 부부후박(夫婦厚薄)은 위엄으로 권하며 고칠 길이 없음을 깨달고, 아자를 대하여 일언을 열지 않고, 기색이 유엄(有嚴) 씩씩하여 추상열일(秋霜烈日) 같으니, 장원이 가장 공구 축척하여 일시도 마음을 놓지 못하더라.

하장원과 정해원(解元)[375]이 삼일유가(三日遊街)를 마치고, 각각 직사(職事)를 차려 사군찰임하매, 기절(氣節) 청행(淸行)이 조야에 진동하고, 물망재덕이 사류의 추앙하는 바 되고 상총이 융성하시니, 하·정 양

---

372) 비위(脾胃) : 아니꼽고 싫은 것을 견디어 내는 성미.
373) 눅눅하다 : 메스껍다. 태도나 행동 따위가 비위에 거슬리게 몹시 아니꼽다.
374) 두굿기다 : 자랑스러워하다. 대견해하다. 기뻐하다.
375) 해원(解元) : 중국에서 각 성(省)에서 시행하는 향시(鄕試)에 1등으로 급제한 자를 이르는 말. 한국 고소설에서는 임금 앞에서 치르는 전시(殿試)의 2등 합격자를 이르는 말로 쓰고 있는데, 때로는 3등급제자인 탐화(探花)와 혼용되어 쓰이기도 한다. 이 작품에서도, 정세홍은 하원광과 함께 과거에 응시하여 원광에 이어 2등으로 급제하였는데, 처음은 '탐화(探花)'로 불리다가, 여기서는 해원(解元)으로 불리고 있다. 그런데 중국이나 조선의 과거제도에서는 최종 시험인 전시(殿試)의 1등 급제자를 장원(狀元, 壯元), 2등을 방안(榜眼), 3등을 탐화(探花)라 하였다.

인의 위국충심이 각각 부형에 내리지 않는지라. 하·정 양공이 각각 그
아자의 사군찰임이 초출특이함을 두긋기나, 금후는 학사의 과격한 성도
를 경계하고, 하공은 사인의 박행무신함을 분해하여, 일일은 내헌의 들
어가 부인으로 더불어 종용이 말씀하며, 윤학사의 일택 상에 머물러 반
자의 예 극진함을 두긋기고, 조부인이 날마다 여아의 비상을 상고하여
수일 전에 주표(朱標) 없음을 전하여, 윤시랑의 성정이 단엄열숙(端嚴烈
肅)하며 침엄정대한 가운데도, 여아 향한 은정인즉 산고해박(山高海薄)
함을 크게 깃거, 여서의 금슬이 화합함을 행열하나, 아자와 윤씨는 행로
같음을 깊이 염려하여, 부인을 대하여 아자의 행지를 이르고자 하더니,
사인이 조당으로서 나와 부모께 뵈오매, 하공이 묵묵 정색하여 오래 말
을 않다가, 부인을 향하여 가로되,

"어느 사람이 자녀를 아니 두리오마는, 우리 부부는 정사가 남같지 못
하여 허다 참경과 흉화를 당할 시절에도, 일분 위회(慰懷)함이 원광 남
매라. 윤추밀의 만고 희한한 유신(有信)함이, 화가(禍家) 여생(餘生)을
혐의치 않아, 천금 여자로 개연이 서촉 수졸의 며느리와 아내를 삼고,
아들로써 화가(禍家)에 입장(入丈)함을 태연이 하니, 친옹의 은덕은 하
늘이 낮고 땅이 좁을 것이요, 윤씨 성행과 색덕이 범범용우할지라도, 은
인의 난망지덕을 헤아려 그 일생을 편히 하는 것이 인인군자의 보덕하
는 도리거든, 하물며 윤현부의 성행사덕과 외모기질은 나의 용둔한 언
사로써 일컬어 이르매 서어(齟齬)한지라. 우리 부부를 효봉하매 그 성효
사덕의 겸비함이 성녀의 내리지않아, 그 효의 진효부(陳孝婦)376)와 강

---

376) 진효부(陳孝婦) : 중국 한(漢)나라 때 진현(陳縣)의 효부(孝婦). 남편이 변방에
    수자리 살러 나가 죽자, 남편과의 약속을 지켜 일생 개가하지 않고 시어머이
    를 성효로 섬겼다. 『소학』〈제6 선행편〉에 나온다.

가부를 기특다 못할지라. 촉지의 무한한 간고와 측량없는 괴로움이 천금 약질이 일시 견디기 어렵되, 갈수록 유열화평하여 동동한 성효와 촉촉한 정성이 원광이라도 이에 더하지 못하리니, 원광이 일분 인심이 있을진대, 한갓 아내로 이르지 말고 하류천첩이라도, 그 성효사덕과 외모기질을 항복하여 간대로 멸대치 못하려든, 하물며 은인의 만금소교(萬金小嬌)를 취하여 촉지간고를 무한이 겪었으니, 공경 중대할 것이거늘, 그 무신 박행이 오기(吳起)도곤 심하여, 내 모야의 그 팔을 보매 주표 완연하고, '하문자부(河門子婦)' 네 자가 분명하니, 식부의 남달리 기특하여 원광의 박대를 한(恨)치 않아 사기 여일하나, 어찌 여자 심정이 안안하리오. 우리 윤현부를 사랑함이 실로 영주에게 못한 일이 없는가 하였더니, 마침내 구고의 정이 친생부모만 같지 못하여, 부인이 영주의 비홍이 있음은 즉시 아시되, 윤현부는 그 부모를 떠나 부인이 데리고 있으되 그 주표 유무를 알려 않았으니, 당차시하여는 식부 오히려 상경하여 누년 떠나 그리던 부모를 만나, 한 일이나 위로하는 것이 기쁘다 하되, 촉지궁향에 누천리 애각을 즈음쳐[377], 이친척(離親戚) 기부모(棄父母)하여 혈혈단신이 원광을 우러름이 되었으되, 원광의 박대함이 행로 같고, 궁향간초(窮鄕艱楚)는 이를 것이 없으니, 범연한 위인일진대 벌써 초사(焦思)하여 성질하기 쉬울 것이로되, 일양 화순한 빛과 지효지성이 우리 부부를 동동촉촉(洞洞屬屬)히 받들던 바라. 어찌 기특지 않으리오."

언파에 사인을 뚫어질 듯이 숙시하니, 기위(氣威) 삼엄하고 안모(眼眸)의 찬 서리 뿌리니, 맹렬한 안광이 사람의 뼈를 다 빠는 듯한지라. 사인이 황공하여 피석부복하여 불감앙시요, 조부인은 얼핏 여아의 말로 좇아 들음이 수일이 되었으되, 연하여 내외빈객이 부절여류(不絶如流)

---

377) 즈음치다 : 가로막히다. 격(隔)하다.

하니, 가중이 종용치 못하여 말을 않으나 깊이 염려하더니, 공의 말씀을 듣고 길이 탄식 왈,

"첩이 참화 이후에 만사 부운 같아서 아무 곳에도 되차지378) 못할 뿐 아니라, 아부의 초출한 성행 색덕이 보는 자로 하여금 기이함을 이기지 못하니, 원광의 안고(眼高)함이 무산(巫山379))과 월궁(月宮)380)을 구경하였다 일러도, 윤씨를 하자할 곳이 없고, 또한 금슬이 박정함은 몽리에도 생각지 못하였으므로, 저의 부부 후박을 알려 하지 않고, 영주는 미약잔질(微弱孱質)이라, 혹자 윤생이 부족히 여김이 있을까 그 비홍을 살핌이러니, 명공이 이로써 구고의 정이 친부모의 자애만 못하다 하시니, 가히 마땅한 말씀이로소이다."

사인이 부모의 이같은 말씀을 듣잡고 크게 황공송률(惶恐悚慄)하여 감히 일언을 못하니, 하공이 사인을 상하의 꿀리고 엄절히 수죄하여, 현처를 박대함과 윤공의 불세대은(不世大恩)을 저버려, 그 천금 소교(小嬌)로 하여금 단장박명을 이루게 함을 갖추 이르고, 다시 가로되,

"네 윤씨를 박대함이 필연 촉지에서 자객이 현부를 함(陷)하여, 망측한 누언으로써 금슬이 불합함이라. 여부 명박다험(命薄多險)하여 허다 참경을 다 지냈으나, 사람의 현우(賢愚) 선악(善惡)을 아나니, 윤씨 만일 여차 음비지행이 있을진대, 너의 박대함이 옳고 나의 식안(識眼)의 불명함이 참괴한지라. 윤씨 만일 타일이라도 한 조각 허물이 있을진대,

---

378) 되채다 : 말을 분명하게 하다.
379) 무산(巫山) : 중국 중경시(重慶市) 동쪽에 있는 현. 무산십이봉(巫山十二峯)이 솟아 있는데 기암과 절벽으로 이루어진 경치가 아름답기로 유명하다. 소설 등에서 신선이나 선녀가 사는 선계(仙界)로 설정되는 경우가 많다. 여기서는 '무산선녀'를 뜻한다.
380) 월궁(月宮) : 전설에서, 달 속에 있다는 궁전. 여기서는 월궁에 살고 있다는 선녀인 상아(嫦娥)를 뜻한다.

눈을 감아 너에게 사례하여 불명을 일컬으리라. 현부의 빙옥지신에 누언(陋言)이 측하거늘[381], 너의 혼암불통이 흉적의 음악패설을 인하여 현처를 박대함이 여차하니, 지인(知人)의 암렬(暗劣)함이 짝이 없는지라. 내 명정(明正)히 한 번 일러 효험이 없으면 그 허물을 이르려 하매, 가장 종용치 못할 뿐 아니라, 부자의 정을 네 거의 모르지 않으리라."

사인이 부복 청교(聽敎)하매, 자기 생세 십칠 년에 금일 처음으로 책교(責敎)를 듣자올 뿐 아니라, 근간에 자기를 미안하심을 공구 전률하던지라. 어디 가 윤씨 박대하는 소유를 나토[382]리오. 부친은 오히려 진고람 흉적을 한번 보실 뿐이요, 신혼초야에 망측한 변과 음비한 서사(書辭)를 모르시고 금슬을 권책(勸責)하심이 이같으시니, 차마 거역치 못하고, 화란 후 부모의 즐기심을 계교하매 자기 몸이 수고롭고 어려움을 돌아보지 않는 바라. 윤씨의 음악함이 군자의 배우라 하여 실중에 머묾도 측하나, 부모의 성의(聖意) 여차하시니, 저 윤씨 음악함이 노류장화(路柳墻花)[383] 같을지라도 친의를 위월치 못하리니, 윤씨 비록 음악지사(淫惡之事) 있으나 노류장화도 유정함이 있으니, 어찌 더럽고 측함을 참지 못하리오. 하여 이에 이성낙색(怡聲樂色)으로 사죄 왈,

"소자 구태여 윤씨를 의심하여 박대함이 아니라, 피차 다 연기유충하여 성례하오매, 피차 연소함이 불평하고, 아해 어린 소견에 우리 집은 남다른 고로 만사의 다 조심하여 무병(無病)히 수(壽)를 누리고자, 이십이나 피차에 되기를 기다림이러니, 대인이 해아의 말씀을 믿지 아니하시어 이렇듯 의려하시니, 이 무슨 대사라고 성려에 거리끼시리까? 차후

---

381) 측하다 : 추악하다. 언짢다. 섭섭하다. 원망스럽다. 억울하다.
382) 나토다 : '나타내다'의 옛말.
383) 노류장화(路柳墻花) : 아무나 쉽게 꺾을 수 있는 길가의 버들과 담 밑의 꽃이라는 뜻으로, 창녀나 기생을 비유적으로 이르는 말.

절로 더불어 금슬지락을 온전히 하리니, 원 대인은 미세한 일에 성려를 번거히 마심을 바라나이다."

공이 그리 여겨, 다만 부질없이 윤의를 폐치 말라 당부하며, 사인을 권유하여 일삭은 소저 침소에 머물고, 일망은 자기에게 숙직하라 하니, 사인이 감히 할 말을 못하고 차일 혼정 후 소저 침소에 이르니, 소제 바야흐로 촉하에서 예기를 수련하다가, 사인을 보고 일어나 맞아 멀리 좌를 정하니, 사인이 이날은 전자와 달라, 싫은 것을 강인하고 아니꼬운 것을 참아 소저로 더불어 부부지락을 이루려 하는지라. 눈을 들어 그 얼굴을 다시 유의하여 살피매, 미우팔채(眉宇八彩)는 성자기맥(聖者氣脈)이요, 찬란한 염태는 숙요대덕(淑窈大德)을 겸하여, 만면 화기 춘풍이 이이(怡怡)하여, 만물을 회생하는 조화를 가져, 영복대귀지상(榮福大貴之相)이 일품명부의 존귀를 누릴지라. 어리로운[384] 태도는 화왕(花王)[385]이 아침이슬을 떨치고, 맑은 광채는 추천(秋天)의 소월(素月)이 옥루의 바애는 듯, 봉관을 숙이고 홍수(紅袖)를 정히 꽂아 단연(端然) 위좌(危坐)하매, 일개 소녀자의 거동이 완연이 학리군자(學理君子)의 틀이 있는지라. 사인이 눈을 옮기지 아니하고 보기를 뚫어질 듯이 하다가, 그 상모기질이 자기 아는 바 음악(淫惡)한 일과 내도함을 측량치 못하다가, 가만히 생각하되,

"저의 음악한 죄가 한번 죽기를 면치 못할 바거늘, 부모는 그 사나움을 알지 못하시고, 나의 박대를 도리어 책하시며, 대인이 지인(知人)하는 안견(眼見)을 이르시어, 저의 기특함을 그렇듯 칭찬하시니, 나의 회포를 고할 길이 없는지라. 아지못게라![386] 작인의 비상함은 성녀숙완의

---

384) 어리롭다 : 아리땁다. 귀엽다.
385) 화왕(花王) : '모란꽃'을 달리 이르는 말.

명풍을 가져, 덕과 복이 면모에 어리어 나의 밉게 보는 눈에도 저렇듯
아름다우니, 어찌 안과 밖이 이렇듯 내도한고? 옛날 하걸(夏桀)387)의
매희(妹喜)388)와 은주(殷紂)389)의 달기(妲己)390)가 저 윤씨 같아서 걸
주(桀紂) 그 사나움을 알지 못하고 망국멸신(亡國滅身)하기에 이르렀으
니, 윤씨 아니 날을 죽이고 내 집을 망해올 인물인가?"

　의사 이에 미처는, 분연(憤然) 통해(痛駭)하여 소매를 고쳐 나오고자
하다가, 고쳐 생각하되, '윤씨 비록 음악간교지사(淫惡奸巧之事) 있을지
라도 내 마음에 치부(置簿)하여 그 사나움을 알 따름이요, 고혹(蠱惑)하
는 거조가 없으면 날을 간대로 죽이든 못하리니, 아직 엄명을 순수하고,
저를 살펴 간부를 잡은 후, 일을 명백히 들춰내어 명정기죄(明正其罪)하
는 것이 상책이라 하여, 분노한 기운을 겨우 참고, 묵묵 양구에 시녀를
명하여 금침을 포설하라 하고, 촉을 물린 후 상요의 나아가, 소저로 더
불어 금리(衾裏)의 나아가려 하매, 누연(陋然)하고391) 아니꼬움을 이기

---

386) 아지못게라! : '모르겠도다!' '모를 일이로다!' '알지못하겠도다!' 등의 감탄의
　　뜻을 갖는 독립어로 작품 속에서 관용적으로 쓰이고 있어, 이를 본래말 '아지
　　못게라'에 감탄부호 '!'를 붙여 독립어로 옮겼다.
387) 하걸(夏桀) : 중국 하나라의 마지막 왕. 성은 사(姒). 이름은 이계(履癸). 은나
　　라의 탕왕에게 멸망하였다. 은나라의 주왕과 더불어 동양 폭군의 전형으로 불
　　린다.
388) 매희(妹喜) : 중국 하(夏)의 마지막 황제 걸(桀)의 비(妃). 은나라 마지막 황제
　　주(紂)의 비(妃) 달기(妲己)와 함께 포악한 여성의 대표적 인물로 꼽힌다.
389) 은주(殷紂) : 중국 은나라의 마지막 임금. 이름은 제신(帝辛). 주(紂)는 시호(諡
　　號). 지혜와 체력이 뛰어났으나, 주색을 일삼고 포학한 정치를 하여 인심을 잃
　　어 주나라 무왕에게 살해되었다.
390) 달기(妲己) : 중국 은나라 주왕의 비(妃). 왕의 총애를 믿어 음탕하고 포악하게
　　행동하였는데, 뒤에 주나라 무왕에게 살해되었다. 하걸(夏桀)의 비 매희(妹喜)
　　와 함께 망국의 악녀로 불린다.
391) 누연(陋然)하다 : 더럽다.

지 못하니, 소저 어찌 사인의 기색을 모르리오. 실로써 부부의 은애를 부운에 던져 그 후박을 거리낌이 없어 가작(假作)하는 정을 좇고자 아니하되, 사인의 용력이 구정(九鼎)을 가벼히 여기는지라. 어찌 소저의 연약함으로써 큰 힘을 당할 길이 있으리오. 이에 상상수리(床上繡裏)392)에 나아가 잠깐 잠을 들매, 비웅(飛雄)393)의 상서를 응하여 기린의 장몽(長夢)을 얻되, 몽중 설화가 자못 허다함으로 대개만 기록 하노라.

윤소저 장몽을 얻어 쌍린(雙麟)의 기이함을 당하여 놀라 소리하니, 사인이 역시 깨어 소저를 흔들어 깨오니, 문득 원수같이 미온 의사 잠깐 은근하여 몽사의 허다 비상함을 생각고, 소저의 손을 잡아, 소왈,

"자의 소리함이 반드시 장몽을 인한 바라. 우리 부모 매양 농손의 자미를 일야(日夜)로 현망(懸望)394)하시는 바더니, 금야 몽사 크게 길하니 일로 좇아 장옥(璋玉)이 선선할까 하나이다."

소제 사인과 한가지로 대몽이 있으되, 스스로 발구치 않으려 하는 고로 서서히 손을 빼고 물러나니, 하생이 다시 붙들어 향몌(香袂)395)를 접하고 섬수를 어루만져 부부의 은애 요동하나, 몽사 기이함을 헤건대 반드시 농장(弄璋)하는 경사가 있을 것이로되, 윤씨의 음행사(淫行事)를 생각한즉 그 자식이 성현 같을지라도 능히 행세하기 어렵고, 조선 봉사와 부모 후사를 받들지 못할지라. 도리어 심신이 어지러워 기쁜 듯, 놀라운 듯, 가장 번뇌하더니, 효계(曉鷄) 창명(唱鳴)하매, 부부 일어나 부모께 문후하고, 하소저로 담화하여 우애하는 정이 타인에 지난지라.

윤학사 또한 하부의 머물러 낮인즉 옥누항에 갔다가, 승석(乘夕)하여

---

392) 상상수리(床上繡裏) ; 수를 놓은 이불을 편 침상 속.
393) 비웅(飛雄) : 웅비(雄飛). 기운차고 용기 있게 활동함.
394) 현망(懸望) : 마음을 졸이며 간절히 바람.
395) 향몌(香袂) ; 향기로운 옷소매.

취운산에 나아와 소저로 더불어 일실지내(一室之內)에 처하매, 자연 금슬종고(琴瑟鐘鼓)의 관저지락(關雎之樂)이 흡연하되, 군자는 묵묵하고 숙녀는 정정하여 여경상빈(如敬相賓)396)하니, 일분도 아소의 부박한 거조가 없는지라. 하공 부부 두굿기며, 하소저 이로 좇아 잉태하고, 윤부인이 몽사를 얻음으로부터 태후(胎候)의 기미 분명하되, 몽사를 구외(口外)에 내어 이름이 없더라.

어시에 윤부 유부인이 하사인의 용방(龍榜)397) 천인(千人)을 압두하여 의의히 장원랑이 되어, 그 몸이 옥당 한원에 있어 청현아망(淸賢雅望)이 조야를 들레매, 크게 깃거 흔흔자득하여 즐거옴을 이기지 못하는 중, 여아의 비홍이 없지 않은 바를 생각하여 그 금슬이 박함을 슬퍼하고, 여아 상경하매 자기 악사를 마음대로 못하여, 혹자 전자 변고를 들으면, 대인함을 부끄리고 슬퍼 초사하여 죽을까 두려워하므로, 여아 촉에서 돌아와 순일을 옥누항에서 머무는 사이, 장씨를 순편히 거느리고 태우 형제를 사랑하는 체하되, 소저가 모친과 조모의 심사를 생각하여 짐작함이 밝은지라. 백모의 실산함을 슬퍼하고 조모와 모친을 권유하여 하·장 등을 사랑하소서 하니, 태부인이 태우 등을 사랑하는 체하고, 유부인이 변색 왈,

"너의 말이 나를 의심하여 몹쓸 일이나 한 듯이 하거니와, 나는 실로 악사 없으니, 오래 떠나 그리던 정은 펴지 아니하고 괴이한 말을 하느뇨?"

윤부인이 자기 간언이 효험이 없음을 모르지 아니하되, 다시금 모친과 태모를 해유하여 '악을 멀리하고 인(仁)을 닦으소서.' 하고 청하다가,

396) 여경상빈(如敬相賓) : 서로 손님을 공경하듯 함.
397) 용방(龍榜) : 과거급제자 방목(榜目).

오년 이측(離側)한 정을 다 펴지 못하고 하생이 등과함으로 즉시 돌아가
니, 유씨 결연하는 중이나, 또한 깃거 새로이 장씨를 못견디도록 보채
며, 태우 등을 중책하며 졸라 못견디도록 보채고, 태부인을 부촉하여 백
가지로 흉포 시험(猜險)함이 미치지 않은 곳이 없으며, 정씨의 유자(幼
子)가 운산에 좋이 있음을 가장 절치통완하여, 부디 없애고자 묘랑을 기
다리더니, 아이오(俄而-)398) 묘랑이 장사(長沙)에 나아가 유부인 서간
을 드리고, 정씨 해함을 촉하고 답간을 맡아 돌아오니, 유씨 크게 반겨
정씨를 근심없이 서릇었으니399), 그 유자(幼子)를 마저 없이하여 달라
하니, 묘랑이 소왈,

"빈도 부인을 위하여 불인악사를 많이 하니 천신이 무섭거니와, 벌써
벌인춤400)이 되었으니, 현마 어찌 하리까?"

유씨 재삼 당부하여 정씨 유자를 죽이라 하니, 묘랑이 응낙하고 먼저
귀비께 뵈고자 궐중의 이르니, 맞추어 문양공주 입궐하여 제후께 조현
하고, 물러 복궁에 이르러 모녀 서로 정회를 이르다가 묘랑을 보매, 김
귀비 크게 반겨 공주로 더불어 사귀라 하고, 묘랑의 신기한 재주를 이르
니, 공주 강적을 다 서릇어 다른 근심이 없으되, 정부마의 철석같은 뜻
을 돌이키지 못하여, 부부의 화락이 흡연치 못할 뿐 아니라, 윤·양·
이 등을 없앤 후는 금후 부부와 순태부인이 외친내소(外親內疏)를 지극
히 하니, 공주 요악할지언정 총명영기(聰明靈氣)는 남다른 고로, 구고의
기색을 거의 스치고 통완하여, 부디 그 소생을 아울러 없이하여 구고의
뜻을 설분코자 하되, 기회 묘함을 얻지 못하였더니, 다행이 묘랑을 만난

---

398) 아이오(俄而-) : 얼마 안 있다가. 이윽고.
399) 서릇다 : 거두어 치우다. 정돈하다.
400) 벌인춤 : 이미 시작하여 중간에 그만둘 수 없는 것을 이르는 말.

지라. 이에 공주의 길흉화복과 전정운수를 물으니, 묘랑이 공주의 마음
을 알아 전정화복이 한 흠도 없이 대길함을 일컬으니, 공주 대열하여 금
은표리(金銀表裏)⁴⁰¹⁾를 상사(賞賜)하여 서로 깊이 맺어 사귀기를 이르
고, 자기 회포를 일러, 윤·양·이 등 삼인과 자녀의 연월일시를 일러
물으니, 묘랑이 삼부인 팔자와 삼아의 길흉을 점복하매 크게 대길 존귀
하니, 부월(斧鉞)과 정확(鼎鑊)이 임하나 죽지 않을 줄 알되, 짐짓 금은
을 낚으려, 이에 웃고 가로되,

"차 육인의 팔자 또한 하등이 아니라, 실로 해하기 어렵되, 빈도의 신
술(神術)을 만난즉 어찌 벗어나며, 이만 사람 소제하기를 근심하리까?"

공주 대희하여, 비로소 윤씨를 본궁에 데려온 연유와 양씨를 후리다가
석혈에 넣은 바를 세세히 물어, 윤·양·이 등의 액화를 중심에 흔열하
여 바삐 죽일 뜻이 급하니, 귀비는 날마다 석혈에 궁녀를 보내어 윤·양
이 죽은가 알아오라 한즉, 태섬의 받드는 정성이 극진하여 여러 이목이
알지 못하게 공급하는 도리 극진하니, 두 부인과 설난 모녀 삼인이 기아
이사(饑餓而死)함을 면하고, 두 부인이 잉태 팔삭이라. 만일 시속 범골
(凡骨) 속류(俗類)로 이를진대 벌써 보전치 못하였을 것이로되, 귀인은
백신이 호위하는지라. 자연 천신의 보호함과 태섬의 궁극한 정성이 보
기(補氣)할 찬선과 아름다운 미죽으로 연명하나, 귀비의 체탐이 이른즉
짐짓 위태한 거동을 뵈이니, 귀비와 문양이 그 살았음을 대로하고, 만일
정·양 양부에서 알진대 대환이 있으리니, 쾌히 죽여 분을 설하리라 하
여, 일야는 공주 최상궁과 건장한 궁녀 오륙인으로 석혈 밖에 이르러,
정히 윤·양 죽일 계교를 생각더니, 묘랑이 나아와 웃고 계교를 드려,

401) 금은표리(金銀表裏) : 금(金) 은(銀)과 옷감. 표리(表裏); 임금이 신하에게 내리
거나 신하가 임금에게 바치던 옷의 겉감과 안감.

가로되,

"귀주 적국을 위하여 저렇듯 분분(紛紛)하시니, 빈도의 마음에는 추경지 못물에 노주 오인을 몰아넣음이 양책이로소이다."

공주 손등을 두드려 칭찬 왈,

"묘재(妙才)며, 기재(奇才)라! 사부의 신출귀몰한 재산(才算)402)은 양평(良平)403)이 재생하여도 이에 더하지 못하리로다."

언파의 옥문을 크게 열고, 공주 높이 앉아 좌우로 윤·양 등을 잡아 추경지 물가에 내어 세우라 호령하니, 최상궁이 응명하여 나아가니, 윤·양 이 부인이 문양의 모진 소리와 궁녀의 산악 같은 기세로, 핍박하고 최상궁이 들이달아 윤부인의 두발(頭髮)을 다래여404), 왈,

"황상이 부인네 죄과가 살리지 못할 죄라 하시어, 옥주를 명하시어, 추경지 물에 몰아넣으라 하시니, 아지못게라! 부인네 옥주의 성덕대혜(盛德大惠)를 모르시고, 감히 무고지사(巫蠱之事)와 치독(置毒)하는 간계로 옥주를 해하니, 그 간특 투악한 죄율(罪律)을 가릴진대 가히 주륙(誅戮)을 면하랴? 명천(明天)이 심원(深遠)하시나 살피심은 소소(昭昭)하신지라, 부인네 황명으로 추경지 물 가운데 원귀 될 것이니, 원치 말지어다."

언파의 핍박하여 옥문에서 끌어내고자 하니, 윤부인이 궁인의 무례함과 최녀의 욕설을 대로하여 통해함을 이기지 못하니, 봉황미(鳳凰眉) 거스르고 쌍안을 높이 떠 옥성이 맹렬하여 질왈(叱曰),

"네 비록 공주의 보모나 내 또한 사문일맥으로, 외람하나 공주와 동렬

---

402) 재산(才算) : 재주와 계책.
403) 양평(良平) : 중국 한(漢)나라 때의 책사(策士) 장량(張良)과 진평(陳平)을 함께 이르는 말.
404) 다래다 : 당기다. 잡아당기다.

지의(同列之義) 잇거늘, 네 도리와 명분이 감히 이렇지 못할 것이요, 공주 수존(雖尊)이나, 나의 성명거취 그 장중(掌中)에 있지 않거늘, 감히 황명을 위조(僞造)하여 아등을 죽이고자 하거니와, 황상이 만일 나의 죄 사죄라 하시어 죽이랴 하실진대, 필연 일이 광명정대하시어 외조와 의논하시어, 율전(律典)을 가려 법을 정히 하시리니, 하고(何故)로 심야에 공주를 명하시어 암밀(暗密)히 추경지 물에 넣으라 하시리오. 네 나를 삼세 유아(幼兒)만 여기거니와, 내 또한 정한 뜻이 있어 너의 암밀(暗密)한 말을 곧이듣지 않으리니, 공주 비록 황녀의 존함을 자세(藉勢)하나 군신대의(君臣大義) 지엄차중(至嚴且重)405)하거늘, 감히 황명을 위조치 못할지라. 네 또 감히 요약한 혀를 놀려 상명을 가칭하니, 이 죄 주륙을 가히 면하랴? 자고이래로 국가 역적 중수(重囚)라도 원정(原情)을 받으시고, 조정 의논을 좇아 정형을 행하나니, 힘힘이406) 외조 명부를 잡아들여 석혈에 넣어 수월을 한 모금 물도 주지 않다가 필경은 못물에 넣으라 하실 리 있으리오. 내 이제 천정에 지원극통을 주달하고, 너의 기군망상지죄(欺君罔上之罪)407)를 다스리리라.”

언필에 상궁을 뿌리치고 궁녀 등을 질퇴(叱退)하니, 단엄열일(端嚴烈日)한 위풍이 추상이 늠름하고 한월이 설상에 비추는 듯하니, 궁녀 등이 송연(悚然)하여 물러서고, 감히 가까이 나아오지 못하되, 문양이 요약한 소리로 윤·양 이녀를 어서 잡아내라 호령이 뇌정 같으니, 궁녀 등이 윤·양을 다시 구박하여 앞세우니, 양씨는 에분(恚憤)이 흉격에 막혀 일언을 못하고, 윤부인은 조금도 놀라며 요동함이 없어, 행보를 천연이 하여 석

---

405) 지엄차중(至嚴且重) : 지극히 엄격하고 정중함.
406) 힘힘이 : 부질없이. 한가히.
407) 기군망상지죄(欺君罔上之罪) : 임금을 속인 죄.

혈 밖을 나매, 공주 정부 별원에 있을 적부터 지은 바 은원이 없으되, 미움이 통입골수(痛入骨髓)하여, 한번 손으로 윤·양 양인을 썰고자 하던지라. 금일 그윽한 밤을 당하여 좌우 궁비 다 자기 심복이거늘, 평일 원수도곤 더 미워하던 바 윤·양을 세우매, 이 또 천재일시(千載一時)408)요, 그 생살이 자기 장악 가운데 있는지라. 금일 자기 악사는 천신 밖에 알 리 없음을 더욱 깃거, 이에 적은 칼을 들고 윤·양 이부인을 향하여 교아절치(咬牙切齒)409) 왈,

"나와 너 요녀 등으로 무슨 원수관대, 내 여등을 은혜로 대접하는 정을 잊어, 한상궁으로 동모하여 나의 침전에 무고사(巫蠱事)를 행함과 녹섬 영교를 보내어 치독 작변함이 만고 간악대흉이라. 성상이 너의 가살지죄(可殺之罪)를 모르지 않으시되, 특별한 은전을 쓰시고자 하시더니, 조정 의논이 분운(紛紜)하여 여등의 천살무석(千殺無惜)한 죄(罪)를 갖추 주달하는 고로, 이에 사(赦)치 못할지라. 황야께오서 날로 하여금 너희 죄를 다스려 처치하라 하시니, 생살(生殺)이 나에게 있을 뿐 아니라, 정군이 내 입궐할 때를 당하여 너희 등 요녀를 바삐 죽여 죄를 정히 하라 당부하였나니, 일인즉 참형으로 추문(推問)한 후 부월(斧鉞)에 주(誅)함이 마땅하되, 황야께오서 여부(汝父) 윤현의 충렬과 양필광의 어짊을 돌아보시어, 그 자식이 비록 만고대악(萬古大惡)의 죄나 차마 오형지율(五刑之律)로 죽이지 못하시어, 날로 하여금 추경지 물에 몰아넣어 고요히 죽이라 하시니, 이 또 망극하신 성은임을 알지 못하냐?"

언파의 칼을 들어 윤씨를 지르려 하다가, 공주 실수하여 윤씨는 상치 아니고 공주 손이 상하여 유혈이 낭자하니, 공주 윤씨의 탓이 아님을 알

---

408) 천재일시(千載一時) : 천년만에 한번 만난 때.
409) 교아절치(咬牙切齒) : 몹시 분하여 이를 갊.

되, 제 마음대로 윤·양을 지르지 못하고 스스로 저의 손이 중상함을 당하니, 분한(憤恨)이 하늘이라도 꿰뚫을 듯, 크게 소리하여, 윤씨 자기를 지른다 하니, 궁비 이 말을 듣고 황망이 귀비께 보하니, 귀비 시녀를 데리고 석혈에 이르니, 공주 손을 붙들고 윤·양을 물어 먹고자 하거늘, 귀비 약으로 그 상처를 싸매고 고성대질(高聲大叱) 왈,

"여등이 사죄를 무릅쓰고 금일까지 있음도 황은이거늘, 요악방자(妖惡放恣)함이 갈수록 더하여, 공주를 발검(拔劍) 상해오니 일마다 사죄(死罪)라. 좌우는 저 양녀를 짓두드려 죽도록 하라."

최녀 등과 궁인 등이 철편과 매를 들고 일시에 달려드니, 설난 등은 궁인에게 잡혀 움직이도 못하니, 뉘 있어 부인 등을 구하리오. 귀비와 공주의 모질고 무서운 성이 일어나는 불같고, 간험한 호령이 그칠 줄을 몰라, 어서 윤·양 이녀를 박살하라 재촉하니, 윤부인이 스스로 살지 못할 줄 모르지 않되, 부모의 생휵(生慉)하신 몸으로써 궁비 등의 난타하는 경상과 욕을 당하니, 해연차악(駭然嗟愕)함을 이기지 못할 뿐 아니라, 최상궁이 귀비의 명을 듣고 승흥(乘興)하여 철편을 둘을 들고 앞으로 달려듦을 보매, 불승통한분원(不勝痛恨忿怨)하나, 양소저를 친히 붙들고 궁인 등을 꾸짖어 물리쳐, 왈,

"야천(夜天)이 조림(照臨)하시고 신명(神明)이 재방(在傍)하니, 사람이 비록 알 리 없다 하나, 불인악사(不仁惡事)를 즐긴 후는 앙화가 없지 않으리니, 김귀비 비록 존대한 체하나, 내 또한 당당한 상문(相門)의 여로 외조 명부라. 당당한 정궁 낭랑이시라도 무죄히 무인심야에 외조 명부를 간대로 핍박하여 죽이지 못하시리니, 하물며 나의 생살지권이 귀비께 있지 않으니, 괴이히 굴지 말라."

귀비 윤부인의 말을 듣고 익익대로(益益大怒)하여 궁녀 등을 꾸짖어, 어서 윤·양 두 요녀를 짓두드리라 하니, 양씨 겨우 정신을 차려 공주

모녀의 악악한 거동을 보매, 자기 등이 살 도리 망연한지라. 차라리 통완분해한 뜻을 나토아410) 공주와 귀비의 허물을 들추고자 하여, 발연이 아미를 거스르고 소리를 높여, 귀비를 향하여 왈,

"귀비 공주의 투기를 도와 아등을 일시의 죽이고자 하여, 공주와 궁인 등이 상명을 위조하여 아등으로써 추경지 못물 귀신을 삼으려 하더니, 공주 발검하여 아등을 지르려 하다가 실수하여 스스로 손이 상하였거늘, 공주 갈수록 맹랑한 말을 주출하여 윤부인이 지르다 발악하니, 귀비 공주의 말만 곧이들어 우리 등을 급히 죽임을 죄어, 거조가 장차 혼살(混殺)411)코자 하니, 우리 여자의 연약함으로 궁녀 등의 흉장(凶壯)함을 당할 길이 없으니, 속절없이 못 가운데 마치려니와, 비명참사한 원혼이 한을 머금어, 억만(億萬)의 보수하기를 생각하리니, 귀비는 모름지기 불의를 멀리 하고, 인덕을 숭상하여 복을 기르며 덕을 드리워, 장래를 조심하는 것이 마땅한지라. 아등이 공주의 적인(敵人)이나, 실로 한 조각 허물을 지음이 없고, 각각 요악한 비자를 두어 참참한 누명을 실었으나, 황상이 특은을 드리워 죽기를 사(赦)하시고, 구가에 이이절혼(離異絶婚)하여 친정에 마치기를 명하시니, 아등이 구가에 가지 못함도 통원할 바라. 귀비 공교로운 요정을 결납하여 나를 후려오미 크게 불법패행을 행함이요, 석혈에 가둔 지 삼사 삭에 한 술 물도 주지 않고, 자진키를 죄던 바 또한 천벌을 면치 못할 것이거니와, 아등의 명이 하늘에 달렸고 귀비께 있지 않은지라. 아등이 금일까지 살아 있음도 또한 범연한 일이 아니거늘, 어찌 천의를 알지 못하고, 이렇듯 천자(擅恣)히 죽이려 하느뇨?"

언파에 성음이 열렬하고 기운이 단엄하여, 일개 소녀자의 위의 완연

---

410) 나토다 : 나타내다. 드러내다. 표하다.
411) 혼살(混殺) : 몰살(沒殺)함.

이 임하(林下) 사군자(士君子)의 풍이 가작한지라. 궁인 등이 비록 귀비
의 당이나 윤·양 이부인의 용화기질과 천연정숙한 위의를 항복하여 감
히 해할 뜻이 없으되, 귀비는 양씨의 말을 들으매 분기 하늘이라도 꿰뚫
듯하니, 친히 칼을 들고 윤·양 이부인을 지르려 달려드니, 최상궁이 붙
들어 왈,

"낭랑과 옥주는 체위를 상해오지 마르시고, 높이 좌를 이루시고 위의
를 존중히 하시면, 첩이 당당이 윤·양 이녀를 쾌히 단검으로 질러 죽는
거동을 보시게 하오리니, 낭랑은 근로치 마소서."

귀비 즉시 손에 쥐었던 칼을 최상궁을 주어 바삐 하수(下手)하라 한
데, 상궁이 상인(霜刃)을 번득여 먼저 윤씨께 달려들어, 모든 궁인으로
윤씨를 붙들고 있으라 하고, 바로 그 목을 향하여 지르려 하거늘, 윤부
인이 몸을 빼어 전후 좌우에 위립(圍立)한 궁비를 물리치며, 빨리 상궁
이 가졌던 바, 칼을 앗아 나는 듯이 그 왼 귀를 베어 왈,

"네 공주의 보모로 주인을 위한 충성이 범연한 것은 아니로되, 공주의
덕을 빛내며 복을 길러 그 안향키를 권장하며, 불의를 원수같이 하여 정
도와 인덕으로써 주인을 보좌하는 것이 가히 주인을 위한 충성이거늘,
너 천한 요녀가 공주의 덕을 감추고 악을 도와 적불선(積不善)을 크게
행하며, 범사에 암밀간힐(暗密奸黠)키를 주하여, 조걸위학(助桀爲虐)412)
하니, 너로 인하여 공주 더욱 그릇 되기를 면치 못할지라. 아등이 한갓
참화에 빠짐을 통원할 뿐 아니라, 타일 공주의 불인지행(不仁之行)을 마
침내 감추지 못할 바를 그윽이 차석하나니, 내 비록 일개 아녀자로 용력
이 없으나, 너 같은 불충불의한 것의 목숨은 족히 끊을 것이로되, 살인

412) 조걸위학(助桀爲虐) : 폭군 걸(桀)을 도와 백성을 못살게 군다는 뜻으로, 못된
사람을 부추기어 악한 짓을 더 하게 함을 이르는 말.

하는 거조가 부인의 성덕이 아니므로, 허다 죄과를 다스리지 않고, 다만 왼 귀를 없이함은 타일 혹자 너의 악사 들어나므로 좇아, 아등이 석혈에 갇혀 욕을 받다가 급히 죽이랴 하매, 네 귀를 벤 말이 네 스스로 복초함이 되게 하랴 하나니, 귀비와 공주 비록 엄하고 영이 급하나, 네 감히 나를 죽이지 못하리라."

문양이 보모의 귀를 윤씨가 베는 것을 보고 대로대분(大怒大憤)하여, 여러 궁인으로 최상궁을 구호하라 하고, 모비(母妃)로 더불어 친히 내리달아 이를 갈며, 윤·양 등을 지르려 하다가, 윤씨의 여력(膂力)이 부인 중 용사임을 괴로이 여길 뿐 아니라, 비록 궁녀 등이 삼 서 듯하였으나, 윤부인이 몸을 날려 달아날까 두려하는 의사 없지 않아, 추경지 겨우 수십 보는 격하였으므로, 윤·양 등 을 묘랑의 말과 같이 추경지에 몰아넣으려 함으로, 귀비와 공주는 윤·양의 등을 밀고 건장한 궁녀가 앞에서 당겨, 이미 물가에 다다르니, 이때 춘삼월 초순이라.

궐정 후원에 백화는 만발하여 향기를 발하며, 계궁소월(桂宮素月)은 벽공에 한가하여 낮같이 밝히니, 춘경의 화려함이 가히 보암즉 하되, 윤·양 이부인은 참참한 화액을 이를 것이 없는지라. 윤부인과 양부인이 추경지의 좌우를 널리 보매, 대위(大雨) 연하여 오다가, 금일 비로소 청명하나, 춘수(春水) 창일하여 못 가운데 사람이 한 번 빠지매, 다시 살기를 바라지 못할지라. 윤·양 이부인이 복아를 분산치 못하고, 친당과 구가에 사화(死禍)를 고치 못하여, 속절없이 공주 모녀의 독수를 입고 어별(魚鼈)의 밥이 되게 되니, 비록 천균대량이나 궁천(窮天) 비원(悲怨)이 어찌 없으리오. 설난 삼 모녀 또한 건장한 궁인이 뒤를 밀어 일시에 추경지에 빠지니, 이 부인이 불승비도(不勝悲悼)하나, 귀비는 두어 궁녀로 양씨를 밀치고, 공주는 사오 궁인으로 더불어 진력하여 윤부인 등을 밀쳐, 두 부인과 설난 등이 다 못 가운데 빠지니, 차호(嗟乎) 석재(惜哉)

라. 윤·양 이부인의 천향아질(天香雅質)과 숙자명풍(淑姿名風)이 고왕
금래에 독보(獨步)한 성녀숙완(聖女淑婉)이거늘, 귀비와 공주의 독한 수
단이 마침내 물에 밀치기를 좋은 일같이 하여, 옥보방신을 천장수심(千
丈水心)에 잠그니, 능히 살기를 바라지 못할지라. 천신이 만일 공주 모
녀의 간흉극악을 살피며, 윤·양 이부인의 청춘 참사함을 돌아봄이 있
을진대, 어찌 간흉악인이 앙화를 받지 않으며, 숙녀명염으로 하여금 복
록을 누리지 못하게 하리오. 귀비와 공주는 윤·양 이인과 설난 등을 일
시에 물에 몰아넣고, 그윽이 즐겨 침궁(寢宮)으로 돌아오되, 최상궁이
귀를 베이고 아픔도 이기지 못하거니와, 중회 중 나기 어려움을 일컬으
니, 귀비와 문양이 위로하며 극진히 구호하라 하니, 신묘랑이 공주를 향
하여 하례 왈,

"귀주 이제는 강적을 다 소멸하여 계시니, 일광천하(一匡天下)하는 경
사라. 빈도 위하여 어찌 하례치 않으리까?"

공주 소왈,

"윤·양 등을 데려다 일시에 서릇어 죽임은 다 사부의 공이라. 내 타
일 중히 갚음을 기약하노라."

귀비 탄 왈,

"적인은 없이하였으나, 부마의 후대를 얻지 못하리니 무엇이 기쁘리
오. 문양은 모름지기 사부로 더불어 출궁하여 윤·양·이 등의 씨를 없
이 하고, 정자의 마음을 낚아 그 후대(厚待)를 도모하라."

공주 역탄(亦嘆) 왈,

"윤·양 등을 없애니 일이 쾌활하나, 실로 정군의 뜻을 돌이킬 길이
없으니, 다만 소녀의 박명을 슬퍼하나이다."

묘랑이 소왈,

"빈도는 부마 노야를 보지는 못하였거니와, 빈도의 약을 쓰면 철석도

녹을 듯하리니, 하물며 사람의 마음이야 어찌 근심 하리까? 정도위의
뜻을 변하여 후(厚)하던 금슬이 소(疎)하게 하고, 박(薄)하던 곳에 후
(厚)하게 함은, 다 빈도에게 있으니, 염려 마소서."

공주 대열하여 재삼 칭사를 하고 한가지로 궁으로 나오고자 하더라.

차설, 벽화산 추월암 혜원니고(尼姑)는 도행이 점점 높고 신술(神術)
이 기이하여, 앉아서 만리 밖을 짐작하는지라. 매양 벽화산이 경사에서
지근하니, 행인이 번잡함을 깃거 않아, 사오십리를 떠나가 은화산이란
곳에 적은 암자를 이뤄, 이름을 활인사라 하고, 수십 개 제자로 더불어
세월을 보내나, 매양 윤부인을 잊지 못하여 그 운수와 길흉을 헤아린즉,
액회(厄會) 점점 괴이함을 차석하고, 추월암에 자주 왕래하여 경사 소식
을 듣더니, 일일은 혜원이 추월암에 이르러 춘경을 유완하다가, 화림(花
林)에서 잠깐 졸매, 백의 관음대사가 현성(現成)하여 왈,

"제자가 사오년 전에 월아성(月牙星)을 청하여 데려와, 산사에 수삼
삭을 머물게 하였더니, 이제 또 월아성과 문창성(文昌星)이 화란을 만나
익수지화를 당하였나니, 모름지기 금일 성중에 들어가, 궐정 북궁이란
곳에 안으로 좇아 흐르는 물이 있을 것이니, 지켜 앉아, 여러 인명을 구
하여 활인사로 데려가게 하라."

언파의 채운을 멍에하여 서남방으로 가시거늘, 혜원이 놀라 깨어 좌
우를 살피매, 화류총리(花柳叢裏)에 봄새 소리뿐이요, 사람이 없는지라.
윤부인이 반드시 참화를 만났음을 짐작하고, 옷을 고쳐 도성의 들어가,
그윽이 궐정 북궁을 인하여 흐르는 물줄기 밖으로 큰 내가 되고 물이 호
호(浩浩)히 흐르는 곳으로 좇아, 밤이 깊도록 사람이 나오기를 기다리더
니, 삼경(三更)이 깊은 후, 물 가운데로 좇아 밀려 일시에 나오는 것이
있으니, 혜원이 본디 물에 뛰어들어도 죽지 않으며 공중에 치달아 올라

도 내려지지 않아, 신이한 법술이 만사에 무불통지(無不通知)하는 고로, 수중에 사람이 있음을 알고 즉시 진언을 염하여 수중에 달려 들어가니, 설란의 삼모녀 빠졌는 고로, 혜원이 다 구하여 평지의 올려놓고 다시 윤·양 이부인을 함께 구하여, 혜원이 각각 옆에 끼고 평지에 나오매, 수고로움을 알지 못하고 혹자 부인네와 설난 등을 구치 못함이 있을까 초조하여, 맥후를 살피매 다 목숨이 끊기지 않았으니, 대희하되, 일간 방사를 얻지 못하여 두 부인과 설란을 땅에 뉘고 그 수족을 주무르며 회생함을 천신께 암축하더니, 이윽고 노주 오인이 다 입으로 물을 무수히 토하고 눈을 떠 좌우를 보거늘, 혜원이 윤부인 앞에 나아가 합장배례 왈,

"추월암 혜원니고는 배알하옵나니, 부인이 암자에 수삼 삭을 머무시다가 돌아가신 지 거의 육년이라. 빈도의 유무를 생각하실지 모르겠소이다."

부인이 현란(眩亂)한 정신이나 혜원을 보매 반갑고, 전일 '급화에 다시 구하마.' 하던 일이 생각이 나, 기운이 혼혼하여 처연 탄식하고 능히 말을 하지 못하는지라. 양씨 또 곁에 누어 정신을 수습치 못하니, 혜원이 그 근본을 듣지 않으나 어찌 모르리오. 이에 양부인께 배례 왈,

"빈도가 비록 부인께 처음으로 현알하나 결하여 해로운 승니(僧尼) 아니니, 부인은 안심하시고 기운을 수습하시어, 윤부인으로 더불어 그윽한 곳에 잠깐 피하심 즉하니, 지금은 문을 나갈 길이 없으나, 새배413) 북이 동하거든 빈도를 따라 종용한 암자로 가사이다."

양씨 혜원의 말을 들으매 자기 등을 구하 민 줄 지기하여 감은하나, 삼사삭 석혈의 간고를 겪고, 다시 수파(水波)의 밀몰한414) 정신이 아득

413) 새배 : '새벽'의 옛말.
414) 밀몰하다 : 밀리고 몰리고 하여 심하게 부디끼다.

하여 답지 못하니, 혜원이 양부인을 구호하며 현앵 등이 인사를 차려 피차 알아보고 기쁨을 이기지 못하되, 순초군(巡哨軍)을 두려 긴 설화를 긴절이 펴지 못하더니, 이윽고 윤부인이 겨우 정신을 수습하여 대로변에 누었음을 한심 차악하여, 혜원을 붙들어 일어나 앉아, 하루(下淚) 탄 왈,

"대사를 이별한 지 여러 세월이 되었으되, 매양 암자에서 후대하던 은혜를 염념불망(念念不忘)하나, 대사의 청정(淸淨)한 자취 홍진(紅塵)에 임치 않으니, 이르기를 청치 못하고, 한갓 높은 도덕을 흠앙하여 나의 미래사를 한번 묻고자 하되, 뜻 같지 못함을 한하더니, 금야에 수중원혼(水中冤魂)을 다시 살리시니, 은혜가 중여태산(重如泰山)415)이요, 덕여하해(德如河海)416)라. 어찌 미리 알아 급한 명맥을 구하느뇨?"

혜원이 관음(觀音)417)이 현성(現成)하시어 이르시던 바를 고하니, 부인이 차탄한데, 혜원이 활인암으로 가기를 청하니, 부인이 탄 왈,

"대사의 구활지덕이 백골난망지은(白骨難忘之恩)이라. 어찌 따라가고자 않으리오마는, 친당과 구가의 과상(過傷)하심과 의려(疑慮)가 간절하시리니, 만일 친·구가에 생존함을 고치 않고 산사(山寺) 무륜지인(無倫之人)이 된즉, 구가 합문이 나를 무슨 사람으로 알리오. 차라리 양부인은 양부로 보내고 첩은 옥화산으로 가고자 하나니, 어떠타 하느뇨?"

혜원이 함소(含笑) 왈,

"부인의 명철하심으로써 오히려 미래사를 알지 못하시니, 빈도 위하여 한번 고하리이다. 이제 비록 화액을 벗어났으나, 다시 저 곳에 나아

---

415) 중여태산(重如泰山) : 태산과 같이 무겁다.
416) 덕여하해(德如河海) : 덕(德)이 큰 강과 바다처럼 넓고 크다.
417) 관음(觀音) : 관세음보살(觀世音菩薩). 아미타불의 왼편에서 교화를 돕는 보살. 사보살의 하나이다. 세상의 소리를 들어 알 수 있는 보살이므로 중생이 고통 가운데 열심히 이 이름을 외면 도움을 받게 된다.

가 친당과 구가에 생존을 고하심이 부인의 도린즉 마땅하시나, 간인의 독수를 다시 만난즉 벗어나고자하나 미치지 못하리니, 모름지기 빈도로 더불어 산사에 돌아가, 삼년을 기다려 풍운의 길시를 만나 영화로이 돌아가실지니, 구태여 가고자 않으시는 바를 권함이 불가하나, 이는 천수 (天數)임을 아실지니이다."

윤부인이 혜원의 신기함을 모르지 않는 바요, 자기 만일 옥화산에 가 살았음을 정부에 고한즉, 공주 알고 또 모의하여 죽일지라. 금야에 요행 면사하였으니 타일 길시(吉時)를 기다림이 옳은 고로, 양부인을 돌아보아 왈,

"혜원법사는 아등의 은인이라. 여러 가지로 산문의 나아가기를 권하니 사세 난안한지라. 부인의 뜻이 어떠하시니까?"

양씨 대왈,

"첩은 범에게 물렸던 사람이라, 정신이 모황(暮荒)하여 소견이 없으니, 대사의 지휘 같이 하여 해로움이 없게 하소서."

윤부인이 침음(沈吟) 반향(半晌)에 개연이 혜원을 대하여 한가지로 활인사로 감을 허락하고, 양씨를 대하여 양가 불효를 탄하나, 일이 이에 미쳤으니 한가지로 산문에 가기를 이르니, 양씨는 본디 사생거취를 윤부인과 달리할 뜻이 없는 고로, 비사고어(悲辭苦語)를 않고 다만 한가지로 감을 일컫고, 설란 삼모녀 인사를 차려, 현앵은 법사를 생각고 반김을 이기지 못하고, 옥란 등은 혜원의 어짊을 들은 고로 활인사에 의지할 바를 크게 기뻐하더니, 때 정히 효계 창명하고 새벽 북이 자주 울리니, 혜원이 윤·양 두 부인과 설란 등으로 더불어 천천히 행하여 남문에 다다르니, 벌써 날이 밝고자 하는지라. 윤·양 이 부인이 대로상에 행할 바를 차악 한심하되, 일이 이에 미쳐는 소소 염치를 돌아보지 못하여, 담을 크게 하고 마음을 굳게 정하여, 운발을 풀어 옥면(玉面)을 가리고,

혜원과 유랑 모녀 가운데 싸여 취월암에 먼저 오매, 혜원이 아침 재(齋)[418]를 좋이 하여 설란과 두 부인의 기아(飢餓)를 구하고, 이날 취암에서 쉬고 명일 은화산 활인사로 돌아오니, 혜원의 모든 제자가 동구 밖에 나와 사부(師父)를 맞아 들어와, 두 부인의 천태만광이 해상 명월주(明月珠)와 연지(蓮池)의 부용 같음을 보매 대경 칭찬하고, 윤부인은 전일 규수 때 본 바라, 혹 알아볼 이 있어 일시에 합장 배알하여 반김을 마지않으니, 혜원이 제자를 명하여 호란(胡亂)[419]이 굴지 말라 하고, 즉시 유벽한 당사를 가려 포진(鋪陳)[420]을 정히 하고, 만권서(萬卷書)를 옮겨 쌓은 후, 두 부인과 설난 등을 머물러 유랑 등으로 부인을 떠나지 말라 하고, 혜원이 두 부인 받드는 정성이 나날이 새로워 부처를 존경함과 다르지 않고, 매양 곁에서 좋은 말씀으로 장래가 즐거울 바를 일컬어, 미래사를 목전에 벌여있는 듯이 하고, 두 부인 복아(腹兒)가 다 기특한 남자임을 일러 위로함을 마지않고, 이 부인이 니고(尼姑)의 양재(糧資)를 허비치 않으려 색사(色絲)를 모아 수놓기를 잠심하여 시상(市上)에 화매(和賣)하려 하니, 혜원이 혹자 잇불까[421] 염려하여 암중(庵中)에 양자(糧資) 넉넉함을 고한데, 이 부인이 한가함이 좋지 않음을 일러 낮인즉 수놓기에 잠심하고, 밤인즉 성현서를 박람(博覽)하여 슬픈 심회를 스스로 억제하나, 양가 친위(親位)에 불효를 슬퍼하고 각각 유치(幼稚)의 교염(嬌艶)함을 잊지 못하나, 혜원의 후은을 각골감은하여, 혹 언두에 일컬은즉 혜원이 불감함을 칭하고, 이 부인이 연하여 수를 놓아 시상에 화매하매, 재주의 신기함과 수질(繡帙)의 기이함을 황홀하

---

418) 재(齋) : 불교에서 정오(正午)를 지나지 아니한 식사를 이르는 말.
419) 호란(胡亂) : 한데 뒤섞여 어수선하고 분간하기 어려움.
420) 포진(鋪陳) : 바닥에 깔아 놓는 방석, 요, 돗자리 따위를 통틀어 이르는 말.
421) 잇부다 : 수고롭다. 고단하다. 피곤하다.

여, 시상(市上) 대고(大賈)와 상부(相府) 후가(侯家)에서 천금을 아끼지 않아 다투어 사니, 차고로 암중에 금은이 흘러들어 양자(糧資) 넉넉하되, 혜원은 이승(異僧)이라 재리(財利)를 사랑치 아니하고, 오직 양부인 받드는 정성이 갈수록 더하고, 양부인의 액회(厄會) 쉬이 소멸함을 축하고, 두 부인으로 하여금 불전에 한번 예배를 폐치 말라 함으로, 윤부인은 전자에 배례함이 있는 고로 양부인으로 더불어 불전에 예알(禮謁)하고 침소로 돌아올새, 빙자옥골이 쇄연(灑然) 기려(奇麗)함은 이르도 말고, 찬란한 광휘 새로이 태양의 빛을 앗으니, 암중 니고 황홀 칭찬함을 이기지 못하니, 원래 혜원이 양부인이 승니를 괴려(乖戾)[422]히 여김을 아는 고로, 제자를 자주 부인 침소에 가지 못하게 하고, 자기 스스로 유랑 모녀로 더불어 두 부인의 요적한 심사를 위로하더라.

이때 평남후 윤부 위태부인과 유씨의 용심을 모르지 않는 고로, 소매의 신생아를 순히 내어 줌을 의심하여 아해(兒孩) 옷고름에 제요축사(制妖逐邪)하는 부작을 써 채우니, 이는 공주를 그윽이 의심하여 원려를 둠이러니, 문양공주 신묘랑을 데리고 궐정으로서 나와 묘랑은 숨어있으라 하고, 자기는 존당 구고께 배알하매, 태부인과 금후 부부 좋은 사색으로 볼 따름이요, 각별 말이 없으니, 공주 이윽히 모셨다가 물러날 제, 현기 삼남매와 정숙렬의 신생아 등을 잠깐 데려가랴 하니, 금후 부부 막고 보내지 않음이 좋지 않아, 각각 그 유모 그 심정을 아는 고로 즉시 데려오라 하고, 공주를 따라 보내니, 문양이 궁에 데려와 기이한 과품과 아해 좋이 여기는 노리개를 주고, 가만히 신묘랑 더러 그 작인이 어떤가 보라 하니, 묘랑이 몸을 변하여 궁아의 모양으로 나와 네 아이를 보매, 이 문

---

422) 괴려(乖戾) : 사리에 어그러져 온당하지 않음.

득 작인의 생성함이 천지조화(天地造化)요, 일월영기(日月靈氣)라. 비상
한 품격과 특이한 상모가 만고에 희한하니, 저의 요술이 비록 하늘에 오
로고 땅속에 드는 재주가 있어도, 능히 해하기 어려울 뿐 아니라, 옷고
름에 한 조각 종이를 채웠으니, 범인은 모르나 묘랑은 이상한 요정이라,
그 종이 가운데 용필(龍筆) 부작(符作)423)이 두렷하여, 제요축귀(制妖逐
鬼)424)하는 재주 있음을 아는 고로, 잠깐 보매 마음이 차고 뼈가 시린
듯하여, 신색(神色)이 변하여 즉시 협실로 들어가더니, 현기 등이 상부
로 돌아간 후, 묘랑이 공주께 고하되,

"그 아해 등이 작인이 하나도 용우(庸愚)치 않으니 근심될 뿐 아니라,
그 옷고름에 찬 것이 가장 심상치 않은 부작이라. 그것을 채와 둔즉 빈
도의 술법을 내기 어려우니, 옥주 승간하여 끌러 버리소서."

공주 소왈,

"이는 아주 쉬운 일이니, 내 당당이 끌러 없이하리라."

하고 이후 그 부작을 끌러 버렸으되, 병부 나간 때요, 공주의 간능한
행사를 여러 이목이 볼 리 없는지라.

원래 순태부인이 현기 삼남매와 숙렬의 유자를 다 자기 침전에서 유
모를 맡겨 자게 하는지라. 묘랑이 야심 후 태원전에 들어가니, 태부인과
방중 제인이 바야흐로 첫 잠이 몽취(夢醉)하니, 진정 사람이 들어가도
모를 것이거늘, 묘랑은 나는 짐승이 되어 문틈으로 좇아 방중에 들어가
되, 여러 아해를 한 번에는 힘이 미치지 못할 것이요, 여러 순 왕래할
즈음에는, 사람이 깨어 탈루(脫漏)할까 두려, 진언을 염하여 해 돋기 전

423) 부작(符作) : 부적(符籍)의 변한 말. *부적(符籍); 잡귀를 쫓고 재앙을 물리치
기 위하여 붉은색으로 글씨를 쓰거나 그림을 그려 몸에 지니거나 집에 붙이는
종이.
424) 제요축귀(制妖逐鬼) ; 요사(妖邪)한 것을 없애고 귀신을 쫓음.

에는 순태부인으로부터 모든 비자가 다 동여서 져가도 모르게 한 후, 공
주의 청을 먼저 좇고자 하여, 현기 운기를 옆에 하나씩 끼니, 차아 등이
만일 용이(容易)할진대, 묘랑의 신기한 요술에 거의 후리여 아무런 줄
모를 것이로되, 차아 등은 생성한바 특이한지라. 각각 유모를 부르나 인
사불성이 되어 능히 깨닫지 못하는지라. 묘랑이 방자무인(放恣無人)하
게 양아를 옆에 끼고 문양궁으로 돌아오니, 공주와 최상궁이 크게 깃거
하더라.

명주보월빙 권지삼십육

차설 묘랑이 방자무인(放恣無人)히 양아를 옆에 끼고 문양궁으로 돌아오니, 공주와 최상궁이 크게 기뻐 책책(嘖嘖) 칭찬하되,

"묘랑의 재주는 귀신도 측량치 못하리로다."

최상궁 왈,

"양아(兩兒)를 잡아왔으니 지지(遲遲)한즉 주체 어려우리니, 사부는 어서 가 자염을 마저 잡아오라. 이 밤이 가지 않아서 죽여 없이하리라."

하니, 공주의 뜻이 또 최녀와 같아서, 묘랑이 또 자염을 잡아오거든 삼아를 함께 죽이려 하는 고로, 묘랑이 총총히 상부에 다시 가, 자염과 정숙렬의 생아(生兒)를 안고 태원전 문도 닫지 않아 황연이 열고 나온데, 가내(家內)에 알 이 없으니, 현기 삼남매와 윤가 아자(兒子) 속절없이 독수에 마친가 차하를 보라.

묘랑이 자염과 윤아를 함께 안아 공주께 헌하니 공주 소왈,

"삼아는 부득이 없애고자 하거니와 윤아는 사부 무슨 혐원으로 죽이려 하느뇨?"

묘랑이 웃어 왈,

"사아(四兒)가 다 빈도는 미운 일이 없으되, 정아 삼인은 옥주의 지극

히 바라사는 바를 좇아 평생 재주를 다해 정녁(精力)을 허비하여 데려오
되, 상부인(上府人)이 알 이 없게 하였고, 윤아는 빈도의 친절한 바 유
부인이 여차여차 청함으로 뜻을 좇아 후려왔으나, 타인과 다른 정명(正
明)이 있어 죽임이 가장 어려울까 하나이다."

공주 소왈,

"비록 영명(英明)하나 무엇이 어려우리오. 기특한 염라(閻羅)[425]에
잡혀왔으니, 단명박복을 이를 바 없으니, 유아를 수고치 않아 입객(立
刻)에 없이 하리니, 사부는 물우(勿憂)하라."

묘랑이 미우를 공교로이 찡기며 왈,

"옥주 말씀이 옳으시나, 빈도는 옥주와 유부인의 태산같이 믿는 바를
저버리지 못하여 악사를 행하나, 천신을 두려하나이다."

공주 묘랑의 불열(不悅)함을 민망하여, 그 마음을 깃기며 타일 크게
상사(賞賜)할 바를 이르고 부처를 받들어 복록을 축원하리라 하니, 묘랑
이 요언으로 공주를 격동하고, 금은을 낚아 욕심을 채우려 하니, 최씨
소왈,

"법사의 무궁한 은덕은 말로 이를 바 아니라. 후일에 옥주 크게 갚으
시리니, 사부는 다만 옥주 수복이 완전하심을 도모하고, 옥같은 기린을
쉬이 탄생케 하소서."

묘랑 왈,

"상궁이 비록 이르지 않으나 내 어찌 정성이 범연하리오. 진심극력(盡
心極力)하여 복록을 축원하고 농장의 경사가 있게 하리라."

최녀와 공주 그 은덕을 사례하고 네 아이를 바삐 죽임을 청하니, 묘랑 왈,

"비록 수삼세 유아와 강보 해자(孩子)나 일시에 목숨을 끊기 어려우

---

425) 염라(閻羅) : 염라대왕(閻羅大王).

니, 현기 등을 소리 못하는 암약을 먹여 농중에 넣어 해수(海水)에 띠우는 것이 옳을까 하나이다."

공주 즉시 현기 등 삼아의 입을 버리고 암약 일종씩을 먹인 후, 큰 피농(皮籠)426)에 넣어 의복농(衣服籠)같이 봉쇄(封鎖)하여 궁노 여환이 최녀의 얼질(孽姪)427)로 극악흉패함이 차마 못할 일이라도 능사로 하는지라. 농을 주어, '새배 북이 동하거든 즉시 강외에 가 흉용(洶湧)한 강수에 던지고 오라.' 하고, 백은 오십냥을 상사하니, 환이 대열하여 농을 끼고 외궁에 나와 새벽을 등대할 새, 군관 한충은 한상궁 제남이요, 용력과 사재(射才) 검술이 출인함으로, 군문에 매여 병부의 신총(信寵)하는 바요, 문양궁 외사(外事)를 믿어 맡긴 자니, 충이 매양 궁중에 숙직하더니, 차일 여러 동류 각각 제집으로 돌아가되, 충이 외궁에 고요히 있다가 여환이 큰 농을 가져 내궁으로 좇아 나오며 희기 만안하여 그 아들 계동과 무슨 말을 하며, 입을 실룩이고 눈을 끔적여 거동이 괴이하니, 한충이 홀연 마음이 요동하여, 문득 여환을 부르니, 환이 농을 한 구석의 놓고 나오거늘, 한충이 소왈,

"내 혼자 서재에 있으니 요적(寥寂)하고 금야 숙직 차례 네게 있으니, 물러가지 말라."

여환 왈,

"비록 숙직 차례나, 옥주의 영으로써, 저 농을 지고 새배 강외로 가나니, 숙직은 칠팔인씩 차례로 돌리니, 청컨대 금야란 나를 찾지 말라."

충이 소왈,

"연즉 찾지 않으려니와 저 농을 지고 강외 뉘게 가느뇨?"

---

426) 피농(皮籠) : 짐승의 가죽으로 만든 큰 함.
427) 얼질(孽姪) : 서질(庶姪). 형제의 본부인이 아닌 첩이 낳은 아들.

환이 침음 왈,

"옥주 강외의 친절하신 후백(侯伯)께 전하라 하시되, 그 택사(宅舍)를 알지 못하니, 새배 궁비 다시 가르치는 대로 찾아 가기로 하였나이다."

충이 정색 왈,

"여언이 어찌 이같이 몽롱하뇨? 강외 후백의 택사(宅舍)라 하니, 그 성씨를 모르고 어떻게 찾아 가리오. 농중에 무엇이 들었느뇨? 보내는 곳도 모르는 너로 하여금 중보를 맡겨 보내심이 가장 위태하니, 너의 동류 수삼 인을 데리고 가라."

환이 혹자 누설할까 겁하여 대왈,

"내 비록 용렬하나 경사 인물이라. 어찌 강외 집을 못 찾으리오. 관인은 부질없는 근심을 마소서."

충이 본디 영오(穎悟) 명쾌한 고로 환의 수상한 기색을 가장 의혹하여, 정색 왈,

"옥주가 너로써 의복농을 맡겨 보내시매 나의 간예할 바는 아니거니와, 노야가 나를 명하시어 궁중 매사를 간찰(看察)하여, 여등의 그름이 있은즉 먼저 다스리고 후에 아뢰라 하시니, 네 비록 작죄 없으나 중보(重寶) 넣은 농을 허수히[428] 홀로 가져가지 못하리니, 동류와 한가지로 보호하여 가라함이 어찌 그르리오."

환이 외람방자하여 군관류를 능멸하는 고로, 농중 삼아를 한충이 알까 두려 처음은 말을 순히 답하다가, 충의 여러 번 지리히 이름을 당하여는 문득 분노하여, 낯을 붉히고 몸의 빼어 왈,

"관인이 비록 노야의 명으로 외사를 살피나 내사는 간예할 바 아니라, 의농(衣籠)을 잃으나 죄책이 내 몸에 있고, 관인께 아랑곳[429] 없으리

---

428) 허수히 : 허소(虛疎)히. 허술히. 소홀(疏忽)히. 짜임새나 단정함이 없이 느슨하게

니, 부질없이 덤벙이지 마소서."

언파의 농을 들어 메고 제 집으로 달으려 하거늘, 충이 분노하여 나는 듯이 여환을 따라가, 농을 빼앗고 상투를 풀쳐 잡고 차기를 매우 하여, 왈,

"내 해로운 말을 이르지 않아, 중보를 넣은 농이면, 강외 모르는 집을 새벽에 감이 위태하여 동류를 데리고 가라 함이거늘, 어찌 불순한 말로 어리게 굴기를 이다지도 하리오. 내 비록 옥주께 죄책을 받자오나 너의 불순함을 노야께 아뢰어, 의농을 내 맡아 강외에 전하리라."

환이 농을 빼앗기고 허리를 차여 놀랍고 아픔을 견디지 못하나, 충의 위인이 명달하니 농중에 사람이 들었음을 알까 두려, 분을 참고 낯빛을 화히 하여, 웃어 왈,

"관인이 부질없는 일에 간예하시매 우연이 심증이 남이라. 구태여 불공한 뜻이 아니니 원컨대 식노하고 농을 도로 주소서."

충이 그 농을 앗을 제 은연이 사람의 숨소리 들리고, 농속에 든 것이 궁글어430) 의복 넣은 농이 아니요, 가장 무거워 수상한지라. 의심이 맹동하니 어찌 도로 줄 리 있으리오. 눈을 부릅뜨고 꾸짖어 왈,

"너의 상시 행사 어짊을 보지 못하였더니, 금야에 지고 가는 농이 반드시 의복농이 아니요, 사람의 숨소리 들리니 반드시 흉험한 괴사(怪事) 있음이라. 비록 내궁에서 너를 맡긴 농이라도, 나의 의심이 동하니, 명일 노야께 아뢰고 농을 떼어 본 후 너를 처치하리라."

환이 궁흉대악이나, 저의 앞이 굽음을 인하여 말이 쾌치 못하고, 충이 처음부터 농 가져가는 곳을 물어 거동이 수상하여, 저의 악사를 앎이 있

---

429) 아랑곳 : 일에 나서서 참견하거나 관심을 두는 일.

430) 궁글다 : ①착 달라붙어 있어야 할 물건이 들떠서 속이 비다. ②내용이 부실하고 변변치 아니하다.

는가 자겁(自怯)하니, 천인이 본디 송백의 굳음이 드문지라. 문득 눈을 두렷이 뜨고 얼굴색이 흙같이 변하여 왈,

"농중의 든 바는 알지 못하고, 다만 옥주의 분부로 강외의 두라 하시매, 오직 명을 좇을 따름이러니, 관인이 이렇듯 대사(大事)롭게431) 구시고, 농중에 사람이 들었다 작언(作言)하시니, 나는 아무런 줄 모르던 바라. 소유를 옥주께 고할 뿐이로소이다."

충이 환의 의아(疑訝)하는 거동을 보고, 소리를 높여 대질(大叱) 왈,

"너는 내가 이 농중에 든 바를 모르는가 여겨도, 나는 벌써 분명이 아나니, 네 거짓 발명하나 명일 노야(老爺)가 농을 상고하시면, 너를 엄형추문(嚴刑推問)하시리니, 모름지기 날더러 자세히 일러 죄를 면하라."

환이 한충의 말이 이 같기의 미처는, 벌써 아는 줄 짐작하여, 만일 부마 앎이 된즉 능히 살지 못할지라. 경악함이 일신을 떨어 포악을 감추고, 충을 대하여 울며, 애걸 왈,

"관인이 이미 농중에 든 바를 알았으니, 내 다시 기이지 못하나니, 과연 옥주가 윤·양·이 삼부인 소생을 다 멸하려 하여, 괴이한 신승(神僧)을 사귀어 이 공자와 아소저(兒小姐)를 후려와, 말 못하는 암약을 먹여 농에 넣고 새벽에 강에 가 물에 띄우라 하시니, 내 차마 불의악사를 행치 못하여, 아무리 할 줄 몰라 초민(焦悶)하나이다."

충이 그 매저(妹姐)의 원억히 찬출함을 매양 슬퍼하고, 공주의 불인을 짐작하던 바에, 차언(此言)을 들으매 경심차악하여 모골이 송연하니, 즉각에 병부에게 고코자 하되, 외궁 초관(哨官)432)으로 내궁사를 아른 체

---

431) 대사(大事)롭다 : 대수롭다.
432) 초관(哨官) : 조선 시대에, 한 초(哨; 약 백 명을 단위로 하던 군대의 편제)를 거느리던 종구품 무관 벼슬.

함이 범람하고, 그 악행을 제 먼저 들춰내면, 병부는 명백히 상사할 것이지만, 성상과 태자와 제왕이 다 저를 미안이 여기게 되면 저의 일명을 살해할 것이요. 또 한상궁이 어짊을 인하여 간당의 해를 받았는데, 내 또 공주의 미움을 받아 환을 취케 함이 불가하다 하여, 이윽히 상냥타가 농을 도로 환을 지우고 손을 이끌어, 가로되,

"네 비록 사죄(死罪)있으나, 내 자연 도모하여 일이 순편케 하리니 염려 말고 나를 따라오라."

언필에 외궁은 여러 태감(太監)433)과 궁노 등으로 지키라 하고, 급급히 환을 데리고 문을 내달아 가대, 충은 군관에 매인 바라. 순라(巡邏)434)에 잡힐 일이 없고, 여환은 효용이 남다른 고로, 농을 지고 가되 순시군을 만나지 않아 이미 동문에 이르니, 한충 등이 잠깐 지류할 사이에 계성이 악악하고435), 효고(曉鼓) 동하여 문을 여는지라.

충이 환을 데리고 빨리 집에 가, 그윽한 방중에 들어와 농(籠) 잠근 것을 비틀어 빼고 열어 본즉, 이 공자와 아소저(兒小姐)가 바야흐로 반생반사하여 입으로 피를 흘리고 거의 진할 듯하니, 충이 참연(慘然) 자닝함436)을 이기지 못하여, 회생단으로 삼아를 극진히 구호하고, 충의 처 양씨 본디 무자(無子)하여 범아를 보아도 과애(過愛)하는지라. 하물며 현기 자염은 삼세 해아(孩兒)나 칠팔세 소아의 신장이요, 선풍옥골이 만고무비(萬古無比)커늘, 운기는 난지 기년(朞年)이 못하되 용봉자질(龍

---

433) 태감(太監) : '내시(內侍)'를 달리 이르는 말.
434) 순라(巡邏) : 순라군(巡邏軍). 조선 시대에, 도둑·화재 따위를 경계하기 위하여 밤에 궁중과 장안 안팎을 순찰하던 군졸. 2경(更)에서 5경 사이에 통행을 금지하며, 궁성 안은 오위장과 부장이 군사 다섯 명씩 거느리고 순시하고, 궁성 밖은 훈련도감, 금위영, 어영청에서 군사를 내었다.
435) 악악하다 : 몹시 기를 쓰며 자꾸 소리를 내지르다.
436) 자닝하다 : 애처롭고 불쌍하여 차마 보기 어렵다.

鳳資質)이 병부 여풍(餘風)이라. 찬란한 광채 사람을 놀래니, 양씨 기이코 아름다움을 형상치 못하되, 그 명이 진할 듯 위태함을 참연하여 좋은 자리에 편히 뉘고, 수족을 주무르고 약물을 연속하여 흘리니, 삼아가 다 독한 물을 토하고, 가장 오랜 후 정신을 차리거늘, 한충 부부 보기(補氣)할 미죽(糜粥)으로 삼아를 먹이며, 운기는 조모를 불러 울다가 죽을 마시되, 현기와 자염은 좌우를 살피고, 눈물이 비 같아서 말을 않고 죽을 먹지 않거늘, 충과 양씨 온 가지로 달래며 기특한 보물을 갖추 내어 주되, 밧지 않고 가로되,

"내 집이 취운산이니 돌아가게 하라."

하고 보채니, 충의 부부 소리를 낮추어 가로되,

"취운산에 너희를 해할 이 있어 이제 돌아간즉 죽이리니, 부질없이 슬퍼말고 취운산의 갈 생각을 말라."

인하여 천만 가지로 달래니, 현기 자염이 실로 즐기지 않으나 죽음(粥飲)을 마시고 울음을 그치니, 충의 부부 대열하여 보호함을 극진히 하니, 원래 양씨는 참정 양문광의 서녀(庶女)요, 양평장 서질(庶姪)이라. 위인(爲人)이 요조자혜(窈窕慈惠)하여 명문규녀 여풍(餘風)이로되, 연기 삼십에 한낱 자녀 없으니, 충이 매양 탄하고 양씨 슬퍼하더니, 이 삼아를 보매 감히 자식이라 못하나, 극진한 정이 아무 곳으로 좇아 나는 줄을 알지 못하고, 하물며 자염은 양부인 소생으로 종숙질지의(從叔姪之義) 있으니, 양씨 더욱 깃거하되, 혹자 공주 앎이 있을까 두려 깊은 곳에 삼아를 두니, 충의 집이 번잡치 않음으로 알 이 없더라.

충이 일백 냥 은자를 내어 환을 주어 왈,

"너의 죄를 노야께 고한즉 살지 못할 바로되, 요행 아공자 삼남매 명이 진치 않았으니, 구태여 너를 죽게 할 것이 아닌 고로 공자와 소저를 내 집에 감추고, 너를 돌려보내니, 네 이제 저 농을 내게 잡히고 악사

발각함을 옥주께 고한즉, 너의 공이 없고 도리어 죄를 받을 뿐 아니라, 옥주 노심초사(勞心焦思)하여 신상(身上)에 질(疾)을 이루실 듯하니, 아직 순편할 도리로 공자 삼남매를 강수에 띄운 줄로 고한 후, 이런 말을 함구불출(緘口不出)할진대, 네게 죄 없고 옥주 마음이 평안하시리니, 너는 내 당부를 저버리지 말고, 일백 냥 은자가 소소(小小)하나, 의복이나 보태고 불의악사(不義惡事)를 멀리 하라."

환이 은자를 받으매 흔행(欣幸)하나, 경겁(驚怯)하여 저의 심사를 맥받는가437) 의심하여, 안색을 정(定)치 못하여, 가로되,

"관인의 말씀을 들으매 아무리 할 줄 모르나니, 아지못게이다!438). 공자 등을 이곳에서 길러 장래를 어찌하려 하시느뇨?"

충이 소왈,

"너는 아무 염려 말고 돌아가라."

환이 이에 은자를 얻으매 만심 흔열하여 순순 배사하고, 재삼 청하여 타일 저의 죄가 드러나지 않게 하라 하니, 충이 소왈,

"네 이르지 않으나 내 옥주께 해로운 말을 하지 않으리니, 너는 이런 사색을 나토지 말라."

환이 대희 쾌락하여 은자를 품고 취운산으로 돌아가니, 충이 공주의 교악(狡惡)을 차석(嗟惜)하며, 공자 등 받드는 정성이 지극하여, 양씨를 맡겨 보호케 하고 운기를 유모를 정하여 젖을 끊지 말고자 하되, 운기 음식과 찬선을 먹고 다른 유모의 젖을 먹지 아니하니, 충의 부부 병들까 염려하더라.

공주 삼아를 처치하고, 묘랑이 윤아를 즉각에 죽이고자 하니, 대귀인

---

437) 맥받다 : 남의 속내나 속셈을 스스로 말하게 하여 알아내다.
438) 아지못게이다! : '아지못게라!'의 높임말.

사아(四兒)를 불의에 잡아오매 정신이 어둡고 기운이 불평하여 식경(食頃)439)이나 엎디었다가, 일어나 정신을 수습하고 윤아를 거두어 등 위에 업고, 아아(峨峨)히440) 공중에 솟아 날아가니 간 바를 알지 못할지라. 경각에 서문 밖 옥석교에 나아가 교하(橋下)에 물이 흐름을 보고 바삐 들이치며441) 생각하되,

"아주 죽이지 않으나 겨우 난지 일삭밖에 안 되는 갓난아이가 저 물속에 들어 어찌 살리오."

하고 돌아가니, 차아(此兒)의 명을 구활한 자는 하인야(何人耶)오?

원래 서문 옥석교에 일위 명환(名宦)이 있으니 성명은 소문환이라. 대대 명문거족이니 일찍 등과(登科)하여 벼슬이 도찰사 간의태우를 겸하여 물망(物望) 재덕(才德)이 조야(朝野)에 솟아나고, 사중(舍中)에 부인 철시는 대가(大家) 숙녀로 색광이 찬란하고 성행이 요조하여 만사에 출인(出人)하니, 태우 공경중대(恭敬重待)하여 화락한 지 십년에, 삼자일녀를 생하니, 여아는 생세 겨우 삼칠일이라.

철부인이 산후 유질하여 태우 의약을 극진히 잇고 구호함이 지극하여, 친히 산측(産側)에서 범사를 보살피니, 이는 다른 연고 아니라. 계모 여씨 용심이 부정하고 행사가 간험하여, 철부인 미워함을 원수같이 하고, 태우 못 죽임을 통한하되, 큰 변을 짓지 못함은 태우 부부 성효 출인한 연고라.

이러므로 태우가 부인 분산(分産)하는 때를 당하여 마음을 놓지 못하

---

439) 식경(食頃) : 밥을 먹을 동안이라는 뜻으로, 잠깐 동안을 이르는 말
440) 아아(峨峨)히 : 아득하게 높이. 산이나 큰 바위 따위가 험할 정도로 우뚝 솟아 있는 모습으로
441) 들이치다 : ①안쪽으로 떨어뜨리거나 던지거나 하다. ②들이닥치며 몹시 세차게 공격하다.

더니, 일야는 부인이 갱반을 진식(進食)하고 상요(床褥)442)에 누우매, 태우 또한 서책을 베고 잠깐 졸더니, 사몽비몽간에 오채상운(五彩祥雲)이 옥석교를 두르고, 성신(星辰)이 전후로 나열한대, 길이가 만여 장(丈)이나 한 옥룡이 눈 같은 인갑(鱗甲)을 거스르고 여의주(如意珠)443)를 물어 산악 같은 기세를 발하여 반공(半空)에 솟으니, 동남방(東南方) 채운 사이로 좇아 한 선관이 손에 백옥을 잡고 태우를 향하여 이르되,

"천기 비밀하니 미리 누설치 않으나 저 옥룡이 군가(君家)의 광채를 이루며 태음성(太陰星)과 천정연분(天定緣分)444)이라. 일시 명도 괴이하여 난지 수삭에 요정의 해를 받아 교하(橋下)에 곤하나, 타일 부귀복록이 무량(無量)하리니, 십삼년을 좋이 길러 그 부모를 찾게 하라."

태우 대왈,

"깨닫지 못하나니, 아지못게라! 태음성은 누구를 이름이오? 또 옥룡이 어찌 나의 문호에 광채를 이루리라 하느뇨?"

선인(仙人)이 소왈,

"내 이미 알아들을 만큼 일렀나니 다시 이를 것이 있으리오. 모름지기 옥룡을 바삐 구하라."

언필에 태우의 등을 미니, 태우 엎어지는 듯하여 놀라 깨달으니, 선관의 말씀과 옥룡의 기이한 형상이 안전(眼前)에 벌여있는 듯하니, 철부인 몽사가 또 한가지라. 부부 괴이히 여겨 서로 이르고, 태우 친히 촉을 들고 일어서며 왈,

"아무려나 옥석교에 무엇이 있는가 보리라."

---

442) 상요(床褥) : 침상에 편 요라는 뜻으로, '잠자리'를 말함.
443) 여의주(如意珠) : 용의 턱 아래에 있다는 신령한 구슬. 이것을 얻으면 무엇이든 뜻하는 대로 만들어 낼 수 있다고 한다.
444) 천정연분(天定緣分) : 하늘이 정하여 준 연분. =천생연분(天生緣分).

부인이 소왈,

"군자 매양 허탄함을 이르시더니, 금야는 어찌 친히 석교를 상고하려 하시느뇨?"

태우 답왈,

"이 꿈이 결단코 헛되지 않을 듯하니, 교하를 친히 가보려 하나이다."

이의 여아의 유모 화파를 데리고 밖에 나와 교변(橋邊)의 이르니, 과연 기이한 서광이 찬란하여 다리를 덮었고, 청풍이 일어나며 온화한 기운이 가득하여, 크게 전일과 다르거늘 경동하여 본즉 수삭 난 해자(孩子)라. 대경 참연하여 화파로 하여금 품어 바로 부인 침소에 들어와 젖은 것을 풀고, 태우 자기 옷을 벗어 아해 몸을 싸며 얼굴을 보니, 광채 찬란하여 일월이 떨어진 듯, 와잠미(臥蠶眉)는 옥 무은 천정(天庭)에 비꼈으니, 단봉(丹鳳) 양안(兩眼)은 영기 발양하여 추수 긴 강에 사양(斜陽)이 비치인 듯, 연협(蓮頰)[445]이 풍만하고, 넉 사(四) 주순(朱脣)이 기려승절(奇麗勝絶)하여 절세한 자태를 가졌으니, 늠렬한 풍광이 강보 해자 같지 않아, 구각이 석대하고 상모 당당하여 대귀할 격조(格調)라. 태우 대찬 왈,

"우리 금야 대몽을 인하여 차아를 얻으매, 풍채 기골이 실로 본 바 처음이라. 반드시 타일 비상한 귀인이 되리니, 그 근본 성씨를 알 길이 없음을 탄하고, 뉘 집이 무슨 변으로 이런 기자를 잃었는고. 세상사를 측량치 못하리로다."

철부인이 또한 자세히 보고, 기이(奇異)히 여기고 사랑함을 이기지 못하여 차탄 왈,

"차아의 부모 있으며 없음은 알지 못하거니와, 저 같은 작인(作人) 품

---

445) 연협(蓮頰) ; 연꽃처럼 붉고 해맑은 뺨.

격(品格)으로 교하에 빠지기는 실로 생각 밖이라. 어느 곳에서 차아를 잃었는고? 그 부모의 마음이 참절하리로다.”

소공이 그 살았음을 만심환열(滿心歡悅)하여 화파로 젖을 먹이라 하고, 부인더러 왈,

“차애 만일 범아(凡兒)인즉 교하 물에서 벌써 죽었을 것이로되, 능히 사라 우리의 얻은 바 되니, 이 필연 저의 장원(長遠) 대귀(大貴)할 징조(徵兆)라. 부인은 본디 유도 풍족하니 여아를 먹이고, 차아를 화파를 맡겨 기르게 하라.”

부인 왈,

“첩의 뜻도 그러하거니와 원간 양아(兩兒)를 한 곳에 두어 젖을 나누게 하고, 첩이 보살펴 길러내리이다.”

소공 왈,

“부인의 말이 옳거니와 부인 몸이 다사(多事)하여 잠시를 여가(餘暇)치 못하거늘, 어느 겨를에 양아를 두어 젖을 나누게 하리오. 화파를 맡겨 기르게 하라.”

부인이 그리 여겨 부부 서로 대하여, 아해 골격이 만고무쌍(萬古無雙)함을 흠애(欽愛)하니, 우연히 얻은바 친생에 감치 않은 정이 있는지라. 공이 윤아의 명을 ‘몽룡’이라 하고 신생 여아의 명을 ‘봉난’이라 하여, 양아의 비상함을 애중하여 그윽이 생각하는 뜻이 있으되, 몽룡의 근본과 성씨를 알 길이 없어 민민(憫憫) 불락(不樂)하고, 여씨 용심이 궁흉하여 태우의 삼개 기린이 옥수신월(玉樹新月) 같고, 신생 여아 천고 희한한 용색이거늘, 다시 몽룡을 얻어 기름을 통한분해하여, 매양 태우더러 미우를 찡겨 왈,

“네 젊은 나이에 삼자 일녀를 두어 미진함이 없고, 누대 봉사하는 몸으로 내외 빈객의 호번함과, 가내 용도의 물 흐르듯 함이 누만금을 쌓아

도 넉넉하지 못하거든, 부질없는 근본 모르는 아해조차 괴로이 보호하
여, 필백(疋帛) 미곡(米穀)이 쓰이는 줄 생각지 못하느뇨?"

공이 모친 심사 괴이함을 탄하나, 일호 불순한 사색을 않고, 오직 화
열한 말씀으로 응대하여, 몽룡의 친생 부모를 쉬이 찾아 돌려보낼 바를
고하나, 진실로 공의 부부 몽룡 편애함이 친자(親子)에 내리지 않으니,
이 또 하늘이 유의하심이러라.

어시에 취운산 정부에서 금후 효신을 당하여 학사 등 제자로 더불어
태원전에 들어오매, 지게를 황연이 열었고. 시녀 양낭배 잠을 깨니 없으
니, 금후 심리(心裏)에 경아(驚訝)하여 급히 방중에 들어오니, 모친으로
부터 제 시녀 다 혼혼히 인사를 버렸고, 현기 등 누었던 자리 비었으니,
금후 대경하여 괴이함을 이기지 못할 차, 진부인이 소이씨로 더불어 들
어오거늘, 금후 모친 상하에 앉으며 왈,

"금일 시녀 등 태만함이 이 같아서 지금 일어나지 않고, 존당 문을 다
열었으되 아무도 닫을 이 없으니, 이같이 태만함을 평생 처음으로 보는
지라. 어이없고 기괴(奇怪)하여이다."

진부인이 경해하여 제 시녀로 숙직 비자 등을 흔들어 깨오라 하고, 현
기 등 누었던 자리를 보매 간 곳이 없으니, 차악 경해함을 이기지 못하
되, 존고 경동하실까 두려 오직 각각 그 유모를 깨와 손아 등의 거처를
물으니, 제녀(諸女) 등이 동류의 깨움을 인하여 눈을 떠보니, 벌써 효신
이 되었음을 경황하여, 급히 옷을 거두쳐[446] 입고, 사죄(死罪)를 지은
듯 아무리 할 줄 모르는지라. 금후와 진부인이 시녀 등의 창황함을 보고
손아 등의 자리 비었음을 만분 경해하여, 간 곳을 물은데, 머리를 숙여

446) 거두치다 : 거두다. 줍다. 걷다. 걷어 올리다.

알지 못함으로 대하니, 금후부부 대경 차악하여 모든 시녀를 명하여 여러 당중과 문양궁까지 찾아보라 하고, 면색이 여토(如土)하니, 태부인이 눈을 떠 좌우를 보고 희미히 이르되,

"노모 잠이 곤하여 지금 잠을 깨지 못하였으나, 현기 등은 본디 잠이 적은 아해라 벌써 깨었을 것이니, 어찌 앞에 업느뇨?"

금후 존후를 묻잡고 날호여 가로되,

"사아(四兒)가 반드시 자위(慈闈) 상하에서 잤을 것이로되, 저희 유모들이 간 곳을 모르오니, 소자 찾사오나 아무 데도 있지 않으니, 경악함을 이기지 못하리로소이다."

태부인이 대경하여 바삐 금리(衾裏)를 헤치고, 양안(兩眼)이 두렷하여, 가로되,

"이 무슨 말이며 어찌된 일인고? 작야에 유모로 상하에서 자거늘, 내 어루만져 편히 눕도록 한 후 잠을 들었으니, 그 사이 어디로 갔단 말인고?"

시녀 등으로 하부와 진부와 문양궁을 다 보내어 찾아보되, 그림자도 없음을 고하니, 태부인과 공의 부부의 창감(愴感)함은 이르지 말고, 합문 상하가 물 끓듯 경황 차악함이 모양치447) 못하니, 저마다 낙담상혼하여 어찌 할 바를 모르고, 사아(四兒)의 유모는 오직 죽기를 등대하여 스스로 일악(一惡)448) 대죄를 지은 듯, 가중 경색이 크게 비황한지라.

태부인은 노인의 약한 심정에 괴이한 변을 당하여 사아를 목전에 죽인 듯, 소리를 이루지 못하고, 천항(千行) 누수(淚水) 의상을 잠그니 기운이 엄애(奄碍)할 듯한지라. 금후 사아를 잃고 참절통상한 심사에 모친

---

447) 모양하다 : 형용하다. 말이나 글, 몸짓 따위로 사물이나 사람의 모양을 나타내다.
448) 일악(一惡) : 아주 악독한 악. 가장 큰 악행.

의 과상하심을 보매, 여러 가지 차악함을 이기지 못하되, 천만 강인(强
忍)하여 화열한 사색과 호언으로 모친을 위로하고, 일변 윤부에 해아(孩
兒) 잃음을 통하여, 노복으로 방방곡곡에 두루 돌아 찾아, 사오 일에 소
식을 알아낼 이 있으면 일생을 방량(放良)449)하고 천금 상을 주리라 하
되, 노복 등이 귀신의 슬기 없는지라. 한충의 집에 삼아 있으며 소태우
부중에 윤아 있음을 어찌 알리오.

종일 찾다가 찾지 못하여 헛되이 돌아오고, 병부는 영태사 정공의 청
함으로 성내의 들어갔다가 밤을 지내고 늦게야 돌아오매, 벌써 사아(四
兒)를 잃었는지라. 차악함을 이기지 못하되 존당 부모의 슬퍼하심을 민
망하여 비색을 나토지 않아, 이성화기로 위로하여 사아가 다 작인이 심
상치 않으니, 결단코 독수에 마치지 않을 줄로 고하고, 하소저와 제제로
더불어 언소 자약하여, 부부사정과 부자천륜을 모르는 듯하니, 금후는
그 침위한 역량과 상활한 인물을 두긋기나, 조모와 모친은 도리어 비인
정으로 알아 그 심지를 측량치 못하고, 윤태우는 아자 실리한 소식을 듣
고 즉시 운산의 나와 경참함을 일컫되, 원래 위인이 병부와 방불하여 심
리에 천수만한(千愁萬恨)의 괴로움이 있으나, 외모에 사색함이 없고, 아
자를 잃어 통절한 심사가 이를 데 없으나, 비척함이 없어 충천지기(衝天
之氣)와 하일지위(夏日之威)가 영준(英俊)의 기상이 당당하고 대장부의
풍이 늠름하니, 태부인과 진부인이 눈물을 뿌려 왈,

"여아가 망측한 죄루를 실어 원적(遠謫)하나 일개 골육을 끼쳐 내 집
에 머무르니, 주야에 참절한 심사를 금억하여 유아를 어루만져 무사히
자라기를 축원하더니, 일야지내(一夜之內)에 사아(四兒)를 다 잃으니,
놀랍고 참통함을 형상치 못하고, 윤아는 옥누항에 두었던들 실리(失離)

---

449) 방량(放良) : 노비를 놓아주어 양인(良人)이 되게 하던 일.

하는 변이 없을 것을, 부질없이 데려와 잃은 바 되니, 진실로 현서(賢
壻)를 대할 낯이 없도다."

태우 도리어 화히 웃고, 위로 왈,

"사사(事事)가 천명이라. 인력으로 도망치 못하옵나니, 유아를 실산함
이 참절하오나, 존문과 소생의 집이 다 불행한 때를 당하여 골육을 실리
하오니, 세간에 드믄 변괴오나, 원간 현기 등 삼인과 소생의 유자(幼子)
가 용이한 상모는 아니옵고, 수화(水火)에 넣어도 자연 살아날 도리 있
사오리니, 일이 이에 미친 후는 통상(痛傷)하여 무익하온지라. 타일에
좋은 시절을 기다리시고, 이합(離合)과 화복(禍福)이 정수(定數) 있음을
생각하시어 부질없이 심려치 마소서."

태부인과 진부인이 그 활달한 말을 듣고 기상을 아름다이 여기나, 윤·
양 등의 거처 모름과 여아의 원적함을 슬퍼하는 가운데, 사아를 실리함
이 각골 통도하니 남후 조모와 모친을 위로하고, 금후는 시녀 등 죄 많
음을 엄히 다스리라 하며, 사아의 유모는 품고 자던 아해 거처를 모르노
라 함이, 더욱 수상하니 엄형 추문코자 하거늘, 남후 간왈(諫曰),

"사아 등 유모는 위인이 간악치 아니 하오니 결단코 해할 리 없사옵
고, 시녀 등이 상시 조심하여 태만한 일이 없던 바니, 어찌하여 금일 효
신(曉晨)이 되도록 일어나지 않아, 존당 숙직을 그렇듯 완만히 하리까마
는, 반드시 기중 각별한 변이 있어, 후려 가며 저 시녀 등의 정신을 혼
미케 만들어, 날이 새도록 알지 못하게 하오미니, 무죄한 시녀 등을 엄
치함이 무익할까 하나이다."

금후 병부의 말이 옳은 줄 깨달아, 사아의 유모와 제 시녀를 다 사하
고 오직 비분함을 이기지 못하니, 합가(闔家)에 수운(愁雲)이 참참하더
라. 제 시녀 참담한 중, 죄를 면하여 영행 축수(祝手)하나, 사아의 거처
생존을 몰라 크게 슬퍼하더라.

날이 저문 후 윤태우 돌아가고, 남후 고요히 외헌에 독좌하여 자기 배항(配行)의 액회 괴이함을 차석하고, 자녀의 교연(嬌然)함을 생각하여, 윤·양과 삼아의 상모 기이함을 믿어 사지를 면할까 바라나, 인사로 이르면, 양부인과 자녀 다 죽기 쉬운지라. 장부의 철석심장이나 참연한 회포를 이기지 못하여, 수성(數聲) 탄식에 눈물이 떨어져 공주를 분한함이 골똘하여, 대소환난이 다 문양의 작악임을 짐작하매, 공주를 엄형 추문하여 간정을 들춰낼 줄 모르리오마는, 범간(凡間)450) 일을 때를 기다리는 고로, 급히 서둘지 않으려 함이라.

이러므로 이 부인의 천향아질(天香雅質)과 선풍옥모(仙風玉貌)를 그윽이 사상(思想)하여, 태산 같은 은정을 서리담아451) 그 생사를 우념(憂念)함이 비길 곳이 없고, 자녀 능히 독수를 벗어나 어느 곳에 있는고? 생각는 의사 이의 미쳐서는 열화가 일어나 공주를 곧 없애고, 처자의 거처를 몸소 두루 돌아 찾고자 하나 뜻과 같지 못하니, 정히 미칠 듯, 취한 듯, 희허(噫噓) 초장(怊悵)함을 이기지 못하더라.

이때 심복 시노(侍奴) 경필이 마침 성내(城內)에 갔다가, 우연이 경참정 부중을 지나매, 사아(四兒)를 야간에 잃음을 고하니, 경공 부부 부자가 윤·양의 화액을 들은 후로는 숙혜소저의 전정을 더욱 우려하는 바더니, 다시 그 자녀를 마저 잃음을 들으니 심골이 서늘하여 병부의 왕래를 막자르고, 여아를 영영 감추어 공주로 하여금 아주 알지 못하게 하려 결단하매, 차시 경시랑 춘기가 소주자사로 나가는지라. 경공이 짐짓 여아를 아자 행거에 좇아 소주로 감을 칭(稱)하고, 서간을 병부에게 부치고 가만히 집에 숨겨두려 하니, 소저는 병부의 성정을 아는 고로 자기

---

450) 범간(凡間) : 모든 일에 있어서.
451) 서리담다 : (생각이나 느낌 따위를) 차곡차곡 간직하다.

소주 감을 들으면 크게 불열할 줄 알되, 부모 염려 과도하심을 민망하고 역시 병부의 왕래를 기뻐하지 않음으로, 수일 후 소주로 발행하는 소유를 베풀어 서간을 닦아 경필을 맡기니, 필이 가져와 틈을 엿보더니, 병부의 혼자 고요히 있음을 보고 서간을 올리니, 병부 받아보매 이곳 경공 부녀의 서간이라.

공의 서간은 대개 부마 왕래 잦으니, 혹자 문양궁에서 앎이 있은즉 여아의 참화 멀지 않을지라, 부득이 아자를 좇아 소주로 보냄을 일렀고, 소저 서간은 오직 부모명으로 거거를 따라 소주로 발행함을 일렀으니, 병부 비록 윤·양과 자녀를 실산하여 거처를 모르나, 오히려 일분 위로하는 바는 경씨에게 있더라.

차설 남후 경씨의 선연아태(嬋娟雅態)와 숙자혜행(淑姿蕙行)을 애중하며, 아자(兒子)의 용린같은 품격을 과애하여 일삭의 수삼차를 구차히 틈을 얻어 경부의 가더니, 문득 아으라히 소주로 감을 일러 하직하였으니, 자기 왕래를 끊고 깊이 숨으려 함인 줄 지기하되, '혹자 만분의 일이나 소주로 가는가?' 아연(啞然) 실망(失望)하여, 명일 경공 부자를 보고 소저를 보내지 못할 줄 이르려 하였더니, 일이 공교하여 태부인이 현기 등 사아를 잃고 심사를 과상하여, 성질(成疾)하여 상요의 누우매, 금후 황황초민(遑遑焦悶)하여 일야 병측을 떠나지 못하고, 약음과 죽물을 친히 맛보아 백사에 모친 뜻을 맞추며, 병부 등 제자를 명하여 세상 기담미어(奇談謎語)를 모친께 고하여 한번 웃으시게 하여, 비록 어린 공자 등이라도 모친을 떠나지 못하게 하니, 하물며 병부와 학사야 여측 밖에 어찌 움직일 의사를 내리오. 이러므로 병부 경자사를 문외에 전별치 못하고, 자사가 금후께 하직고자 정부의 이르나, 금후 친환을 일컬어 잠깐 보고 즉시 병부 등을 데리고 안으로 들어가니, 병부가 어떻게 자사더러 소저 거취를 이르리오.

다만 자사의 위인이 출가한 누이를 관읍에 데려가지 않을 바를 믿으며, 소저 또한 결연히 자기 허락을 듣지 아니하고 소주로 행치 못할 것이므로, 조모 환후에 우황(憂惶)하여 타려(他慮)를 두지 못하더니, 경자사 출행한 지 일순이 되고, 태부인이 효자 현손의 동촉한 정성과 주야 초조함을 도리어 민망하여, 심사를 널리고 사아를 잊기를 위주하여 십여일 후 병세 잠깐 나으니, 가중이 대열하고 금후 제자를 수일 몸을 쉬라 하니, 병부 거짓 운화사 풍경을 잠깐 보고 돌아옴을 고하여, 수삼일 유완하라 하는 명을 얻으매, 즉시 하직고 바로 경부에 이르니, 경공이 자사를 멀리 보내고 홀연하여 서헌에서 이자의 시전(詩箋)을 살피더니, 정병부의 왔음을 듣고 반드시 여아를 소주로 간 줄로 알리라.

주의를 정하고 즉시 청하여 서로 볼새, 공이 태부인 환후가 차경하심을 칭하(稱賀)하고, 사아를 일야지간에 실리함을 차석하여 하니, 병부 흔연히 공의 말을 대답하다가, 홀연 탄식 왈,

"소생이 삼아와 생질을 일시의 실리하고 마음이 여취여광(如醉如狂)하여 참절함을 이기지 못하옵나니, 천륜자애는 다 한가지라. 하물며 소생은 삼아를 잃고, 당차시하여는 부자의 정을 펼 곳이 영녀의 소생 뿐이라. 금일은 한갓 악장께 배현키만 위함이 아니요, 유아를 보려 왔나이다."

공이 짐짓 이르대,

"자녀 실리한 마음이 온전치 못하나, 어찌 정신이 저러하여 여아 모자를 집의 있는가 여기느뇨? 여아 경성의 있은 후는 창백의 왕래 잦고, 문견인(聞見人)의 입을 막지 못하여, 군이 내 집 동상임을 전파한즉, 영엄이 알고 창백을 다스림은 오히려 적은 일이거니와, 문양궁에서 알면 반드시 여아 모자를 마치리니, 여러 가지로 사량(思量)하여 좋은 도리를 얻지 못하고, 부득이 돈아를 좇아 소주로 보내매, 낮으로 하직치 못하고

뜻을 군에게 통하였더니, 영존당 환후로 우황(憂惶)함을 인하여, 군의
답간을 보지 못하였으니, 대개 창백의 마음에도 해롭지 않아 말리는 거
조가 없던가 하더니, 이제 유아를 부자지정으로 보고자 하미야 어찌 괴
이하리오마는, 벌써 소주로 갔으니, 돈아가 기관(棄官)하고 돌아올 시절
을 기다리라."

병부 공의 떼치는 말을 듣되, 그리 여김이 없고 자약히 소왈,

"악장은 소생을 삼세 척동(尺童)으로 알아 맥받는[452] 기롱이 이같으
시니, 참괴하와 답할 말씀을 알지 못하거니와, 천유가 옥당(玉堂) 한원
(翰苑)의 청현을 자임하는 명사로, 예의를 수련함이 천성에 타난 바라.
또한 준준(蠢蠢) 무식한 필부와 같지 않으니, 출가한 누이를 관읍(官邑)
에 데려가 인언(人言)을 취치 않을 것이오. 형인(荊人)의 인사(人士)[453]
도 소생이 용우하나 그 소천(所天)이라, 거취를 임의로 못하오리니, 거
짓 가노라 하고 하직서간을 부쳐 가부의 뜻을 엿보니, 숙녀의 청한한 덕
이 아니라. 소생이 불승해연하여이다. 악장이 어찌 예의를 모르시는 듯
하여, 가중이 이렇듯 한 행사를 준책(峻責)하시어 부도(婦道)의 온전한
사람이 되게 아니 하시나니까?"

공이 저의 일호도 곧이듣지 않음을 도리어 민망하여, '너무 왕래 자자
공주의 앎이 될까?' 근심하여, 영영이 떼치려 정색 왈,

"창백은 어찌 사람을 의심하여 곧이듣지 않음이 이다지도 하느뇨? 돈
아가 출가한 누이를 데려감이 한갓 저의 자별한 우애로써 비롯함이 아
니라. 여아의 남다른 난안지사(難安之事) 많은 고로 부득이 행함이요,
우리 또한 저의 남매 행신에 구태여 큰 허물이 없을까 하여, 사정을 끊

---

452) 맥받다 : 남의 속내나 속셈을 스스로 말하게 하여 알아내다.
453) 인사(人士) : '사람'을 낮잡아 이르는 말.

어 자녀를 다 원리(遠離)하고, 정히 괴로운 심회를 이기지 못하노라."

병부 한가히 웃으며, 소저 가지 않고 있음으로써 우겨, 유아를 보게 하라 하여 재삼 청하되, 공이 한결같이 거절하여 의심되거든 왼 집을 다 뒤여보라 하니, 병부 바야흐로 자녀를 실리하며 윤·양·이를 사상하며 심화 성할 뿐 아니라, 경씨로 더불어 성혼 삼재에 여산중정(如山重情)을 매양 펴지 못하여 각별한 뜻이 있거늘, 경공이 요악한 공주를 두려, 자기 왕래를 막고자 함을 두루 분완하여, 냉소 왈,

"부부는 일일지간에도 그 마음을 안다 하나니, 영녀(令女)의 위인이 결단코 가부의 말을 듣지 못한 전은 오라비를 따라 가는 거조가 없을까 하였더니, 악장이 이다지도 우기시니, 소생이 이제는 영녀로써 아니 갔다고 치지 못할지라. 다만 소항주는 인재(人材) 영걸(英傑)이 성한 곳이니, 영녀의 얼굴이 결백하고 입이 함홍(含紅)하여 풍류미랑(風流美郞)을 택고자 함이 쉬우려니와, 유아는 소생의 골육이라. 소주 갈 일이 없으니 반드시 두고 갔을지라. 명공은 딸을 타처에 향의(向意)하나 외손을 볼모 잡아 그 아비를 보지 않게 못하리니, 빨리 내어 주소서."

언파의 노기 가득하여 묵묵한 미우에 한설(寒雪)이 비비(霏霏)하니, 공이 그 취광한 말을 족수(足數)454)치 않으려 다만 이르기를,

"내 불명하여 너로써 사람만 여겼더니 하는 말인즉 실성발광치 않았으면 금수(禽獸)의 소견이라. 해연함을 이기지 못하나니, 네 아들을 소주로 가 찾으라."

병부 공의 말을 듣고 대로하여, 벽상의 걸린 단검을 빼어 난간을 짓부수며, 고성 왈,

"공이 날을 금수 같다 하나, 나는 실로 공을 무상(無狀)히 여기나니,

---

454) 족수(足數) : 꾸짖거나 참견하여 말함.

한 딸을 두고 세가(勢家)에 팔아 부귀를 도모하려 하다가, 날 같은 서랑을 얻어 과한 줄을 알지 못하고, 소욕(所慾)이 차지 못함을 분완하여, 딸로써 자식 둔 가부(家夫)를 버리고 짐짓 소항주 호걸을 가리려 보내니, 그 심행(心行)이 추하고 더러움이 입에 올리기 아니꼬우니, 경가 음녀가 소주로 개적(改籍)하러 가는 즈음이면, 나의 골육을 아주 죽여 없애지 않았은즉 이곳에 있으리니, 즉각에 내어오면 오히려 잠잠코 있으려니와, 아자를 내지 않은즉, 소주 아냐 만리라도 따라가, 음부의 머리를 한 칼로 베어 공을 뵈고, 내 마음을 쾌히 하리라."

언파에 노목(怒目)을 비껴 떠 공을 보며 잠미(蠶眉)를 거스르니, 위풍이 참엄(斬嚴)하여 바로 보기 무서운지라. 공이 저의 실정(實情)이 아님을 지기함으로, 죽침을 나와 몸을 뉘여 왈,

"비례물시(非禮勿視)하고 비례물청(非禮勿聽)은 성인의 지극한 경계라. 너의 누언(陋言)과 흉패한 거동이 군자의 정시할 바 아니니, 내 차마 아니꼬워 보지 못하노니, 네 광언망설이 나는 대로 욕하나, 내 집은 말째 천비라도 한번 적인(敵人)한 후는 다시 개적하는 규구(規矩) 없으니, 일찍 그런 일을 알지 못하였더니, 너는 이십 소년으로서 음흉 악사도 남달리 아는지라. 모름지기 패악지설을 날더러 이르지 말고, 네 스스로 익히 알아 두라."

병부 광기(狂氣) 나는 대로 하되 공이 조금도 노(怒)치 않는 역량을 항복하나, 사색치 않고, 유아를 어서 내어오라 재촉하며 욕설이 끊이지 아니하되, 공이 한 번 누운 후는 다시 들은 체함이 없으니, 혼자 욕함도 무미할 즈음에 참정원(參政院)의 급한 공사가 있어, 여러 참지정사가 관부에 모다 경공을 청하니, 공이 즉시 관복을 갖추고 위의를 거느려 마을455)로 향하니, 병부 공을 질욕하다가 들은 체 않고 관부로 향함을 도리어 가소로이 여겨, 날호여 웃음을 머금고 시녀를 불러 악모께 청알할

새, 원래 병부의 발검격난(拔劍擊欄)함과 공을 면욕(面辱)함을 경공과 사후하는 동자는 보았으나, 내당에서는 아득히 모르는지라.

화부인이 서랑의 왔음을 들을 적마다 반갑고 귀중하여 마주 내달아 보고자 한대, 여아를 후정 심처에 옮기고, 영영 소주로 보냄을 일컬어 기이려 하는 고로, 공이 관부의 간 때 병부를 보아 혹자 말이 어긋날까 두려 칭병하고 들어오기를 청치 못하니, 병부 공이 나간 때 악모를 배견하고 소저의 있음을 알아내려 하는 고로, 다시 전어 왈,

"소생이 본부에서 효신(曉晨)에 들어와 조참하고 관부의 다녀오매 날이 늦어 허핍하여 악모께 현알하고, 두어 잔 술을 구코자 하였더니, 보기를 괴로이 여기실진대, 어찌 감히 강청하리까?"

부인이 차언에 미처는 차마 매몰치 못하여 들어오기를 이르니, 병부 천천히 걸어들어와 예필에 공수 정좌하며 근간 존후를 묻잡고, 자사의 원로 행역을 염려하여 도도한 정성이 반자의 예를 다하니, 어찌 경공을 대하여 광언망설로 질욕(叱辱)하던 줄 알리오. 부인이 병부를 볼 적마다 아름답고 귀중하나, 공주의 간악을 두려 그 자주 왕래함을 원치 않고, 여아를 아주 소주에 감을 이르려 하는 고로, 먼저 삼아 실리함을 치위하고, 버거 아자의 원로 행역을 근심하며, 여아 한가지로 감을 일컬어 가중이 적료(寂廖)함을 탄하고, 슬하에 다른 자녀 없음을 슬퍼하니, 병부 악모의 기이는 말이 경공의 말과 같음을 곧이듣는 일이 없어, 웃음을 띠어 대왈,

"소생이 아까 악장 말씀을 듣자오니, 형인(荊人)을 소주 감을 칭하여 깊이 몸을 감추어 피하고자 함이나, 일이 너무 궁극하여 좋은 증조 아니라. 하물며 실인의 도리도 생더러 거취를 일러 허언으로 속이지 않음이

---

455) 마을 : 관아(官衙). 관청(官廳).

옳거늘, 거짓 소주로 감을 칭하고 서간을 부쳐 깊이 은신하니, 부부의
정의를 유념치 않음이 세사를 모르는 연고오나, 부자천륜의 정은 가히
끊지 못하리니, 소생이 삼아를 실리하고 심사 여할여광(如割如狂)하여,
바야흐로 지향키 어려우니, 유아를 보고 가려 이에 이르렀더니, 악장은
소주로 감을 이르시어 온 가지로 속이시나, 소생이 그렇지 않음을 여러
가지로 다투어, 비로소 속이지 못하시어 바른대로 일러 계시거늘, 악모
어찌 외대하시나니까? 생이 실로 평일 바라던 바 아니라. 실인이 소주
로 감을 칭하여 생의 왕래를 막음도 괴이커늘, 유아를 감추어 부자가 상
견(相見)치 못하게 함이, 그 뜻이 이상한지라. 소생이 한번 보아 그 소
견을 물어 알려 하나이다."

언파에 소안이 준절하고 위의 묵묵하여 부인의 답언을 기다리지 않
고, 시녀를 명하여 유아를 데려오라 하니, 경공이 진실로 여아가 후정
벽처에 있음을 이른 것 같고, 병부의 거동이 분명히 아는 형상이라. 부
인이 다시 핑계치 못하고 유아를 데려오라 재촉함을 민박(憫迫)하고, 시
아 등이 또 유아 데려옴을 부인께 품달하여 병부의 명을 역지 못하고,
아무리 할 줄 몰라 하니, 부인이 사세 기이지 못할 줄을 그윽이 애달아
하나, 사색치 않고 길이 탄 왈,

"군자 소녀 책망함이 사리 당연하니 첩의 모녀 무슨 말을 하리오마는,
원간 저의 형세 남달라 그윽한 염려 다른 일이 아니라, 성혼 삼재에 골
육을 끼쳤으나 지금 구고의 모르는 며느리로, 매양 공구한 뜻이 있는데,
윤부인과 양질(姪)의 화액을 들으매, 경악함을 이기지 못하여, 몸을 감
추어 공주의 모르는 바가 되고자 하니, 이 또 궁극한 정리라. 구태여 현
서를 맥받아 뜻을 엿고자 함이 아니니, 군은 괴이히 여기지 말라."

병부 흠신 대왈,

"악모 말씀이 마땅하시나, 영녀의 도리 마침내 부도의 온순함을 얻지

못하였는지라. 소생이 불고이취(不告而娶)함이 여러 세월이 되도록, 신상에 큰 죄를 실음 같되, 지금 친전에 고치 못하였으나 허물이 생에게 있고 실인의 죄 아니니, 여자 가부를 경만(輕慢)[456]할 바 아니오. 공주의 위인을 보지도 않아서 그 해를 받을까 두려워함은 더욱 불가한지라. 공주 비록 존귀하나 만승도 소생의 호방을 막지 못하시어, 이미 영녀 취함을 알아 계시되 별단 책죄 없으니, 공주 간대로 사람을 죽일 것이 아닌데, 실인이 조겁(早怯)[457]함이 천연한 성도(性度) 아니니이다."

부인이 다시 말을 못하고 호주성찬으로 대접하니, 병부 수십배를 연하여 거우르고 금은옥기(金銀玉器)에 가득한 성찬(盛饌)을 권할 나위[458] 없이 다 서릇어[459] 먹은 후, 상을 물리고 시녀 등이 후정에 가 유아를 데려오니, 아해 난 지 겨우 삼사 삭이로되, 영호준발(英豪俊拔)함이 용린(龍麟)의 체격으로 수앙(秀昻)한 의표(儀表) 나날이 새로우니, 경공 부부 장리보옥(掌裏寶玉)으로 알아 귀중 연애하는 바라. 병부 천륜 자애로써 아자의 비상함이 점점 더하매, 대희하여 황홀한 사랑을 도우니, 묵묵하던 얼굴이 소아를 보매 춘풍화기(春風和氣) 발하여 주순호치(朱脣皓齒) 찬연하니, 경공은 마침내 여아 소주 갔음을 기이거늘, 부인은 자기 흉중(胸中)에 빠져 유아를 순히 내어오고, 여아 소주 가기로 칭하여 만만 부득이 몸을 감춤인 줄 일러, 자기 분노함을 민망이 여기는 형상을 도리어 가소로이 여겨, 이윽히 말씀하며 아자를 어루만져 연애하다가, 날이 늦으매 시녀를 압서라 하고 후정으로 향할 새, 악모께 고 왈,

"소생이 수삼일 존부의 머물리니, 돌아 갈 때 다시 현알하리이다."

---

456) 경만(輕慢) : 교만한 마음에서 남을 하찮게 여김.
457) 조겁(早怯) : 지레 겁을 먹음.
458) 나위 : 더 할 수 있는 여유나 더 해야 할 필요.
459) 서릇다 : 거두어 치우다. 정리(整理)하다.

부인이 흔연히 대답하는 가운데나 조심이 중하여, 혹자 공주의 앓이 있을까 염려하더라.

병부 시녀를 앞세워 소저 침소를 찾으매, 깊고 그윽하여 밖이 아득히 멀고, 누각이 표묘(縹渺)⁴⁶⁰⁾하되 수목과 화림(花林) 사이에 있어 범연이 보아서는 사람의 거처함을 알지 못할 것이요, 주렴을 지우며 창호를 여지 않아 은연이 두문사객(杜門謝客)한 거동이라. 병부 개호 입실하니 소제 오륙 시아와 유랑으로 더불어 침선(針線)을 다스리다가 병부를 보고 경아(驚訝)하되, 사색치 않고 천연이 일어 맞으니, 병부 술이 잠깐 취하여 옥면에 홍광(紅光)이 오르고, 봉목(鳳目)에 광채 더욱 찬란하여, 멀리서부터 양안을 흘려 소저를 보매, 맹렬한 안광과 엄준한 사색이 사람으로 하여금 불감앙시할 바라. 유랑과 제시녀 지은 죄 없이 막불전율(莫不戰慄)하여 청사로 퇴하고, 소저는 비록 눈 닮이 없으나 병부의 노색을 어찌 모르리오. 무사무려(無思無慮)히 병부의 앉기를 기다려 멀리 좌를 이뤄 봉관을 숙이고 쌍미를 낮추어 오직 앞을 볼 뿐이라. 병부 노목을 비껴 양구 숙시하다가, 홀연 사창(紗窓)을 열치고 한번 소리하여 경부 시노(侍奴) 등을 부르니, 원문 직숙 노자 사오 인이 응명하거늘, 병부 형장기구(刑杖器具)를 내오라 하며 호령하매, 수유의 긴 매와 넓은 곤장(棍杖)을 단단이⁴⁶¹⁾ 정하(庭下)에 대후(待候)하매, 제노(諸奴)가 한 출첨배(汗出沾背)하여 실로 주인 아님을 깨닫지 못하고 두려워함이 비길 데 없으니, 이는 병부의 호령이 뇌정(雷霆) 같고 위풍이 규규(赳赳)하여 하류천심(下類賤心)의 무서움이 극한 연고라. 병부 노자(奴子)를 명하여 유랑과 시녀를 다 잡아 내려 정하(庭下)에 꿇리고, 유랑을 수죄

---

460) 표묘(縹渺) : 아득히 멀어 희미한 모양.
461) 단단이 : 여러 단으로. 단; 짚, 땔나무, 채소 따위의 묶음.

왈,

"네 부인이 사족부녀로되, 성행이 공교롭고 간사하여 청의하천(靑衣下賤)의 품질이 있어, 가부를 불경하며 범사를 자행(自行)하여, 내 마음을 엿보고 거짓 서간으로 소주에 감을 일컬어 하직하고, 이제 후정에 숨어있으니 아니 이곳이 소주(蘇州)냐? 내 본디 간악교사(奸惡狡詐)한 여자를 통한분해하나니, 이 반드시 너의 몹쓸 젖을 먹어 천인이 지아비 맥받는 버릇을 닮음이라. 모름지기 여주(汝主)의 죄를 대신하여 벌을 받으라."

언필에 그 답언을 기다리지 않고 시노를 호령하여 매를 들라 하니, 유랑의 위인이 충근하여 일찍 작죄하는 바 없으니, 아시로부터 사십이 거의로되 희미한 태장을 받지 않았다가 중장을 불시에 당하니, 살 의사 없으나 어디라고 한 말인들 원민(冤悶)함을 발명하리오. 다만 혀를 물고 눈을 감아 반죽엄이 되었으되, 병부의 호령이 늠렬하여 개개 고찰하니, 이는 소저의 성정이 냉정열일(冷情烈日)하여 자기 위풍으로도 구속하기 어려운 고로, 짐짓 유랑을 중치하여 그 절민초조(切憫焦燥)함을 보려하되, 경씨 마침내 한 소리 사죄함이 없고 앉은 곳을 고치지 않아, 홍수를 정히 꽂아 병부의 거동을 못 보는 듯, 그 호령을 못 듣는 듯, 옥안이 더욱 냉담하니, 한월(寒月)이 빙설(氷雪)을 비추는 듯, 송백이 추상을 띠었는 듯, 말 붙이기 어려운지라. 본디 유모 귀중함이 모친 버금으로 하나, 병부의 과도히 질타함을 한할지언정, 구구히 개구하여 사죄치 않으려 정하고, 유모의 위태함을 착급(着急) 초전(焦煎)하되, 외모는 안일(安壹) 단숙(端肅)하여 금옥의 견고함을 가졌으니, 병부 눈을 흘려 그 냉초(冷峭)462)한 풍도를 보고 부디 구속(拘束)하려 하는지라. 유랑을 중형일차(重刑一次)를 더하여 내치고, 시녀 등을 다 치죄하여 언언(言

---

462) 냉초(冷峭) : 태도나 행동이 냉정하고 엄함.

言)이 다 소저 대신으로 맞아라 하여, 소저로 하여금 욕되고 괴롭도록
하되, 소저 행여도 분노하는 말을 입 밖에 내지 않고, 또 사죄함도 없어
일양(一樣) 냉담한지라. 병부 제녀를 다 치죄하고 시노가 물러가매, 오
히려 분노를 다 풀지 못하여 시녀 등을 호령하여 부인의 잠이(簪珥)를
빼고 중계(中階)에 내려세우라 하되, 경씨 또 움직일 의사 없으니, 병부
크게 호령하여 소저를 내려 세우지 않으면 사죄(死罪)를 영(令)하리라
하니, 위풍이 늠렬(凜烈)하고 안모(顔貌) 참엄(斬嚴)하여 태산의 맹회(猛
虎)요, 풍운을 제회(際會)463)하는 용(龍)이라. 장맹(壯猛)한 거동이 한
조각 인정인들 있어 뵈리오. 고대 사람을 죽일 듯하니, 제녀가 각각 중
장을 받고 만일 소저를 하당치 못한즉 죽기를 면치 못할 줄로 알아, 일
시에 체읍 애걸하여 전후좌우로 소저를 붙들고 중계를 향하니, 병부 심
리(心裏)에 쟁그라이 여기더라.

---

463) 제회(際會) : 좋은 때를 당하여 만남.

명주보월빙 권지삼십칠

어시에 병부 심리(心裏)에 쟁그라이 여기고, 분노를 작위(作爲)하는 가운데나, 소저를 애중하는 마음은 여천지무궁(如天地無窮)한지라. 경씨 죽기를 그음하여464) 하당(下堂)치 말고자 하되, 병부의 성화(盛火) 같은 재촉과 욕된 말이 무수하고, 제녀의 경색이 수참(愁慘)하여 저마다 살기를 청하니, 사세(事勢) 부득이 욕되고 분한 것을 참아 계에 내려서매, 약한 기질은 난초의 향기를 겸하고, 고운 얼굴은 향연(香蓮)이 광풍을 당한 듯, 팔자아황(八字蛾黃)465)에 잠깐 수우(愁憂)한 빛을 동(動)하고, 효성쌍안(曉星雙眼)에 추수징세(秋水澄勢)466)를 영(零)하여467) 자기 몸이 이렇듯 욕되고 괴로움을 그윽이 슬퍼하니, 기려한 태도와 승절(勝絶)한 염광(艶光)이 더욱 비상하여 어여쁜 거동이 우희염468) 직한지라. 병부 흠애(欽愛)하는 마음과 견권(繾綣)하는 정을 이기지 못하되, 한 차례 보채려 하였는 고로 분연 고성 왈,

---

464) 그음하다 : 끝을 내다. 한계나 기한 따위를 정하여 무슨 일을 하다.
465) 팔자아황(八字蛾黃) : 눈썹을 그리고 분을 바른 얼굴. 팔자(八字)와 아황(蛾黃) 은 각각 눈썹과 얼굴에 바르는 분(粉)을 말함.
466) 추수징세(秋水澄勢) : 가을 물의 맑은 기운. 여기서는 가을 물처럼 맑은 눈물.
467) 영(零)하다 : 빗방울이 떨어지다.
468) 우희다 : 움켜쥐다. 손안에 꽉 잡고 놓지 아니하다.

"그대 무례한 죄과를 이르려 한즉 종일종야 하나 능히 다 못하려니와 그 대강을 이르리라. 인연이 기구하여 운남을 정벌하고 절강으로 작로(作路)하여 그대 집에 이르매, 그대 부친이 날을 사랑하고 천유가 정후(情厚)하여 피차 심곡(心曲)을 기일 것이 없는 고로, 우연히 청혼하매 허락을 얻어, 길이 멀어 친전(親前)에 고치 못하고 그대를 취하나, 행거(行車)가 바쁘므로 총총히 돌아올새, 그대 부친과 언약을 두어 개춘(開春) 후 상경을 청하였더니, 일이 공교하여 그 사이 원치 않는 공주를 취하나, 부귀를 탐하고 그대를 불관이 여겨도 그대 부형의 일인즉, 언약을 저버리지 말고 그대를 데려 즉시 상경할 것이거늘, 그대 부친이 장부의 얼굴이 여자의 마음으로, 매양 대의를 생각지 못하고 세쇄한 곡절만 살펴 당치 않은 근심과 소소한 염려를 놓지 못하는 궁상(窮相)이라. 그대 비록 여자나 사리를 알진대, 호의 많은 부형을 위로하고 장래사가 되어 감을 볼 뿐이거늘, 연기 유충하되 공교로운 의사는 숙성하여, 절강서 상경할 제 짐짓 수일을 처져 행하여, 아니 옴을 칭하고 내 마음을 엿보다가, 마침내 나의 곧이듣지 않음을 인하여 그대 왔음을 찾아내어, 내 스스로 왕래하니 남녀의 정이 합함은 상하노소가 다 떳떳한 일이로되, 그대 괴려함은 나의 중대를 원수같이 알며 나의 왕래를 시호(豺虎)의 자취로 알아, 주야 생각는 바 대하여 아니 보기를 원하며, 영형이 소주를 향하매 천리 도로에 득달이 어려울 뿐 아니라, 출가한 누이를 임소로 데려갈 규구(規矩)는 가장 드믄 일이라. 아무리 속이고자 하여도 내 삼세 척동(尺童)이 아니니 곧이들을 리 없거늘, 그대 부친의 인사 모르기는 딸의 교악(狡惡)을 돕고, 그대는 요악(妖惡)함이 심하여 거짓 소주 가노라 하직하는 서간을 보내고, 이곳에 숨어 폐륜(廢倫) 사세(辭世)함을 달게 여기니, 아지못게라! 정창백의 처실 됨을 욕되게 여겨 부분윤의를 생각지 않고 삼오청춘에 두문불출하여 인륜에 참예치 말고자 하미냐? 반드시 주의 있을 것이니, 그대 부친이 날을 원거(遠居)하라 하는 곡절이 있을 것이니, 모름지기 빨리 이르라."

경씨 저의 말을 답지 않은즉 더욱 욕설이 무궁할지라. 분노를 참고 안서히 대왈,

"첩의 불능누질(不能陋質)이 군자 고안의 불합함은 새로이 이를 바 아니라. 여러 가지 형세 난처하여 구구히 화를 피하며 몸이 무사키를 도모하매, 전후의 일들이 다 군자께 득죄한지라. 어찌 감히 좌우를 치죄하심을 한하리까마는, 첩이 비록 무상하나 가엄(家嚴)의 탓이 아니거늘, 군자 가친을 욕함을 좋은 일같이 하시니, 이 도시 첩의 어질지 못한 연고라. 누를 탓하며 무엇을 한하리오. 더욱이 욕설이 하수(河水)가 멀어 귀를 씻지 못하기에 이름이리오. 이곳의 옳음은 전혀 군의 왕래를 그쳐 문견자(聞見者)의 이목을 막아, 일향 소주 감을 칭하고 군자께 하직하는 서간을 보냄이 옳지 않은 줄 알되, 금수도 제 몸을 사랑하나니 첩도 일분 인심이라. 부모께 남매 양인 뿐이니 외로운 부모를 노래(老來)에 길이 받들고 놀라온 일을 뵈지 말고자 함으로, 의사 궁극하여 소주 감을 칭하미니, 이 밖에 다른 소견이 없는지라. 군자 가엄으로써 당치 않은 염려를 하신다 하나, 양저(姐)와 윤·이 양 부인이 기이(奇異)한 죄루를 실어 이이절혼(離異絶婚)하고 화액이 첩첩하여 양저와 윤부인의 거처 사생을 지금 모르시니, 군자 가실이 다 그럴 것은 아니거니와, 부모의 구구한 사정으로써 어찌 염려함이 괴이타 하리오."

옥성(玉聲)이 낭랑(朗朗) 쇄연(灑然)하여 진주를 금반(金盤)의 구을니는 듯, 용화의 기이함은 백태가 은연 유출하여, 보배로운 품격과 아리따운 태도가 볼수록 눈을 옮기기 아까운지라. 병부의 마음이 금석(金石)이 아니거니 숙녀명염의 이같이 아름다움을 견권(堅權) 황홀(恍惚)치 않으리오마는, 매양 소저의 품격이 강렬하여 한없이 너르고 무궁이 화(和)함

은 윤부인께 불급(不及)하니, 냉담한 성정으로 유열한 곳에 이르게 하며, 강렬한 기습(氣習)으로써 온순하기를 바꾸려 하는지라. 다함[469] 봉목(鳳目)을 높이 뜨고 꾸짖어 왈,

"그대의 살사지기(殺射之氣)[470] 마침내 복을 받으며 수를 누리지 못할 뿐 아니라, 청상(靑孀)으로 신혼(晨昏) 체읍(涕泣)을 면치 못할듯 하니, 창백을 나무라고 다른 호걸을 구하여도 일생 화락하여 안한키를 바라지 못하리니, 모름지기 성정을 고쳐 온유화열키를 주하고, 배부(背夫) 난륜(亂倫)한 더러운 계집이 되지 않음 즉 하니, 아지못게라! 그대 내 왕래를 즐겨 않음이 부부사정에 소욕(所欲)이 부족하여 일대 옥인을 바라는 연고냐?"

소저, 저의 말마다 욕이 무궁함을 보매, 분한하여 추파에 쌍루를 머금고 말을 않으니, 병부 심정(心情)[471]이 나서, 중계에 세워두고 조르고 보채는 말이 아니 미친 곳이 없더니, 이윽고 정당 시녀 석반(夕飯)을 가져 이르매, 상을 받고 비로소 소저의 오르기를 명하여 석반을 진식하라 하니, 소저 분노가 막힐 듯하나, 어데 가 겨룰 의사 나리오. 다만 날호여 당의 올라 숙연이 공수단좌 하여 진식할 마음이 몽리에도 없으니, 병부 행여 약질이 상할까 염려하므로, 짐짓 꾸짖어 식반을 나오도록[472] 재촉하는 거동이 이상하고 시험(猜險)하여, 그 명을 역한즉, 곧 죽일 듯 보기에 무서우니, 경씨 괴롭고, 분한 것을 참고 식반을 예사로이 나오니, 병부 잠깐 질욕을 그치고 식상을 물린 후, 소저를 향하여 일호주(一

---

469) 다함 : 다만. 또한. 그저.
470) 살사지기(殺射之氣) : 말이나 시선으로 상대편을 매섭게 쏘아붙이거나 쏘아보는 기세.
471) 심정(心情) : 좋지 않은 심사. 마음속에 품고 있는 생각이나 감정.
472) 나오다 : (음식을) 내오다. (음식을) 드리다. (음식을) 들다.

壺酒)를 구하니, 소저 저의 과음함이 때를 차리지 아니함을 민망이 여기
나, 능히 말리지 못하여 시녀로 하여금 정당에 기별하여 술을 가져오라
하니, 시녀 즉시 한 병 술을 받들어 앞에 놓으니, 병부 병채 들어 거우
르고 날이 어둔 후, 촉을 밝히고 침금을 포설하여 웃웃을 벗어 후리친
후, 상요(床褥) 속에 나아갈새, 소저로 팔을 주무르라 하니 소제 분완하
되 역지 못하여 팔을 주무르매, 두 사람 살빛이 백옥을 닮아 가까이 대
할수록 더욱 빛난지라. 소저의 손이 매끄러움이 형옥(衡玉)473)을 다스
린 듯, 향염(香艷)한 기질이 높고 맑아, 선원(仙苑)의 옥액(玉液)474)을
맛보며, 백태만광이 장부로 하여금 황홀할 바라. 작위(作爲)하던 분노
춘설 같고, 애중 견권함이 무궁하되, 오히려 엄절히 책하며 보채기를 마
지않아, 차후 천만 난안(赧顔)한일이 있어도 피할 의사를 내지 못하게
하더라.

경공이 관부에 가 공사를 처결하고 본부의 돌아오매, 부인이 맞아 서
랑의 말을 일일이 전하고, 후정에 가 유랑과 시녀를 중치하며 여아 보채
던 바를 이르니, 경공은 병부가 분노를 띠어 돌아갔는가 여겼더니, 이
말을 듣고 어이없어, 도리어 웃고 왈,

"서헌에서 나를 여차여차 욕하고, 여아가 소주 가지 않았음을 이르더
니, 내 나간 때를 타 부인의 속을 뽑아, 여아 후정에 있음을 알고 짐짓
후일을 경계코자 하여 여아를 보채니, 이제는 할일 없는지라. 화복길흉
이 재천(在天)하니 어찌 하리오. 우리 부질없이 왕래를 막으려 속인 바
되었으니, 창백이 심화 성한 바에 만만한 여아를 만났으니 마음대로 하

473) 형옥(衡玉) : 형산(荊山)에서 나는 옥.
474) 옥액(玉液) : 옥에서 나는 즙. 마시면 오래 산다고 하여 도가에서는 선약으로
    친다.」=옥액경장.

려니와, 여아를 저도 염려할 것이니 우리는 다시 아른 체 말 것이라."

부인이 여아의 일생이 안한치 못할까 하나, 은정이 산처럼 중함을 도리어 깃거 손아를 품어 숙침하니라.

병부 수일을 후정에서 좌와(坐臥)를 경씨와 한가지로 하니, 쉬이 돌아감을 결연하되, 또한 구구하여 연연(戀戀)한 거동이 없으니 장부의 기상이러라. 경공 부부 아름다움을 이기지 못하나, 공이 애서(愛壻)를 후정에서 보는 일 없고, 병부도 나와 봄이 없어, 차후는 원문으로 좇아 왕래하니, 구태여 경공을 순순(循循)[475] 배현(拜見)치 않으려 함이러라. 이는 공이 자가 자취를 진정으로 절박히 여기는 연고러라.

병부 본부에 돌아가 요악한 공주를 중회 중에도 볼 뜻이 사연(捨然)하나, 부전에 운화산 풍경을 돌아보고 옴을 고하였는 고로, 기한을 어기지 못하여 수삼일 후 부중으로 돌아올새, 구태여 소저더러 이르는 말이 없이 돌아옴은, 경씨 차후는 아무데로도 자취를 감추지 못할 줄 지기하여, 비록 부친을 기이고 밤으로 월성하여 왕래할지라도, 경부에 자주 오려 하는 의사니, 경씨 병부의 뜻을 거의 짐작하여 불안(不安) 민박(憫迫)함을 이기지 못하되, 감히 사색(辭色)치 못하여 참고 견디기를 위주하며, 점점 강렬한 기습을 버리고 온유 나직하며, 비록 구고 알지 못하는 며느리 되었으나 가부를 승순함은, 범사에 그 뜻을 어기지 못할 줄 알아, 자기 명도 신세는 부운에 던지고, 병부의 이끄는 대로 하며 일이 되어감을 보려 함으로, 괴로이 수우척척(愁憂慽慽)함이 없으되, 부모의 염려를 절민하여 매양 청화아성(淸和雅聲)[476]으로 위로하나, 사실(私室)에 돌아

---

475) 순순(循循) : ①그때그때마다. ②전례나 원칙 따위를 그때그때마다 따라서 행하거나 지킴.
476) 청화아성(淸和雅聲) : 맑은 화기와 아름다운 목소리.

온즉 미우를 펼 적이 없더라.

병부 취운산에 돌아와 존당부모께 배알하고 삼사일 존후를 묻자오니, 태부인이 자기 기운은 더 나음을 이르나, 날이 갈수록 네 아이의 존망거처를 모르고 여할(如割)한 심사를 정치 못하니, 택상(宅上)의 높은 화기 많이 감하여 전일에 비치 못할지라. 병부 참연한 회포 무궁하나 존당 부모의 슬퍼하심을 민망하여, 유열한 사색과 화평한 소리로 위로함을 마지않고, 단연이 처자를 염려하는 사색을 나토지 않으니, 진정 철석 같은 대장부라.

금후 아자의 기색을 어려이 여기고, 남달리 번화를 취하던 마음으로써 윤·양·이를 다 없애고 자녀의 사생거처를 모름이 되고, 공주의 간힐함이 마침내 병부의 배우 아님을 탄하며, 장자(長子)의 신세 괴로움을 심리(心裏)에 탄하더라.

어시에 위사 상명을 인하여 초지의 나아가 초왕을 보고 나명(拿命)을 전하니, 왕이 대로하여 헤오대,

"내 본디 천승을 염(厭)하고 만리강산을 취코자 한 지 오래되, 군신분의를 지켜 많이 참는 바더니, 혼군이 무도하여 하원경 등 파리 목숨 같은 것이 죽음을 인하여, 나를 잡아다가 묻고자 하니, '영위계구(寧爲鷄口)언정 무위우후(無爲牛後)라'[477] 하였으니, 내 어찌 손을 묶어 부질없이 혼군의 나래하는 명을 응순하여 사화(死禍)를 당하리오. 차라리 군기 갑병을 거느려 황성을 짓밟고, 만승위(萬乘位)를 앗아 우리 태조 무덕(武德)[478]황제 수고하여 얻으신 천하를 타인의 손에 보내지 않음이 옳

---

477) 영위계구(寧爲鷄口) 무위우후(無爲牛後) : 차라리 닭의 머리가 될지언정 소의 꼬리는 되지 말라는 뜻으로, 작은 조직에서 남의 우두머리가 될지언정 남의 밑에서 부림을 받는 사람이 되지 말라는 말. 유향(劉向)의 『전국책(戰國策)』에 나온다.

도다."

의사 이에 미쳐 문무신료를 모아 불궤(不軌)를 상의하니, 대장군 초숭이 본디 초왕의 총우함을 각별이 입어 몸을 죽여 갚을 뜻이 있고 용맹이 절륜함을 믿어, 대국 위엄을 알지 못하고 초왕의 반역지심을 돋우어 병을 일으켜 황성을 향함을 권하고, 위사(衛士)를 먼저 가두어 초국 위풍을 빛내라 하니, 왕이 옳이 여겨 즉시 위사를 하옥하니, 위관(衛官)이 불승분완하나 외로운 몸이 불과 수십인 하리(下吏) 뿐이라, 할 수 없이 심드렁히479) 옥리(獄裏)에 곤함을 면치 못하니, 이 소유를 황성에 고할 길이 없음을 더욱 슬퍼하더라.

하리 수인이 위사(衛士)의 잡힘을 보고 가만히 도망하여 고국에 돌아와 위사가 초왕에게 잡혀 하옥됨을 금의부(禁義府)에 고하니, 집금오(執金吾)480) 이하가 대경하여 천정의 주달한데, 상이 대로하시어 왈,

"초왕의 무상함이 이 같으니 그 죄 만사유경(萬死猶輕)이라. 제 벌써 위사(衛士)를 가두고 나명(拿命)을 받지 않은 후는, 모역지심(謀逆之心)이 반듯한지라. 짐이 대장을 보내어 문죄코자 하노라."

병부상서 표기장군 정천흥이 주왈,

"신이 처음부터 초적(楚敵)이 순히 잡혀오지 않을 줄 천정에 주하였삽더니, 이제 헤아림이 맞았는지라. 폐하는 아직 병혁을 동(動)치 마시고, 초지절도사(楚地節度使) 주문(奏聞)이 분명하여, 초왕의 반상을 자세히 안 후, 장수를 보내시어 초국을 치게 하소서."

---

478) 무덕(武德) : 중국 당나라 고조(高祖) 이연(李淵)의 연호. 송 태조 조광윤(趙匡胤)은 건덕(乾德)이란 연호를 썼다.
479) 심드렁히 : 할 수 없이. 부질없이. 마음에 탐탁하지 않게 여기는 모양.
480) 집금오(執金吾) : 중국 한나라 때에, 대궐 문을 지켜 비상사(非常事)를 막는 일을 맡아보던 벼슬.

상이 연지(然之)481)하시어, 초지 절도사 주문을 기다리시더니, 과연 오래지 않아 절도사가 초왕의 반상(叛狀)을 주문하여, 바야흐로 기병하여 변경을 범코자 하였음을 아뢰니, 상이 대로하시어 문무를 모으시고 초지 절도사의 주문을 보라 하신 후, 옥음을 내려 가라사대,

"짐이 박덕부재(薄德不才)로 대위(大位)를 이어, 억만창생의 부모 되어 사해(四海) 구주(九州)에 교화가 널리 행치 못한 연고로, 이제 초왕이 지친간(至親間)에 반상(叛狀)이 분명하니, 실로써 이런 불행이 없는지라. 마지못하여 병혁을 일으켜 문죄하리니, 삼공 이하 상의하여 마땅한 대장을 보내게 하라."

제신이 초왕의 무상함을 아니 통해할 이 없어, 일시에 소리를 연하여 대병을 몰아 초국을 토출(討黜)482)함을 주(奏)하매, 용력이 강장한 무반 대장을 보내자 하는 이도 있고, 지혜 유여한 문관을 보내어 초국을 주멸(誅滅)하자 하는 이도 있어, 의논이 구일(口一)483)치 못하더니, 홀연 반부중(班部中)484)에 일위 소년이 홍포(紅袍) 옥대(玉帶)로 탑하의 부복하니, 신장이 언건(偃蹇)하여 팔척 오촌이요, 양비과슬(兩臂過膝)하여 늠연(凜然) 장숙(壯肅)함이 대장부 위풍이라. 옥면(玉面)은 추월 명광을 거두고 봉안(鳳眼)에 영기(靈氣) 동인(動人)함이 훤훤485)한 신채와 수려한 용화가 진승상(晉丞相)486)의 관옥지모(冠玉之貌)487)를 웃으며,

481) 연지(然之) : 그러하다고 생각하다.
482) 토출(討黜) : 토벌하여 내침.
483) 구일(口一) : 일구(一口). 여러 사람의 말이 하나같이 똑같음.
484) 반부중(班部中) : 문신(文臣)과 무신(武臣)이 품계에 따라 늘어서 있는 반열(班列) 가운데서.
485) 훤훤 : 시원함.
486) 진승상(晉丞相) : 중국 서진(西晉)의 미남자 반악(潘岳).
487) 관옥지모(冠玉之貌) : 관옥처럼 아름다운 모습. 관옥은 관(冠)을 꾸미는 옥.

두사인(杜舍人)[488]의 헌하지풍(軒荷之風)[489]을 나무라니, 행지동용(行止動容)[490]에 예모 빈빈하며 덕화 숙숙(肅肅)하여 천고 명현군자라. 이에 소리를 정(正)히 하여, 주왈,

"초적(楚賊)이 나명(拿命)을 위월(違越)하고 위사를 가두며 반역을 꾀함이 만살지죄(萬殺之罪)오니, 이제 성상이 대장을 보내어 문죄코자 하시니, 소신이 연소무재(年少無才)로 흉적을 소탕할 재략(才略)이 없사오나, 청컨대 일지(一支) 병을 빌리시면, 역적을 주멸하여 위로 국가 근심을 덜고, 아래로 신의 사수(私讐)를 갚고자 하옵나니, 비록 외람하오나 신으로써 초지를 치게 하심을 바라나이다."

상이 대희하시어 자세히 보시니, 차는 이부시랑(吏部侍郎) 홍문사인(弘文舍人) 하원광이라. 상이 미처 답지 않아서, 정병부 돈수 주왈,

"원광이 신자 직분을 다하고 때를 타 사수를 갚고자 하오미니, 원광의 재덕이 입공승전(立功勝戰)함이 반듯하오리니, 복원 성명은 원광의 말을 윤허하시어, 다시 초적을 염려치 마소서."

상이 소왈,

"원광이 자원 출정함이 이 같고 천흥이 원광 앎이 밝은지라, 짐이 어찌 초적을 근심하리오."

하시고 즉일에 하원광으로 정초대원수를 봉하시어 옥부금인(玉斧金印)을 주시고 부원수 이하를 선참후계(先斬後啓)하라 하시니, 원수가 고관대작을 사양코자 하나, 이미 대원수를 정한 후는 본직이 당하(堂下)[491]로 있지 못할 고로, 오직 신자의 충절을 다하여 초왕을 죽여 국환

---

488) 두사인(杜舍人) : 중국 만당(晚唐)때 시인 두목지(杜牧之). 중서사인(中書舍人)에 올랐고, 중국의 대표적 미남자로 꼽힌다.
489) 헌하지풍(軒荷之風) : 헌걸차게 핀 연꽃과 같은 아름다운 풍채.
490) 행지동용(行止動容) : 몸을 움직여 하는 모든 행동과 용모를 통틀어 이르는 말.

을 덜고, 아래로 삼형의 원사한 한을 풀려 정하였는 고로, 봉작하심을 순수하며 홍포옥대(紅袍玉帶)로써 대장의 융복(戎服)을 바꾸며, 재상의 관자(貫子)492)를 두렷이 붙이고, 전폐에 배례 숙사(肅謝)493)하매, 명성 도학의 군자 변하여 소년 장군의 기위(氣威) 총준(聰俊)494)하고, 의표 늠연하여 용호(龍虎)의 품격과 인봉(驎鳳)의 기질이 세대에 독보할 대군 자라. 전상전하 만목이 원수 신상을 쏘아, 등과한 지 겨우 달이 넘었거 늘, 어느 사이 작위 숭고(崇高)하고 위권이 융중하여 대원수 금인(金印) 을 요하(腰下)에 빗기차고 백만 중(衆)을 총령(總領)하니, 상모 당당하 고 위의 숙숙(肅肅)하여 바라보매 엄연(儼然)히 두려운지라. 인인이 하 공의 유복함을 칭선하여 비록 삼자를 참사(慘死)하나, 원수 같은 아들을 두어 그 아름다움이 타인의 용이한 십자를 웃을지라. 저마다 부러워하 고, 상이 특별이 하공을 전전에 부르시어 옥배에 향온을 반사(頒賜)하시 고, 아들 잘 낳았음을 칭사하시니, 하공이 어주(御酒)를 거우르고 계수 (稽首)495) 사은(謝恩)하여 불감함을 주하매, 은연이 비루(悲淚)를 머금 어 석사(昔事)를 생각고 그윽이 슬퍼하더라.

　이날 하원수 교장(敎場)에 나와 부장과 선봉 이하를 다 자모(自募)받 아496) 재주를 시험하고, 삼만 정병을 점고(點考)하여 날이 저무는지라.

---

491) 당하(堂下) : 당하관(堂下官). 당하의 품계에 있는 벼슬아치.
492) 관자(貫子) : 망건에 달아 당줄을 꿰는 작은 단추 모양의 고리. 신분에 따라 금 (金), 옥(玉), 호박(琥珀), 뿔 따위의 재료를 사용하였다.
493) 숙사(肅謝) : 숙배(肅拜)와 사은(謝恩)을 아울러 이르는 말. 새 벼슬에 임명되 어 처음으로 출근할 때 먼저 대궐에 들어가서 임금에게 숙배하고 사은함으로 써 인사하는 일.
494) 총준(聰俊) : 슬기롭고 영리하며 풍채가 빼어남. 또는 그런 사람.
495) 계수(稽首) : 계수배(稽首拜). 절의 일종. 머리가 땅에 닿도록 몸을 굽혀 하는 절이다.
496) 자모(自募)받다 : 자원자(自願者)를 모집하다. 초모(招募)하다. 의병이나 군대

천정(天廷)에 물러남을 주하여 배사하고, 부친을 모셔 궐문을 나매 만조
가 다 뒤를 좇아 각각 부중으로 향하고, 하원수의 행거를 따로는 군병이
전차후옹(前遮後擁)하여 대로에 메였으니, 위의 거룩함이 만세(萬
歲)[497] 친행하나 이에 더하던 못할지라.

원수가 너무 분요함을 깃거 않아, 장사군졸을 영(令)하여 각각 그 부
모와 처자를 이별하고 삼일치행(三日治行)하여 초지로 행하게 하라 이
르고, 자기는 급히 부친을 모셔 본부로 돌아오니, 조부인이 아자의 출정
함을 듣고 경녀(驚慮)하며, 젊은 나이에 장임(將任)을 감당키 어려우며,
초왕의 만대 원수를 소탕하여 국가 근심을 덜고, 사사 원수를 갚은즉 기
쁘려니와, 흉적의 해함을 입어 삼자의 참사를 보고, 또 원수의 자원 출
정함을 애달아, 길흉을 미리 점복(占卜)지 못하고, 심혼이 요란함을 이
기지 못하더니, 국공이 원수를 데리고 들어와, 원수 일일지내 모친의 기
후(氣候)를 묻자오며 출정하는 바를 고하여, 융복(戎服)한 가운데 늠연
한 상모 천일이 의의(猗猗)하며 태산이 암암(巖巖)하여, 작인의 비상함
이 대개 수화중(水火中)이라도 염려 없을 것이로되, 조부인은 초왕 두자
에 마음이 놀라와 바삐 원수의 손을 잡고 눈물을 흘려, 왈,

"오아(吾兒)가 참화여생(慘禍餘生)으로 고토(故土)에 생환하여, 몸이
청운에 올라 봉익(鳳翼)을 더위잡음도 천만 기약치 않은 일이요, 으뜸은
정병부의 대은이라. 갈수록 몸을 조심하여 스스로 보호할 도리를 극진
히 하여, 우리 생전에 조고만 질양(疾恙)도 지내지 말며, 비록 수삼삭
이별이라도 마침내 떠나지 않음만 같지 못한지라. 초왕과 김탁 흉인으

에 자원하여 입대할 사람을 모집하다. *자모군(自募軍); 모병(募兵)에 자원한
병사들로 조직된 군대.
497) 만세(萬歲) : 천자를 달리 이르는 말.

로써 여형 등을 참망하니, 원수를 이를진대 뼈를 마으고498) 살을 깎아 염통과 간을 회 먹는 즈음이라도, 오히려 지원(至冤)을 다 풀기 어려운데, 일이 마음대로 되지 않고, 병기는 흉지라, 십칠세 소년이 촉지 흉지에서 육칠년을 지내매 문견이 없는지라. 행여 천재(天才) 용이키를 면하여, 학문이 유여함으로 용방(龍榜)에 고등하나, 천병만마 중에 흉봉(凶鋒)을 소탕할 지혜 모략이 쉽지 않거늘, 어찌 국가 중사를 소홀히 정하여 출정을 자원할 리 있으리오. 너를 보내고 우리의 한없는 염려와 무궁한 근심을 어찌 참고 견디리오.”

원수가 모친의 과도히 슬퍼하심과 절박히 염려하심을 민망하여, 안색을 화(和)히 하고 소리를 유열이 하여 왈,

“자위 이 같이 염려하심이 소자 전혀 불민용우하여 국가 대사를 그릇할까 근심하시나, 소자 비록 박덕 불초하오나, 초지를 진정치 못하오며, 수인(讎人)의 머리를 베지 못할까 염려는 없사오니, 다만 이측하는 정리 베는 듯하오나, 승전하여 돌아오는 날 기쁨은 처음 아니 간 것과 비치 못하오리니, 얼마하여 돌아오리까? 복원 자위는 물우(勿憂) 소려(消慮)하소서.”

부인이 아자의 재덕을 믿으나, 이정(離情)이 결연하고, 혹자 흉적을 소탕치 못할까 근심이 깊으니, 원수 위로하여 옥면유풍(玉面柳風)으로 슬하에 엄연(儼然)하매 볼수록 새로우니, 석년 슬픈 일은 왕사(往事)요, 즐거움이 극하되, 국공 부부 절차(切磋) 공근(恭謹)하여 비약(卑弱)하기를 위주하고, 아자 등을 경계하여 온순키를 이르는지라. 국공이 질악(嫉惡)을 여수(如讐)하며 정직함이 남과 다른 고로, 간당의 음해를 받아 삼자를 없이 하니, 이러므로 제자를 화홍(和弘) 유열(愉悅)하라 함이더라.

498) 마으다 : 부수다. 단단한 물체를 여러 조각이 나게 두드려 깨뜨리다.

원수가 부친을 모셔 백일정의 나와 밤을 지낼새, 금평후 부자가 모여 연침(連枕)하여 이정(離情)을 펴며, 원수를 당부하여 흉봉을 소탕하고 개가를 울녀 쉬이 돌아오라 하더니, 하공이 윤추밀의 그릇됨을 탄하여 왈,

"윤명천은 벌써 천양하(泉壤下)의 돌아간 지 오래거니와, 새로이 일컬어 비회를 도울 뿐이요, 유익함이 없거니와, 명강은 몸은 살았으나 마음인즉 죽은 이와 다르지 않아, 거지 당황하고 행사 괴이하여 평일 상쾌하던 품도가 없으니, 나이 소년 같고 성정이 기주호색(嗜酒好色)하는 무리 같으면 혹자 주색에 외입(外入)하다 이르려니와, 이는 그렇지도 않고 한낱 희첩이 없고 술을 과음치 아니하되, 예전과 비컨대 다른 사람이 되었으니, 반드시 향수치 못할 징조라 염려하노라."

금후는 하공이 오히려 유씨의 극악을 알지 못하고, 추밀이 그릇된 곡절을 몰라, 이렇듯 염려함을 들으매, 타문(他門) 부녀의 허물을 언두(言頭)의 올리지 않으려, 역시 윤공의 병이 괴이함을 차석할 따름이니, 병부 참지 못하여 웃고 하공께 고하되,

"윤공의 환후와 상심(喪心) 실성(失性)하신 증세는 구태여 의약으로 효험 볼 일이 아니요, 윤연숙(緣叔)이 마음을 정하여 내당을 떠나시면 스스로 나을 것이로되, 이를 능히 못하시니 어찌 쾌소할 시절을 바라리까?"

하공이 경아(驚訝)하여 그 까닭을 물으니, 병부 미처 대치 못하여서, 금후 양안을 길게 떠, 병부를 보아 왈,

"군자(君子)가 눈으로 친히 보지 못한 일과 듣지 못한 일을 짐작하여 자진(自陳)치 못하나니, 어찌 가히 괴이한 말을 하느뇨?"

병부 머리를 숙이고 말을 못하니, 하공이 소왈,

"형과 소제 내외(內外)할 일이 없거늘 어찌 창백의 말을 막자르느뇨?"

금후 답왈(答曰),

"돈아(豚兒)의 말을 막음이 아니라, 명강이 유질하므로 외헌의 있지

못하고 내당에 머물거늘, 천아가 아비 벗을 기소(譏笑)하여 애처(愛妻)하는 병으로 치니 어찌 괴이치 않으리오."

하공이 소왈,

"형의 말도 옳거니와 명강의 품질은 소제 익히 아는 바라. 소년지시로부터 내당에 침닉(沈溺)함을 괴로이 여겨 매양 외루의 처하던 것이러니, 이제 비록 신질(身疾)이 있으나 자질이 남달리 인효하니, 구병하는 도리 극진할 것이거늘 내루에 박혀있음이 가장 괴이토다."

금후 마침내 유씨의 악행을 이르지 않더라.

원수 연하여 수야(數夜)를 부전에 시침하고 사침을 찾아 윤씨를 볼 뜻이 없으니, 하공 왈,

"여자의 가부 위하는 정으로써 만리타국에 흉봉(凶鋒)을 당하여 가는 곳을 염려치 않을 바 없을지라. 모름지기 금야란 현부를 위로하고 명일 발행케 하라."

원수 이측(離側)하는 하정(下情)을 고하여, 사침(私寢)에 들어갈 뜻이 없음을 고하려 하되, 부공이 매양 '윤씨를 박대하는가.' 염려하시니, 범사에 박정함을 나토지 않으려 함으로, 오직 명을 순수하여 야심 후 윤부인 침실에 들어가 서로 대하매, 소저의 아리따운 태도와 풍완한 용모가 수려쇄락(秀麗灑落)하여, 윤염(潤艶)한 광채 암실의 아롱지니499), 원수 몽사(夢事)를 얻고 부인이 반드시 유신(有娠)할 줄을 짐작한 후는, 전일 같이 은정이 맥맥치 아니하여 부부윤의를 폐하지 않되, 오히려 한 구석에는 측하고 아니꼬운 뜻이 풀리지 않아, 윤씨를 대한즉 상모기질(相貌氣質)과 동용행사(動容行事가) 남달리 아름답기로써, 사람의 차마 못할 음악지사(淫惡之事)가 있음을 차석하여, 능히 측량치 못하되, 친의(親

---

499) 아롱지다 : 아롱아롱한 점이나 무늬가 생기다.

意)를 승순하여 이미 들어와 저를 보매, 길이 무양함을 당부함이 옳으니, 이에 부모를 모셔 감지(甘旨) 봉양에 태만치 말 것을 촉(囑)하며, 흔연히 집수 왈,

"우리 '비웅(飛熊)의 상서(祥瑞)'500)를 응하여 기린(驥驎)501)의 장몽(場夢)502)을 얻음으로부터, 부인이 반드시 태기 있을지라. 분산 전 생이 돌아오려니와, 잉부는 가장 조심함이 옳으니, 몸을 보호하여 삭수를 채와 옥 같은 기린을 생하여 부모의 기뻐하심을 이루라."

윤씨 천연이 손을 빼고 묵묵무언(黙黙無言)하여 봉관을 숙이고 침정(沈靜) 위좌(危坐)하니, 숙숙(肅肅)한 위의 추천이 높으며, 열일(烈日)이 상빙(霜氷)에 비추는 듯, 임하(林下) 사군자(士君子)의 풍이 가작하나, 또 화평하고 너그러움이 일만 화신(花信)이 춘원(春園)에 무르녹는 듯, 승절한 태도가 불가형언이라.

원수가 비록 간부(姦婦)의 음흉한 정적(情迹)으로 치나, 점점 양액(兩厄)503)이 진(盡)하여 부부화락이 온전할 기약이 머지않은 고로, 자연 은근한 뜻이 동(動)하여 이끌어 나위(羅幃)에 나아가매, 옥부방신(玉膚芳身)에 이향(異香)이 만실(滿室)하니, 장부의 정이 황홀할 바로되, 일심(一心)에 측함504)은 가히 풀리지 않으니, 진실로 흠사(欠事)러라.

---

500) 비웅(飛熊)의 샹서(祥瑞) : 아들을 낳을 복되고 길한 조짐. *비웅(飛熊); 아들 낳을 꿈을 말함. 『시경(詩經)』「소아(小雅)」〈사간(斯干)〉에 "길몽이 무언가 하면, 작은곰·큰곰과 작은뱀·큰 뱀이로다. 아버지께서 꿈을 점치니, 작은곰· 큰곰은 남아를 낳을 상서요, 작은뱀·큰뱀은 딸을 낳을 상서로다(吉夢維何 維熊維羆 維虺維蛇 大人占之 維熊維羆 男子之祥 維虺維蛇 女子之祥)."라고 한 데서 온 말.

501) 기린(驥驎) : 하루에 천 리를 달린다는 말. 여기서는 천리마처럼 뛰어난 사내아이를 뜻함.

502) 장몽(場夢) : 일장몽(一場夢). 한바탕 꿈.

503) 양액(兩厄) : 두 사람의 사나운 운수.

하공이 아자의 금슬지정이 어떤가 보고자 하여, 원수의 유모를 채원각에 보내어 그 부부간 사어를 탐청하매, 아자의 은근한 정이 윤씨께 박지 않음을 영행하고, 기몽(奇夢)을 얻어 유신(有娠)키를 쥄을 들으니, 더욱 두굿기고 아름다움을 이기지 못하더라.

명조에 원수 부모께 신성하고 인하여 하직을 고할새, 조부인이 상리지회(相離之懷)를 금치 못하여 왈,

"네 본디 옥골 선비요, 유학을 힘써 공안(孔顏)505)의 도덕성행을 효칙하라 한즉, 거의 우러러 배우려니와 손오양저(孫吳穰苴)506)의 용맹과 병법은 실로 소여(疏如)할지라. 일찍 육도서(六韜書)507)를 본 일이 없으니, 어찌 흉적 주멸(誅滅)키를 바라리오. 모름지기 삼가 조심하여 국가대사를 그르게 말고 쉬이 개가를 울려 돌아오라."

원수 모친의 과려(過慮)하심을 민박하여 이친이 생래 처음이라. 심사참연함을 마지않으며 돌아 소매를 보아, 왈,

"우형이 초지(楚地)를 평정하고 돌아오노라 하면, 거의 육칠삭이나 되리니, 그 사이 이곳을 떠나지 말고, 부모 감지를 윤씨로 더불어 한서온냉(寒暑溫冷)을 때에 어기지 말고, 현매 구가에서 오기를 재촉하거든, 윤씨로 하여금 사정을 고하여, 우형이 환조한 후 나아갈 뜻을 통하라."

소제 대왈,

"소매 사정인즉 부모 슬전(膝前)을 떠나고자 하리까마는, 소매 벌써

---

504) 측하다 : 께름칙하다. 언짢다. 마땅치 않다.

505) 공안(孔顏) : 공자(孔子)와 안자(顏子).

506) 손오양저(孫吳穰苴) : 중국 춘추 전국 시대의 병법가인 손무(孫武) · 오기(吳起) · 사마양저(司馬穰苴)를 아울러 이르는 말.

507) 육도(六韜) : 중국 주(周)나라 태공망이 지은 병법서(兵法書). 무경칠서의 하나로 문도(文韜), 무도(武韜), 용도(龍韜), 호도(虎韜), 견도(犬韜), 표도(豹韜)의 6장으로 되어 있다. 6권 60편.

귀녕한 지 수삭이라. 존당이 여러 순(巡)508) 재촉하시니, 도리에 안연이 잇지 못할지라. 거거의 회정시(回征時)까지 잇기를 어찌 바라리까?"

원수 탄 왈,

"현매의 도리 매양 친당에 잇을 것은 아니로되, 정사가 남 같지 못하여 누년 부모 슬하를 이측하여 성혼 후 처음으로 모이니, 윤부에서 너의 사정을 살핀즉 어찌 우형이 돌아올 사이를 허치 않으리오마는, 벌써 여러 번 재촉하였으면 가려니와, 자주 왕반하여 부모 요적하심을 위로하라."

소저가 순순 응대하고 거거의 만리 출정을 염려하여 쉬이 승전 환조키를 청하니, 원수 소왈,

"우형일랑 염려 말고 현매나 길이 무양(無恙)하여 웃는 낯으로 서로 보게 하라."

이렇듯 담화하여 날이 늦으니, 무궁한 정과 한없는 회포를 참고 부모께 배사(拜謝)할새, 하공이 그 절하기에 미처는 손을 잡고 왈,

"오아가 지혜와 재주를 생각고 자원 출정하여, 수인(讐人)의 간과 염통을 내어 보수(報讐)하기를 바라니, 여부(汝父) 또한 믿는 바라. 병기(兵器)는 흉지(凶地)라 조금이나 소루(疏漏)하면 국가대사를 그릇하는 바니, 모름지기 삼가 파적하고 쉬이 돌아오라."

원수, 배사 수명하고 재삼 성체 안강하심을 축하여, 효자의 도도한 정성이 비길 곳이 없는지라. 공의 부부 아자의 가는 심사를 돕지 않으려 회포를 천만 금억하고, 부인은 눈물을 참으며 공은 비색(悲色)을 감추어 이별할새, 원수 다시금 하직하고 부부 남매 작별하매, 걸음을 돌이켜 밖으로 향하니, 이측하는 심사 베는 듯하여, 봉목에 함루(含淚)하고, 원상 등이 뒤를 따라 이정(離情)의 슬픔을 이기지 못하니, 원수가 삼제를 어

---

508) 순(巡) : 번(番). 차례.

루만져 좋이 있기를 당부하고, 즉시 삼군 장사를 거느려 궐하에 하직하니, 상이 만기(萬機)를 휘동하여 교외에 전별코자 하시더니, 마침 옥체 불안하심으로 황친 국척과 문무 조신으로 문외에 나아가 원수를 보내라 하시고, 하직을 당하여 인견하시어 옥배(玉杯)에 향온을 친히 잡아 취토록 권하시며, 위유(慰諭) 왈,

"짐의 소탁(所託)과 경의 소임(所任)은 나라의 대사(大事)라. 일전(一戰)에 종사(宗社)의 안위와 만민의 생살이 달렸으니, 경은 힘쓰고 조심하여 역적을 주멸(誅滅)하고 개가를 울려 돌아오라."

인하여 상방청룡검(尙方靑龍劍)509)을 주시고 부원수 이하 위령자를 선참후계(先斬後啓)510)하라 하시니, 부장이하가 다 실색(失色)하고, 원수 절하고 사은(謝恩) 왈,

"신수부재(臣雖不才)오나 성상 홍복을 힘입사옵고 제장의 도움으로 초구(楚寇)를 가히 근심치 아니 하오리니, 복망(伏望) 폐하는 초지를 다시 염려치 마소서."

상이 재삼 무위(撫慰)하시고 위험한 땅에 보냄을 아끼시어 웃으며 왈,

"짐이 경을 얻은 지 겨우 달이 넘었거늘, 이제 만리타국에 흉봉(凶鋒)을 당하여 보냄이, 진실로 위태롭고 조심된지라. 경의 특이한 재덕을 믿는 바거니와, 나이인즉 십칠세 소년이라. 혹자 인심을 진복치 못할까 두려우니, 한갓 인덕(仁德)을 힘쓰지 말고 위엄을 빛내어 사졸을 진복(鎭服)하고, 은위(恩威)를 병행케 하라."

원수 순순(順順) 사사(謝辭) 수명하고 날이 늦으므로 하직하니, 어수

---

509) 상방청룡검(尙方靑龍劍) : 청룡을 새긴 상방검. 상방검은 임금이 전장에 나가는 장수에게 내린 검을 말한다.
510) 선참후계(先斬後啓) : 군율을 어긴 자를 먼저 처형한 뒤에 임금에게 아뢰던 일.

로 하원수의 손을 잡으시어 천안이 결연함을 띠어 계시니, 은영이 인세
의 으뜸이라. 원수 성은을 감격함이 각골하더라.

호통 삼차에 대군이 물밀 듯 궐문을 나 성외로 나올새, 원수 몸에 황
금수전포(黃錦繡戰袍)511)에 자금갑(紫金甲)512)을 껴입고, 머리의 순금
봉시(純金鳳翅)투구513)를 쓰며, 요하(腰下)에 양지백옥대(兩枝白玉
帶)514)를 둘러 청총옥설마(靑驄玉雪馬)515)를 타고, 우수에 수자기(帥字
旗)516)를 잡으며 좌수의 상방검(尙方劍)을 들어, 장졸을 영(令)하여 전
후좌우로 행하니, 안광은 삼군을 비추고, 위풍은 회음후(淮陰侯)517) 주
아부(周亞夫)518)의 지난지라. 선풍옥골의 문사 성인(聖人)이 바뀌어 엄
연한 대장이 되매, 행군하는 규율의 정숙함과 대오의 제제(齊齊)함이 유
차법도(有次法度)519)하여 천병만마가 대로상을 메우고, 누런 티끌이 폐
일(蔽日)한 가운데, 검극도창(劍戟刀槍)이 상설(霜雪) 같고 원수의 풍류
신광이 만고 무적이라. 경성 사민이 어깨 부딪치고 눈이 부시도록, 관경
하매 정신이 어리고 춤이 마를 듯하여, 정국공이 위로 삼자를 참망하나

---

511) 황금수전포(黃錦繡戰袍) : 누런 비단에 화려하게 수를 놓아 지은 전포(戰袍).
전포는 장수가 입던 긴 옷옷.
512) 자금갑(紫金甲) : 쇠붙이를 붙여서 만든 붉은색 갑옷.
513) 순금봉시(純金鳳翅)투구 : 봉(鳳)의 깃으로 꾸민 순금투구. 봉시(鳳翅)는 봉의
깃. 투구는 예전에, 군인이 전투할 때에 적의 화살이나 칼날로부터 머리를 보
호하기 위하여 쓰던 쇠로 만든 모자.
514) 양지백옥대(兩枝白玉帶) : 명주에 백옥(白玉)을 붙여 만든 허리띠.
515) 청총옥설마(靑驄玉雪馬) : 옥이나 눈처럼 하얀 청총마(靑驄馬). 청총마는 털이
흰 백마(白馬)로, 갈기와 꼬리부분이 파르스름한 빛을 띠고 있다.
516) 수자기(帥字旗) : 대원수의 군기(軍旗). '帥'자가 쓰여 있다.
517) 회음후(淮陰侯) : 중국 한(漢)나라 개국공신 한신(韓信)의 작위(爵位).
518) 주아부(周亞夫) : 중국 전한(前漢) 전기의 무장, 정치가. 오초칠국(吳楚七國)의
난을 평정해 공을 세웠고 승상에 올랐다.
519) 유차법도(有次法度) : 차례와 법도가 있음.

저 같은 아들을 두었으니 족히 석사를 슬퍼할 바 없다 하더라.

행하여 문외의 이르니, 열후(列侯) 구공(九公)520)과 만조 문무 일제히 모여 장막을 이루매, 연차(宴遮)를 배설하여 잔을 잡아 원수를 전별하니, 상이 어악을 보내어 계신 고로, 균천광악(鈞天廣樂)521)은 하늘을 흔들고 팔진성찬(八珍盛饌)은 상마다 가득하여, 만조문무 작차로 정좌하고, 원수 삼군장사를 거느려 잠깐 참연할새, 날리는 잔은 분분하고 파적승전하여 쉬이 환조하라 하는 말씀은 끊임없이 이어지고, 원수를 원리(遠離)함을 아니 결연(缺然)522)해할 이 없더라.

윤추밀이 조정인사로 또한 이에 왔더니, 일분 사람의 마음이 있어, 서랑의 특이한 풍채와 기상을 흠애하여 손을 잡고, 위로 왈,

"오늘날 현서(賢婿)의 행색이 대장부의 쾌사요, 남아의 사업일 뿐 아니라, 위로 국가근심을 덜고 아래로 사수(私讐)를 갚을 조각이라. 현서의 재덕으로써 얼마하여 흉적을 주멸(誅滅)하고 개가를 울려 돌아오리오마는, 병기는 흉지라. 모름지기 몸을 조심하여 만리타국에 구치(驅馳)하며 병(病)이 없게 하라."

원수 몸을 굽혀 사사하고, 그 사이 존후(尊候) 안녕하심을 청한 후, 긴 설화를 펴지 아니하더라. 일색이 반오(半午)에 원수를 작별할새 원수 팔을 들어 만좌의 하직 왈,

"미말(未末) 소생을 위하여 만조(滿朝) 존공(尊公)의 천금지구(千金之軀)를 굴하시어 전별하심을 당하니, 위로 성은의 관유하심을 황감하고, 아래로 제공의 후의를 감사하옵나니, 종일 담화하나 이회(離懷)의 결연

---

520) 구공(九公) : 구경(九卿). 삼정승(三政丞) 육판서(六判書)를 함께 이르는 말.
521) 균천광악(鈞天廣樂) : 하늘에 닿을 정도로 큰 음악소리.
522) 결연(缺然)하다 : 섭섭하다. 서운하다. 무엇인가 모자라거나 빠진 것이 있는
      것 같아 섭섭하고 서운하다.

함을 생각하매, 풍악에 뜻이 없으니, 청컨대 열위 존공은 성상을 모셔 길이 안락하소서."

제공이 연성하여 만리 행군을 무사 득달하여 입공승전함을 일컬어, 일시에 몸을 일으켜 원수를 보낼새, 차일 하공은 국체(國體)로 인하여 문외에 송별하는 것이 옳으나, 칭병불래(稱病不來)하고 금후 부자가 나왔는지라. 원수 금후 슬전에 배사 하직 왈,

"연질(緣姪)이 비록 만리에 출정하오나 가친의 참연하신 심사를 위로하시어, 조석 상종하실 바는 연숙과 죽청 형제 등을 믿사온지라, 연숙은 그 사이 안강하시고 별원에 자주 왕래하심을 바라나이다."

금후 집수 왈,

"비록 이르지 않으나 조왕모래(朝往暮來)하여 자의 나간 때를 타, 영엄의 요적함을 위로치 않으리오. 오직 국가 대사를 그르게 말라."

원수 사사하고 죽청과 윤청문 형제로 각별한 이정(離情)을 베풀어 집수(執手) 의의(依依)하여523) 분수할새, 군정사가 급함으로 대군을 휘동하여 초지로 향하니, 위덕은 제갈(諸葛)524)을 따르고 행군기율이 엄숙한지라. 말은 비룡(飛龍) 같고 장수는 맹호 같으니, 금고(金鼓) 제명(齊鳴)하고 검극(劍戟)이 상설(霜雪) 같아서 지나는 바의 초목을 불범하니, 만조 제공이 멀리 바라보고 원수의 기이함을 탄복하더라.

금평후 부자가 바로 하부의 와 하공을 보고 원수의 위덕을 칭찬하니, 하공이 심리의 깃거 이정(離情)이 결연할지언정, 파적할 바는 근심치 아니 하더라.

---

523) 의의(依依)하다 : 헤어지기가 서운하다.
524) 제갈(諸葛) : 중국 삼국 시대 촉한의 정치가 제갈량(諸葛亮; 181~234). 자(字)는 공명(孔明). 시호는 충무(忠武). 뛰어난 군사 전략가로, 유비를 도와 촉한(蜀漢)을 세웠다.

하원수 초지로 향한 후, 상이 하공에게 각별한 은총을 뵈시어 상방어선(尙方御膳)과 황봉어주(黃封御酒)를 보내시매, 이정(離情)을 위로하시는 중사(中使)가 도로에 이었으니, 인신의 얻기 어려운 은영이라. 하공이 황공 감은하여 혹자 가득하면 넘치는 환이 있을까 두려, 날로 공근 겸손함을 위주하매, 도리어 겸퇴함이 과도하더라.

윤부에서 유씨가 하소저를 친당에 편히 둠을 만분 통해하여, 고모(姑母)525)를 촉하여 어서 부르라 하니, 태부인이 거짓 그리워라 하고 하씨를 부르니, 윤씨 비록 소고(小姑)의 사정을 고하나 불청하고 재촉하는지라. 하씨 부득이 친정을 떠나 구가로 나아가매, 일천장 굴형의 빠진 듯, 남다른 회포 있는 줄 부모께도 사색치 못하고, 다만 양가 부모께 배사하고 돌아갈새, 하공 부부 결연함을 측량치 못하고, 금평후 부부는 윤부 가변을 아는 고로 양녀를 위하여 염려 등한(等閑)치 아니 하더라.

하소저 구가에 돌아오매, 태흥과 유씨가 마음대로 조르고 보채지 못하는 바는, 현아소저의 안면을 거리껴 시원히 보채지 못하여, 물고 못 먹는 고기 같아서, 남모르게 고요히 졸라 죽일 듯이 하며, 여러 이목이 없은즉 경각에 죽일 듯하고, 음식도 잘 주지 않으며, 예 없던 허물과 않은 말을 날로 주출(做出)하여 온 가지로 돕는 자는 석상서 처 경애라. 점점 극악 간교함이 그 모에 위라. 하·장의 천만 고상(苦狀)은 이르지도 말고, 태우 형제의 못 견딜 경계 날로 더하고 시로 층가(層加)하니, 실로 보전키 어렵더라.

화설 정소저 혜주 장사로 향할새, 도로 요원하여 여러 천리라. 경사에

---

525) 고모(姑母) : ①시어머니. ②아버지의 누이. 여기서는 '①시어머니'를 말함.

서 출행할 때에 백화가 성개(盛開)하며 초목이 무성하더니, 적지(謫地)
의 나아가매 춘화(春花) 떨어지고 일기 점점 훈화하여, 원로 행발에 추
위로 고생함이 있지 아니하되, 원억한 죄루를 실어 누천리 타향에 찬출
하는 정사가 자못 슬프거늘, 하물며 정소저의 지극한 성효로써 존당 부
모께 한 일도 효를 이루지 못하고, 참참한 죄명과 험난한 화액이 남에
없는 경계로, 친당에 무궁한 불효를 이겨 쌓을 곳이 없을지라. 평생 인
효와 예의를 심사(尋思)하던 바가 '그림의 떡'526)이 되고, 대효를 펼 곳
이 없으니, 비록 하늘이 굽어보고 있을지라도 친당에 돌아가고 싶은 마
음이 화복사생간(禍福死生間)에 한 때도 떠난 적이 없으나, 자기 신세와
명도를 헤아리매 차악 비절함을 이기지 못하니, 조모와 부모는 오히려
제거거(諸哥哥)의 화성유어로 위로하여 잊음이 계시려니와, 존고 조부
인은 참황한 심사를 긴 세월에 사르고 계실지라. 마침내 화액을 소멸하
고 가내를 진정하여, 태부인과 유부인을 감화하여, 조손고식(祖孫姑媳)
과 부부 동기 일가의 모여 줄길 길이 없는지라. 망망한 장래사를 예탁키
어려우니, 비회(悲懷) 층가하여 연연(軟軟)한 옥장(玉腸)이 날로 사위어
감을 면치 못하되, 시랑이 호언(好言) 관위(款慰)하여 행도를 조심하니,
소저 명도를 한탄하나 거거의 지극한 우애지정을 감동하여 심사를 강인
(强忍)하되, 흑 불평한 곳이 있으면 수일씩 행거를 멈추니, 이러므로 일
자가 천연하여, 황능묘(黃陵廟)527)의 다다라는 시랑이 소저더러 왈,

"우리 즐거이 행하는 바 아니니 풍경을 유람하여 쾌한 심사 없으려니
와, 이미 황능묘를 지나며 고적을 보지 못함이 불가한지라. 금일 이곳에

---

526) 그림의 떡 : 아무리 마음에 들어도 이용할 수 없거나 차지할 수 없는 경우를
이르는 말.
527) 황능묘(黃陵廟) : 중국 순(舜)임금의 두 왕비 아황(娥皇)과 여영(女英)을 제사
하는 사당(祠堂). 호남성(湖南省) 소상강(瀟湘江) 가에 있다.

머물러 자고 성현의 자취를 관경(觀景)하리라.”

소저 탄 왈,

“제순(帝舜)은 대효의 성군이시요, 이비(二妃)528)는 만고 성비시라. 그 자취를 가히 구경코자하여도 쉽지 못하려니와, 소매 같은 비루한 위인이 황능묘의 배현함이 불가한가 하나이다.”

시랑이 역탄(亦嘆) 왈,

“고수(瞽瞍)와 상모(象母)529)의 사나움으로 대순(大舜) 곳 아니면 감화치 못하려니와, 네 구가 조모 숙당같이 이심(已甚)함은 상모와 고수에서 백배 승(勝)이라. 현매의 찬출한 근본이 위·유 양부인의 작해라. 어찌 윤부 가내 온전함을 바라리오. 수연(雖然)이나 사원 사빈의 출천대효는 제순(帝舜) 증삼(曾參)530)이 재세하시나 더하지 못하시리니, 천도의 순환함 곧 있으면 사원 등이 거의 흉포한 자모와 악악한 양모를 감화하여, 천륜의 변이 다시 없을까 바라나니, 현매 어찌 자처 죄인하여 누얼을 부끄러워하느뇨?”

인하여, 시랑과 소저 황능묘에 배알하매, 남매 감화하여 두어 줄 눈물이 내림을 깨닫지 못하고, 소저는 더욱 이비(二妃)의 성덕과 순천자(舜天子)의 일월지덕(日月之德)을 일컬어, 탁세(濁世)에 다시 이 같은 성군이 나지 못할 바를 차석(嗟惜)하더라.

차야에 시랑이 공차(公差)로 더불어 외사(外舍)에 숙침하고, 소저는

---

528) 이비(二妃) : 중국 순(舜)임금의 두 왕비이자 요(堯)임금의 두 딸인 아황(娥皇)과 여영(女英).

529) 상모(象母) : 순(舜) 임금의 이복동생인 상(象)의 어머니. 포악한 계모의 전형이다.

530) 증삼(曾參) : 중국 노나라의 유학자. 자는 자여(子輿). 공자의 덕행과 사상을 조술(祖述)하여 공자의 손자인 자사(子思)에게 전하였다. 후세 사람이 높여 증자(曾子)라고 일컬었으며, 저서에 ≪증자≫, ≪효경≫ 이 있다.

홍선 등 비자로 더불어 황능묘 곁에 집 잡아 지낼새, 황능묘 풍경과 소
상강(瀟湘江)531) 흉용한 물소리 사람의 심회를 도우니, 소저가 멀리 경
사를 첨망(瞻望)하여 사친지정(思親之情)이 간절할 뿐 아니라, 신생유치
(新生幼稚)를 던지고 아득히 내려와, 위태부인 고식(姑媳)의 용심을 생
각건대 반드시 가만한 가운데 해함이 없지 않을지라. 모자 능히 산 낮으
로 보기 어려움을 슬퍼하다가, 윤태우 형제의 위란한 신세와 참참한 곡
경을 헤아리매, 천신이 보조(輔助)치 않을 진대 삶이 어려운지라. 자기
몸이 비록 장사지계(長沙地界)에 다다라 있으나 마음인즉 경사의 있어,
천사만상(千思萬想)하여도 위·유 양부인을 감화하여 윤태우 형제가 인
륜이 온전한 사람이 되기를 바라지 못할지라. 우우(憂憂)히 봉황미(鳳凰
眉)를 찡기여, 촉하에서 주역팔괘(周易八卦)를 벌여 친(親)·구(舅) 양
가의 유자(乳子)를 위하여 길흉을 추점하매, 이 본디 별출(別出)한 재주
라. 신기치 않은 곳이 없으므로 점사(占辭)의 기특함이 아니 맞는 곳이
없는지라. 추점 양구(良久)에 한 과532)를 얻어 그윽이 헤건대 자기 액
회 흉함은 이르지도 말고, 부모의 운수가 손아(孫兒)를 실리(失離)하여
자손으로써 근심을 놓지 못하고, 윤태우의 액회 진할 날이 멀었고, 슬하
의 유치를 잃어 신석(晨夕)에 참통함을 품을 듯하니, 소저 스스로 낮빛
이 변함을 깨닫지 못하고, 추수징청(秋水澄淸)533)이 떨어짐을 면치 못

531) 소상강(瀟湘江) : 중국 호남성(湖南省)에서 발원한 소수(瀟水)와 광서성(廣西
省)에서 발원한 상강(湘江)여 호남성에 있는 동정호(洞庭湖)에서 만나 이루어
진 강. 주로 호남성 동정호 지역을 일컫는 말로 경치가 아름답고 소상반죽(瀟
湘班竹)과 황릉묘(黃陵廟) 등 아황(娥皇) 여영(女英)의 이비전설(二妃傳說)이
전하는 곳으로 유명하다.
532) 과 ; 괘(卦). 중국 고대(古代)의 복희씨(伏羲氏)가 지었다는 글자. ≪주역≫의
골자가 되는 것으로, 한 괘에 각각 삼 효(爻)가 있고, 효를 음양(陰陽)으로 나
누어서 팔괘(八卦)가 되고 팔괘가 거듭하여 육십사괘(六十四卦)가 된다.

하여, 양구 후 탄 왈,

"유아를 취운산에 데려오던 날 내 마음이 자겁(自怯)하여 괴이함을 이기지 못하더니, 우리 부모 슬하에 무사히 자라남을 얻지 못하여, 벌써 독수에 화를 보았으리니, 나의 신세 명도 형언하여 이를 것이 없으나, 오히려 일 골육을 끼쳐 비록 신생 유아나 저의 작성 기질이 용이치 않으니 바람이 적지 않더니, 간당의 독해 절절이 씨를 없애려 하는지라, 어찌 점사와 다르리오. 이에 또 우리 부모 손아를 실리하실 운수시니 윤·양·이 삼인의 자녀를 어찌 보전하였으리오."

언파의 상연(傷然) 유체(流涕)하니, 혜선이 위로 왈,

"부인이 전후 곡경이 차마 못 견딜 바로되, 일찍 이렇듯 과상하심을 보옵지 못하였더니, 어찌 이제 부질없는 비회를 요동하시어 과상하시나니까?"

소저 처연 타루하여 전전불매(輾轉不寐)하다가, 야심하매 취침하여 잠깐 접목(接目)하매, 사몽비몽간(似夢非夢)에 청의여동(靑衣女童)이 앞에 이르러, 절하여 왈,

"성모낭랑(聖母娘娘)이 소저를 청하시더이다."

소저 답왈,

"나는 인간의 미(微)한 사람으로 다시 몸에 살인 죄명이 있거늘, 어찌 감히 성모낭랑께 배알하리오."

선동(仙童)이 재촉하여 왈,

"낭랑이 부인을 보고자 하시니 사양치 말고 나를 좇아오소서."

소저 자연이 동신(動身)하여 여동(女童)을 좇아 한 곳에 다다르니, 주궁패궐(珠宮貝闕)이 반공(半空)에 어려534) 있고, 상운서애(祥雲瑞靄)가

---

533) 추수징청(秋水澄淸) : 맑고 맑은 가을 물. 여기서는 '눈물'을 말함.

몽몽하여 인세 궁궐과 같지 아니하더라. 여동이 안으로 들어 가더니 이
윽고 나와 낭랑의 명으로 들어옴을 이르니, 기이한 향취와 무궁한 서광
이 찬란하거늘, 전상 황금 교위 위에 일위 부인이 구장면복(九章冕
服)535)과 칠보영락(七寶瓔珞)536)을 갖추어 좌하고, 아래 또 교위 위에
한 부인이 의복 용모 참치(參差)한 부인이 좌하였더라. 여동이 소리하여
낭랑께 배알하라 하니, 소저 가르침을 좇아 계하에서 배례하니, 이비(二
妃) 명하시어 전상(殿上) 주렴을 거두라 하시고, 가까이 좌를 주어 앉음
을 명하시니, 정씨 사양하다가 마지못하여 좌에 나아가매, 양위 낭랑이
옥음을 열어 가라사대,

"과인은 제요의 양 공주요, 제순의 두 안해라. 세상을 버린 지 여러
천년이나, 명명한 정령은 오히려 앎이 없지 아니하더니, 이제 부인이 원
억한 죄루를 실어 이향만리(異鄕萬里)에 찬적하는 행색이 가히 슬프며
차악하거니와, 천수의 당당한 바를 도망치 못할 것이오. 위·유 이녀의
사나움도 이상하거니와, 원간 윤광천 형제와 그대 등의 액회 차악하고,
전세과보를 차생화란(此生禍亂)으로 당하니, 설마 어찌 하리오. 연(然)
이나 변고를 정(定)한 후에 윤광천 형제와 그대 등의 효의를 빛낼 시절
이라. '세한연후(歲寒然後)에 송백지절(松柏之節)을 아나니'537), 위·유
의 포악함 곧 아니면 어찌 윤광천 형제와 그대 등의 출천대효를 더욱 빛
내리오. 금야의 그대를 청함은 다른 연고 아니라, 그대의 현심숙덕(賢心

---

534) 어리다 : 어떤 현상, 기운, 추억 따위가 배어 있거나 은근히 드러나다.
535) 구장면복(九章冕服) : 임금이나 왕비 등이 입던 예복(禮服)인 구장복(九章服)과
     면류관(冕旒冠)과 곤룡포(袞龍袍)를 함께 이르는 말.
536) 칠보영락(七寶瓔珞) : 칠보로 만든 영락(瓔珞). 영락은 구슬을 꿰어 만든 장신
     구로, 목이나 팔 따위에 둘렀다.
537) 세한연후(歲寒然後)에 송백지절(松柏之節)을 안다 : '날씨가 추워진 뒤에야 소
     나무와 잣나무의 절개를 안다'는 말.

淑德)과 성자광염(聖姿光艶)이 천지일월(天地日月)의 정화(精華)를 앗아, 만고의 희한함이 항복되나, 초년 액회 비상함을 참연하여, 이에 장래사(將來事)를 잠깐 베풀리니, 그대의 화란이 삼년을 견디면 거의 풍운의 길시를 볼 것이오. 처음으로 생자(生子)하여 천륜의 지극한 정이 범연할 것은 아니로되, 마침내 그대 부부의 액회 미진한 연고(然故)로 유아를 실리(失離)하여, 벌써 소가에서 얻어 기르는 바 되었으니, 십여년 후면 천륜이 단원(團圓)하538)리니 과도히 통상(痛傷)할 바 아니라. 다만 유녀 교아가 장사왕의 정비(正妃)가 되어 본국에 돌아왔으니, 장사왕의 극흉함과 유교아의 음일대악이 천승(千乘)의 복을 누리지 못하여, 타일 흉사(凶死)한 음귀 됨을 면치 못하려니와, 아직은 국도에 웅거하여 세권(勢權)이 강장(强壯)하니, 사람을 죽이려 하매 파리 목숨이나 다르지 않을 것이요, 부인이 비록 신명하나 무심 중 불의지변을 만난즉, 능히 잘 방비함이 어려운지라. 교아의 무상 음패함이 제 시녀 금계를 변용시켜 제 대신(代身)을 삼아 윤부에 두고, 저는 개적(改籍)하여 장사왕의 은총을 받음이 되었으니, 그대를 살인 죄수로 치우고, 가유녀 금계를 지른 요리(妖尼)가 대유녀539)와 동심하여 작변한 후, 그대가 목숨을 보전하여 이곳에 찬적함을 미워하여, 교아로 하여금 그대를 해하라고 통(通)한 자 또한 대유녀라. 그대 적소에 일망(一望)을 머물지 못하여 흉적의 화를 만나리니, 모름지기 잘 방비하여 간계를 벗어나라."

정소저 부복(仆伏) 문파(聞罷)에 잠깐 우러러 낭랑을 앙견하매, 정정한 성덕이 외모에 나타나고, 위의 복색이 청결 씩씩한지라. 불승흠앙(不

---

538) 단원(團圓)하다 : 다 모이다. 모나지 아니하고 둥글둥글하다.
539) 대유녀 : 윤수의 부인인 유부인을 달리 이른 말. '소유녀(씨)'는 유교아, '가유녀'는 개용단을 먹고 변용한 금계를 각각 달리 이른 말.

勝欽仰)하여 길이 재배 사왈,

"소첩은 진토(塵土)의 아득한 인생이라. 고금을 아는 일이 없사오되, 오히려 이따금 역대(歷代)를 상고하와 이위(二位) 낭랑의 성덕혜화(聖德惠化)가 크게 기이하심을 우러르옵고, 고금이 달라 능히 성제(聖帝) 성비(聖妃)의 대효지덕(大孝之德)과 성대지치(聖代之治)를 구경할 길이 없사오믈 탄돌(歎咄) 차석(嗟惜)하옵더니, 소첩의 행신이 신기(神祇)를 저버리고 사람이 미(迷)한 연고로 살인대죄를 몸 위에 무릅쓰니, 죽음이 반듯하고 살기를 바라지 못하거늘, 성은을 힘입사와 일명을 보전하여 장사의 찬출하오니, 이에 황능묘를 지나옵는 고로, 비루(鄙陋)한 자취 성묘(聖廟)의 배알(拜謁)함이 황공하오나, 고적(古跡)을 잠깐 관경(觀景)코자 일야를 머물던 바더니, 뜻밖에 몽혼(夢魂)을 인하와 성모 낭랑께 배알하옵고, 미래사를 밝히 이르시어 흉적의 불의지변을 제방(制防)케 하시니, 소첩이 쇄신분골(碎身粉骨)하오나 성은을 다 갚삽지 못하리소이다."

이비 참연 애모하시어 정씨의 손을 잡으시고 위로 왈,

"구가(舅家)에 부득지(不得志)하며, 가부의 위란한 신세를 절민 초조함을 보매, 과인이 마음에 크게 감창함을 이기지 못하나니, 윤광천 형제의 출천대효와 그대 등의 천성에 나타난 바 효우숙덕(孝友淑德)이, 마침내 위·뉴 양인을 감화하여 가내 온전하고, 복경이 융융하여 후적(后籍)의 존귀를 누리며, 자손이 만당하고 영화가 제미(齊美)하리니, 이 때의 적은 화액(禍厄)을 슬퍼 말라."

정소저 순순(順順) 재배 사은하매, 이비 좌우로 하여금 한 그릇 차와 두어 가지 과품(果品)을 가져와 소저를 권하니, 정씨 차를 마시고 과실을 맛보매 기운이 소쇄(蘇灑)하며540) 후설이 서늘하여 인세 과품과 내도하더라. 이윽고 정씨 하직을 고하매 이비 자못 연연 하시어, 재삼 타

일 복록을 이르시고, 가라사대,

"그대 금일 짐을 봄이 범연한 몽사로 알지 말고, 중심에 치부(置簿)하였다가 후일 부부 상봉하여 돌아갈 때에 가히 이곳을 들러 가라."

정씨 사배(四拜) 사은 후 여동(女童)을 따라 도로 나오다가 스스로 깨달으니 침상 일몽이라. 이비(二妃)의 어언(語言) 성덕(聖德)이 안모(眼眸)541)에 삼연(森然)하고, 주궁패궐(珠宮貝闕)이 장려(壯麗)하며 찬란함이 다 눈앞에 머물러 있는 듯, 차과(茶果)의 기이한 맛이 입 가운데 머물러 있는지라. 비록 몽사나 허탄치 않음을 생각하매, 유아(乳兒)는 자기 점사(占辭)와 같아서 잃은 것이 분명함을 헤아리매, 참연통석함을 이기지 못하고, 소유씨 타성에 개적하였음을 짐작하였으나, 장사왕의 정비되었음은 또 모르는 바더니, 몽사를 진실된 것으로 치는 것이 괴이하나, 교아의 간흉극악이 매달(妹妲)의 일류(一類)임을 헤아리매, 새로이 한심 차악함을 이기지 못하고, 신생유아의 사생유무를 쾌히 알지 못하여 종야 초전번민(焦煎煩悶)함을 마지않으나, 이미 점사와 몽사 다 유아를 잃은 듯하니, 비록 보지 않으며 듣지 않으나 위·유 양부인의 용심을 생각하여 헤아리매, 유아를 취운산에 데려온 후, 간계를 행하여 부디 없이함을 지기하여, 천만(千萬) 촉처(觸處)에 담연(淡煙)542)함을 면치 못하더니, 명조에 시랑이 들어와 소저더러 평부를 물으며 길이 슬퍼 왈,

"금일 사오십리만 행하면 적소에 이를지라. 매양 행도의 지리함을 괴로이 여기더니, 이제는 양일만 행하면 되려니와, 우형이 현매를 누천리 타향에 외로이 던지고 돌아갈 바를 생각하니, 차라리 경사에서 호행치

---

540) 소쇄(蘇灑)하다 : 기분이나 몸이 상쾌하고 말끔하다.
541) 안모(眼眸) : 눈.
542) 담연(淡煙) : 엷게 낀 안개. 안개가 낀 듯 흐릿함.

않음만 같지 못하여, 마음이 베는 듯하도다."

소저 도리어 거거를 위로하여 왈,

"소매의 명도 궁험기박하여 사람이 견디지 못할 화액과 죄명이 망극한 지경에 미치나, 오히려 앞이 어둡지 않으니 인세에서는 죄루를 벗지 못하나, 죽어 지하에 나아간즉, 귀신류(鬼神類)에는 더러운 이름을 벗을 것이니, 천만인이 소매로써 간흉(姦凶) 일악(一惡)이라 꾸짖어도, 소매 마음이 안안(晏晏)하여 부끄러운 일이 없으되, 다만 존당 부모께 무한한 불효와 동기(同氣)에게 참연한 염려를 끼치니, 이것이 참지 못할 마디라. 원컨대 거거는 소매를 처음부터 없는 이로 아소서."

시랑이 탄식하고 즉시 행거를 돌려 장사 관읍 성문 밖에 이르니, 본읍 태수는 금후의 문생으로 정시랑 등과 각별한 정이 있음으로, 호주성찬을 가져 십리정(十里亭)543)에 나와 시랑을 맞으며, 윤태우 부인의 찬적을 치위(致慰)하며, 죄루의 참참(慘慘)함을 놀라는지라. 시랑이 추연 탄식하고 매제의 머물 가사를 정하여 달라 하니, 태수 금후 받듦을 친숙질 같은 고로, 그 여아를 편한 하소(下所)544)를 정하여, 이름이 적소(謫所)나 거처와 의식지절을 풍비히 하여, 하처(下處) 광활하고 양미(糧米)와 찬선(饌膳)을 갖추어 소저께 보낸 후, 정시랑을 관읍(官邑)으로 들어가기를 간절히 청하되, 매제의 외로움을 염려하여 수일 후 읍저로 들어감을 대답하고, 즉시 잡은 곳에 이르니, 소저의 거교(車轎) 벌써 안으로 들고, 인리(隣里) 상한여류(常漢女流)가 늙은이와 어린 자식을 이끌어 하처에 와, 경사 공후 갑제의 재상 규옥(閨屋) 귀소저를 구경하려 하되, 시동(侍童)이 엄히 막자르고545), 내당(內堂) 근처에 모르는 사람을 들

---

543) 십리정(十里亭) : 고을로부터 10리쯤 떨어진 곳에 있는 정자나 여관.
544) 하소(下所) : 하처(下處). 거처(居處).

어오지 못하게 하여, 호령이 엄하고 여인(閹人)을 문안에 들이지 아니
하더라. 시랑이 소저의 거처를 살피며, 위로하고 염려함이 비길 곳이 없
어 하더라.

---

545) 막자르다 : 함부로 자르거나 끊다. 사정없이 막다.

명주보월빙 권지삼십팔

    화설 정시랑이 소저의 거처를 살피며 위로하고 염려함이 비길 곳이 없어하니, 소저 거거의 우려함을 민망하여, 좋은 듯이 식음을 나오며546), 사색(辭色)을 화(和)히 하며, 거지(擧止)를 평상이 하되, 적소에 아으라히547) 내려오매 천만사 비황 차악한지라. 연연(戀戀) 옥장(玉腸)이 설설이548) 사위어549) 재 되기를 면치 못하고, 홍선 등 제 시비가 좌우에서 한 때를 떠나지 아니하고 위로함을 마지않으며, 시랑이 차마 바삐 돌아가지 못하여 일순을 소저 적소에서 머물새, 장사 태수가 시랑을 보러 날마다 나오고, 인리에 복거(伏居)한 사대부(士大夫)550)와 인읍(隣邑) 자사 수령이 정시랑의 청현아망을 크게 흠모하여 주찬을 가져 모이는 무리 낙역부절(絡繹不絶)하니, 시랑이 가장 괴로이 여겨하되, 천품이 관홍인자한 고로 보는 이마다 좋이 대접하더라.

    훌훌한 세월이 얼핏 사이의 지나매, 시랑이 마지못하여 돌아가려 할

---

546) 나오다 : (음식을) 내오다. (음식을) 드리다. (음식을) 들다.
547) 아으라히 : 아스라이. 아득하게. 까마득할 정도로 멀게.
548) 설설이 : 잘디잘게. 자잘하게, 미세하게
549) 사위다 : 다 타버리다. 불이 사그라져서 재가 되다.
550) 사태우 : 사대부(士大夫). 태우는 대부(大夫)의 옛말. 조선시대에 대부는 정일품에서 종사품까지의 벼슬에 붙였다.

새, 남매 분수하는 심사 참연비상함을 이기지 못하여, 회포 암암하고 체루(涕淚) 산산(潸潸)하니 능히 말을 이루지 못하고, 시랑의 슬퍼함은 오히려 소저에 더함 같으니, 오열 탄성 왈,

"사람이 동기의 상척(喪慼)을 당하며 골육이 천리 밖 애각(涯角)에 떠나는 자가 하나 둘이 아니로되, 이는 오히려 예사롭거니와, 현매로써 원억한 죄과를 실어 장사에 찬적죄수(竄謫罪囚)를 삼고, 매양 한가지로 있지 못하여, 우형이 돌아가는 정이 베는 듯하니, 장차 이 마음과 이 회포를 무엇으로 형상하며 어느 곳에 비하리오. 바라고 믿나니 현매는 보신지계를 명찰히 하여, 우리 존당 부모의 참절이 염려하시는 바를 생각하라."

소저 거거의 돌아가기를 임하여 심장이 촌할(寸割)함을 비할 곳이 없으나, 시랑의 과도히 슬퍼함이 도리어 민망하여, 안수(眼水)를 거두고 가슴을 어루만져 이윽히 마음을 진정하여 추연 대왈,

"소매는 철석같이 정한 뜻이 벌써 살기를 위주하여, 수화중(水火中)에 임하여도 천백 가지로 보명함을 도모하리니, 하고(何故)로 원앙한 죄루에 죽으리까? 거거는 소매를 여념(慮念)치 마르시고, 원로에 보중하시어 무사히 상경하소서."

인하여 존당 부모와 존고께 상서를 올리고, 날이 늦으매 시랑의 돌아가기를 재촉하니, 시랑이 읍체(泣涕)하여 능히 소저를 떠나갈 뜻이 없으되, 시러금551) 마지 못하여 재삼 소저를 당부하여 몸을 보전하라 이르니, 소저 거거의 마음을 흐트러지게 않으려 하여, 좋은 듯이 대답하고 왈,

"존당과 부모 소매의 이같이 안연자약함을 알지 못하시고, 반드시 잊지 못하시는 염려 큰 우환을 삼으시리니, 거거는 소매의 이같이 관위(款慰)할 바를 일일이 고하여, 부질없이 슬퍼하시는 일이 없게 하소서."

---

551) 시러금 : 이에, 능히

시랑이 탄 왈,

"존당 부모의 참연비도(慘然悲悼)하심과 동기의 정이 다 한가지로, 칼을 삼킨 듯 슬픔을 이기지 못할 바로되, 마침내 현매의 끓는 듯한 회포에 비길 바 아니요, 우형이 너를 위하여 원앙(怨怏) 통도(痛悼)함을 측량치 못하나, 경사에 올라간즉 자연 잊음이 되어 흐르는 세월을 호화에 떠서 보내리니, 장래 길흉은 알 길이 없거니와 여러 형제 남매 가운데 초년 간액(艱厄)이 현매 같은 이 어디 있으리오."

소저 추연 대왈,

"만사 명야(命也)라. 인력의 미칠 바 아니니 현마552) 어찌 하리까? 소매 박복험흔(薄福險釁)하여 남에 없는 변고를 당하나, 누구를 탓하며 무엇을 한하리오."

시랑이 타루(墮淚) 비읍(悲泣)하여 능히 몸을 일으키지 못하더니, 일색이 반오에 공차(公差) 돌아감을 재촉하니, 마지못하여 매제를 당부하여 보중함을 천만번 이르고 체루를 드리워 밖으로 나올새, 한 걸음에 두 번 돌아봄을 면치 못하니, 홍선 등 제시비의 혈읍비도함은 모양하여 견줄 곳이 없는지라. 돌아가는 마음과 보내는 정이 참참하여 경색의 슬픔이 행로(行路) 타루할지라. 시랑이 밖에 나와 시비와 노복을 당부하여 소저를 모시매 태만치 말라 하고, 이곽을 당부 왈,

"밖을 지킴은 전혀 그대만 믿나니, 모름지기 잡인을 일절 문전에 들이지 말고, 노복을 계칙(戒飭)하여 혹자 불의지변이 있어도 방비함을 엄히 하라."

곽이 배사 수명하매 시랑이 상마(上馬)할새, 맑은 누수 삼삼하여553)

---

552) 현마 : 설마, 차마.
553) 삼삼하다 : 산산(潸潸)하다. 눈물이 줄줄 흐르다. 문물이 줄줄 흐르는 모양.

백포광삼(白袍廣衫)을 적시니, 하리 노복이 위하여 슬퍼함을 마지아니하고, 본읍 태수 십리정(十里亭)에 나와 송별할새, 시랑이 가득이 당부하는 말씀이 다 매제를 위하여 각별 고념(顧念)함을 청하니, 태수 순순 응답 왈,

"소제 비록 남녀지별(男女之別)이 엄격하여 영매 부인께 현알함을 청치 못하나, 실로써 마음인즉 받듦을 범연이 않고자 하나니, 현형은 이런 일에 부질없이 염려치 말라."

시랑이 후의를 사례하고, 날이 늦으므로 태수를 이별하고 경사로 향하니라.

어시에 유씨 교아 천고 간음대악의 흉계를 행하여, 금계로 대신을 삼아 윤부에 머무르고, 장사왕으로 은정이 여산약해(如山若海)하여 왕이 귀국함으로부터 교아를 황혹(恍惑) 침닉(沈溺)함이 더하여, 앉으매 손을 연하고 누우매 베개를 같이 하여 수유불리(須臾不離)하는 마음이 있으니, 교아의 요음(妖淫) 간힐(奸黠)함이 천교만태(千嬌萬態)를 지어 왕을 잠가 은총을 요구하여, 장부를 손 가운데 농락하니, 왕이 비록 불인(不仁)하나 오히려 쾌활한 풍도 없지 않더니, 점점 행지(行止) 실성(失性) 음황(淫荒)하여 매양 내궁에 들어있으니, 교아 외람히 국도치정(國都治政)554)을 간예하여, 왕이 결치 못하는 바와 생각지 못하는 바를 다 가르쳐, 문무 신료 작임(爵任) 출적(黜陟)을 스스로 가음알고자555) 하니, 비록 천승지위(千乘之位)가 만승천자(萬乘天子)에 비치 못할 바나, 일국지주(一國之主)거늘, 매달(妹妲) 같은 음악요녀(淫惡妖女) 국정을 병탄

---

554) 국도치정(國都治政) : 나라의 모든 정사(政事).
555) 가음알다 : 관장(管掌)하다. 어떤 일을 맡아 다스리다.

하며 왕을 그릇 만드니, 한갓 인민의 원망 뿐 아니라, 교아 왕을 권하는
바 황성을 함몰하고 왕으로써 만승지주(萬乘之主) 되라 하니, 왕이 또한
외람한 뜻이 있던 고로, 교아의 말을 옳이 여겨 문무 신료를 모아 흉역
(凶逆)을 의논하니, 승상 조섬과 어사 전곡이 만만 불가함을 주하여 가
로되,

"전해 만승지위를 도모코자 하시나 천명을 알지 못하시고 인력으로
행치 못하리니, 지금 대국 천자가 성덕을 잃지 않아 계시고, 문무신료
다 고인의 충의를 가져 천자를 돕사오매, 국태민안을 이루어 사해 안락
하거늘, 장사 소국이 서어(齟齬)한 의사를 내었다가 그릇될 뿐 아니라,
어찌 참화를 면하리까?"

왕이 노하여 간신(諫臣)을 질퇴(叱退)하나, 그 말이 당연한지라, 죽일
뜻은 없더니, 교아 왕을 도도아 조섬 등이 모역 흉계를 품었으므로, 큰
뜻을 막잘라 군장사졸의 예기(銳氣)를 최찰(摧折)케 하니 조섬과 전곡을
바삐 죽이라 하니, 왕이 종기언하여 조섬을 죽이려 위사를 보내어 나래
(拿來)하니, 조섬과 전곡이 왕비의 어질지 못함과 왕을 온가지로써 꾀오
는 바를 미리 알고, 밤을 당하여 가만히 남자는 여복을 고치며 여자는
남복을 개착하여 가속(家屬)과 일가가 다 머리를 깎고 수염을 없이 하
여, 각각 남승(男僧)과 니고(尼姑) 되어 집을 떠나며, 글을 지어 빈 집에
붙이니, 그 뜻이 국군의 불인과 왕비의 요사(妖邪)를 탄하여, 왕이 이미
대국을 반코자 함으로, 저희는 왕을 반하여 멸망지화를 취치 아니 하렸
노라 하고, 자취를 깊이 감추어 하룻밤 사이 상강(湘江)556) 배를 타고,
거처를 모르게 도망하니, 위사가 잡으러 왔다가 헛되이 돌아와 왕께 이
소유를 고하니, 왕이 대로하여 그 붙이고 간 글을 떼어다가 보고, 분기

---

556) 상강(湘江) : 소상강(瀟湘江).

막힐 듯하되, 거처를 알지 못하니 장차 무엇을 잡으리오. 교서를 내려 각도에 행이(行移)[557]하여 조섬과 전곡을 잡아들이라 하고, 선발제인(先發制人)[558]으로 천조에 표를 올려, '승상 조섬과 어사 전곡이 불궤(不軌)를 꾀하다가 도망하였으니, 대국에서 팔방구주(八方九州)에 심방(尋訪)하여 역신(逆臣)을 잡게 하소서' 하고, 왕이 문무신료를 모아, '대국을 도모치 않는 자는 머리를 베고 수족을 이처(離處)하여 분을 풀리라' 하니, 제신이 다 두려 입을 열 이 없고, 왕의 마음을 맞추는 자는 순순이 일컬어 장수를 초모하고 군기를 성히 하되, 왕이 궁흉함으로 사기를 알 리 없고 대국에서도 아득히 모르게 하더라.

유교아, 신묘랑이 이따금 왕래하여 숙모의 평문(平聞)[559]과 부모의 소식을 앎이 있더니, 이미 묘랑이 정씨 되어 금계를 지르고, 정씨로써 살인죄수를 삼아 장사에 안치(安置)함을 들으매, 숙모의 당부를 기다리지 않아서 정씨를 죽일 마음이 있거늘, 유부인의 만편(滿篇) 서사가 다 정씨를 죽이라 하였으니, 교아 요괴년이 묘랑을 돌아 보내고 가만히 정씨 해할 모책을 생각하매, 정씨 위인이 남다르고 절행이 크게 특이하니 결단하여 이성을 섬길 바 아니라. 차라리 왕을 꾀와 정씨를 잡아다가 빈희(嬪姬)를 정하라 권하려 하니, 이는 정씨 왕의 뜻을 승순치 아니하고 죽을 줄 헤아려, 짐짓 투기 없음을 자랑코자 하여, 왕을 대하여 왈,

"장사에 새로 적거 죄인 정씨는 금평후 정연의 여요, 어사 윤광천의 조강이라. 첩이 경사에 있을 제, 정씨의 성화를 익히 들으니 용모기질이 고왕금내에 독보할 뿐 아니라, 미혼전 태자비 간선에 참예하매, 백태동

용(百態動容)이 기이함을 제후(諸侯) 아름다이 여기사 태자비를 정코자
하시니, 정씨 윤가에 빙폐를 받았음으로 절행을 지켜 죽기를 그음하여
상의를 받들지 않으니, 제와 후(后)가 기특히 여기사 숙렬비를 봉하시어
정문 포장하시고, 은권을 띠여 윤가에 속현하매, 윤광천이 허랑방일(虛
浪放逸)하여 호주 탐색함이 지내볼 곳이 없으니, 정씨의 아름다움을 공
경치 아니하고, 광천의 조모 위씨 시험(猜險) 포려(暴戾)하여 손부를 거
느리매 은혜를 행하는 일이 없으니, 정씨 심화 성하여 거의 미칠 듯하다
함을 경사에서 들었더니, 이제 그 적인 유씨를 죽인 죄로, 성상이 그 위
인을 아시는 고로, 감사 정배하심이니 당차시 하여는 윤가를 깊이 원망
하고 처음에 빈 채례(采禮)560)를 지켜 태자비 사양함을 한한다 하니,
첩이 그윽이 생각건대, 문왕(文王)이 성군이시되 태사(太姒) 같은 성비
를 두시고 삼천후궁을 갖추시나, 남자의 호신은 예사요, 서인도 일처 일
첩은 성교에 허하신 바라, 전하 천승지주(千乘之主) 되사 불민한 첩으로
정비를 봉하시고, 한낱 궁희도 빈어(嬪御)에 두지 않으시니, 첩이 매양
대왕의 적막하심을 탄할 뿐 아니라, 지금 남녀간 골육이 없으니 국가에
이만 불행이 없는지라. 첩의 어린 소견인즉, 대왕이 무지모야(無知暮
夜)561)에 무사 갑기(甲器)를 성히 하여, 영오한 궁비로 일승(一乘) 교자
가운데 정씨를 담아 궐중에 데려와, 대왕이 은혜로 달래시고 위엄으로
저히시어 정씨로 빈희를 삼으시면, 첩이 비록 태사의 너른 덕이 없으나,
한낱 정씨는 좋이 은애로 거나릴 만하오리니, 그 인물이 용속지 않으니,
살인악사 있으나 첩이 인의로써 경계한즉, 정씨 반드시 마음을 고치리

---

560) 채례(采禮) : =납폐(納幣). 혼인할 때에, 사주단자의 교환이 끝난 후 정혼이 이
루어진 증거로 신랑 집에서 신부 집으로 보낸 예물. 보통 밤에 푸른 비단과 붉
은 비단을 혼서와 함께 함에 넣어 신부 집으로 보낸다.
561) 무지모야(無知暮夜) : 밤에 남이 모르게.

니, 개과책선은 처음 어진 이에서 났다 하오니, 원컨대 대왕은 그 만고
무비(萬古無比)한 색광기질과 환혁한 문미(門楣)562)를 생각하시어, 비
록 정비는 불가하나 한 빈희는 허물할 바 아니니, 석(昔)애 진상국부인
(陳相國夫人)563)이 다섯 번 개가(改嫁)하였으되 진평(陳平)이 후대하였
나니, 원(願) 대왕은 미첩(微妾)의 구구(區區)한 사정을 윤종(允從)하실
지니이다."

왕이 요녀의 간언을 들으매, 희기(喜氣) 미우(眉宇)를 움직이고 웃는
입이 열림을 면치 못하여, 흔연 답왈,

"과인이 평생 흠모하는 바 절색숙녀의 방향(芳香)이러니, 뜻밖에 현후
를 취하니 색덕혜화(色德惠化) 고(孤)564)의 소망의 과의(過矣)라. 이제
는 서자(西子)565) 왕장(王嬙)566)같은 용색과 임사(姙似)567) 번월(樊
越)568)같은 덕이 있는 숙녀라도 다시 향의(向意)할 마음이 없더니, 현

---

562) 문미(門楣) : ①문벌, 가문. ②창문 위에 가로 댄 나무. 그 윗부분 벽의 무게를
받쳐 준다.
563) 진상국부인(陳相國夫人) : 중국 전한(前漢) 혜제(惠帝) 때의 좌승상(左丞相) 진
평(陳平)의 아내 장씨(張氏). 그녀는 부잣집 딸이었으나 박복하여 다섯 번이나
시집을 갔지만, 그때마다 남편이 갑자기 죽어 아무도 그녀에게 장가들려 하지
않았다. 당시 가난한 총각이었던 진평이 그녀를 아내로 맞아, 부(富)를 얻고
출세하여 벼슬이 상국(相國)에 이르렀다.
564) 고(孤) : 예전에, 왕이나 제후가 자기를 낮추어 이르던 일인칭 대명사
565) 서자(西子) : 중국 춘추시대의 월(越)나라의 미인 서시(西施). 오나라에 패한
월나라 왕 구천이 서시를 부차에게 보내어 부차가 그 용모에 빠져 있는 사이
에 오나라를 멸망시켰다.
566) 왕장(王嬙) : 왕소군(王昭君). 중국 전한 원제(元帝)의 후궁. 이름은 장(嬙). 자
는 소군(昭君). 기원전 33년 흉노와의 화친 정책으로 흉노의 호한야선우(呼韓
邪單于)와 정략결혼을 하였으나 자살하였다. 후세의 많은 문학 작품에 애화(哀
話)로 윤색되었다
567) 임사(姙似) : 중국 주(周)나라 현모양처(賢母良妻)인 문왕의 어머니 태임(太姙)
과 무왕(武王)의 어머니 태사(太姒)를 함께 이르는 말.

비의 천거하는 바 정씨는 과인이 황성에 있을 적부터 익히 성화(聲華)를 들은 바더니, 현비 또 그 성화를 밝히 들으며 여차하다 하니, 아지못게라! 현비 어디로 좇아 자세히 들음이 이다지도 소연(昭然)하뇨?"

교아가 더욱 어진 체하여 낯빛을 온유히 하여 사례 왈,

"첩의 불민함을 대왕이 허물치 않으시고 이렇듯 과도히 칭선하시니, 첩이 부끄러워 죽으리로소이다. 정씨는 첩이 친견한 바 아니나 아름다움을 본 듯이 아는 일이 있으니, 살인지명(殺人之名)이 차악하나 대왕은 그 부형의 세권과 재용의 특이함을 살피시어 거두어 빈희를 삼으소서."

왕이 흔흔히 장염(長髯)을 어루만져 웃어 왈,

"현비의 너른 덕량과 성덕혜화가 갖추 빼어남을 이미 안지 오래거니와, 그 중에 더욱 투기 없음이 남다르도다. 정씨 절행과 색광은 고(孤)569)의 들은 바라. 천자의 정문(旌門) 포장(褒奬)하심이 그 정절을 아름다이 여기심이니, 이제 정씨 장사에 적거하나 윤광천 위한 본 뜻을 지켜 과인의 빈희 됨을 원치 않을진대 능히 할 일 없거니와, 본디 호화에 생장하여 누천리 원도(遠道)에 안치(安置)를 괴로와 하며 고의 부귀를 흠앙하는 마음이 있으면 순히 좇으리니, 유씨를 질러 죽임이 모질고 사오납다 하려니와, 고의 위풍을 두려워하지 않을 이 없으니, 현후의 성덕혜화를 감열하여 자연 개과책선함도 없지 않으리니, 어찌 좇지 않으리오."

교아가 교언영색(巧言令色)으로 사례하여 어서 정씨를 데려오라 하니, 왕이 소왈,

"미인의 기특함을 들으매 고의 뜻이 더욱 바쁘되, 장사(長沙)570)가

---

568) 번월(樊越) : 중국 초나라 장왕(莊王)의 비(妃)인 번희(樊姬)와 소왕(昭王)의 비 월희(越姬). 둘 다 어진 마음으로 남편의 정사를 간(諫)해 덕행으로 유명하다.
569) 고(孤) : 예전에, 왕이나 제후가 자기를 낮추어 이르던 일인칭 대명사.
570) 장사(長沙) : 중국 호남성의 동부 곧 동정호(洞庭湖) 남쪽 상강(湘江) 동쪽 하

비록 한 가지 땅이나 대국 토지를 베어 소국을 배판(配判)하매, 사이에
큰 물이 가리어 순풍을 만나야 행선하리니, 과인이 번신(藩臣)571)으로
의논하여 정씨를 데려오리라."

교아 왈,

"이 일이 구태여 정도가 아니니, 대왕은 여러 신료로 번거히 의논치
마시고, 대왕이 친신(親信)한 자를 가려 의논하소서."

왕이 교아의 말마다 옳음을 일컫고, 가만히 영신을 불러 차사를 의논
하니, 영신이 본디 왕의 뜻을 마치는지라. 응성 대왈,

"전하, 정씨를 데려오고자 하시면, 신이 비록 용렬하오나 수백 기(騎)
를 거느려 정씨의 적소에 나아가 정씨를 데려오리이다."

왕이 대열하여 영신으로 하여금 수백 기를 거느려 가라 하고, 영리한
궁인으로 일승(一乘) 교자(轎子)를 주어 정씨를 위력으로 잡아 교자에
넣어 돌아오라 하니, 영신과 궁인이 수명하여 천조(天朝)572) 장사로 나
아갈 새, 사기 비밀하여 알 리 없고, 영신이 효용하며 처신이 능려함으
로 정씨 데려옴을 근심치 않더라.

정소저 시랑이 돌아가고 누천리 타향에 외로이 던져져, 살인죄수로
장사에 찬적함을 사람마다 성은이라 일컬으니, 누를 대하여 원억함을
폭백(暴白)하리오. 속절없이 연연한 심장을 태우며 참담한 심회를 형용
치 못할 뿐 아니라, 이곽이 밖을 지키고, 본읍 태수가 순시군 십여인씩
을 정하여 밤인즉 순라(巡邏)하기를 게을리 아니하되, 소저 스스로 우구
하고 두려운 마음이 춘빙(春氷)을 디디며 침상(針上)573)을 밟은 듯하여,

류에 있는 도시. 수륙 교통의 요충지이며 호남성의 성도(省都)이다.
571) 번신(藩臣) : 중앙에서 먼 곳에 있는 감영의 관찰사.
572) 천조(天朝) : 천자의 조정. 여기서는 천자가 다스리는 나라의 땅.
573) 침상(針上) : 바늘 끝.

능히 방하(放下)치 못하는지라.

가만히 아침마다 자기 운수를 추점하더니, 시랑이 돌아간 십사일이 넘지 못하여 도적의 환이 있을 듯한지라. 소저 즉시 시노(侍奴)를 명하여 풀을 베어들이라 하여, 그윽한 곳에서 초인(草人) 칠팔 인을 만들어 장속(裝束)하여, 의복과 복색을 장수 모양을 하여 목검(木劍)과 투구를 쓰이며 칼을 쥐어놓으니, 홍선 등이 의아하여 곡절을 묻는지라. 소저 탄 왈,

"인생 세간에 괴롭고 구차함이 나 같은 이 어디 있으리오. 초장(草將)을 만듦이 보기에 수상하나 쓸 곳이 자연 있으리니 부질없이 묻지 말라."

홍선 등이 크게 괴이히 여기나 다만 다시 묻지 못하여, 소저의 하는 거동을 볼 뿐이러니, 차일 황혼에 소저 홍선으로 하여금 초인을 내정(內庭) 문 앞으로 좇아 뒤 장원 아래까지 벌여 세우고, 이곽에게 통하여 왈,

"관인이 밖을 지키매 범연할 것은 아니로되, 주야 나의 마음이 위태로우니, 읍저(邑底)에 들어가 순시군 수십 인을 더 얻어 각각 집 뒤 뫼 아래 매복하였다가, 불의지변이 있거든 힘써 막자르라574)."

이곽이 수명하여 즉시 읍저에 가 태수께 뵈고, 순시군을 더 청하니 태수 소왈,

"부인의 머무시는 곳은 관읍서 지척이요, 밤마다 순시군 십여인씩 문전 좌우 전후로 갈라 지키니, 위태로운 일이 없으되, 후백이 돌아가고 천리 원향(遠鄕)에 외로이 유찬(流竄)하시매, 자연 마음이 비황(悲惶)하여 심번(心煩)하심이 괴이치 아니하되, 어찌 순시군을 더 보내지 않으리오."

이곽이 사례하고 순시군 삼십여 인을 얻어 소저의 분부대로 각각 헤어져 매복하여 사기(事機)를 살피더라.

---

574) 막자르다 : 함부로 자르거나 끊다. 사정없이 막다.

차설, 영신이 군사 수백 기와 궁인을 거느려 물을 건너 정소저 적소에 이르러, 옷을 토민의 복색을 하고 두루 다니며 소문을 듣보아[575] 정소 저의 소식을 알려 할새, 본읍 태수 각별히 고념(顧念)하고, 용력이 유명 한 이곽이 밖을 지켜, 잡인이 문전에 들지 못할 뿐 아니라, 인리(隣里) 여인(閭人)[576]도 정소저의 얼굴을 보며 소리를 들으니 없다 하여, 내외 엄격함과 문호(門戶) 엄숙하여, 지키는 이 많음을 들으니, 영신이 중심 에 냉소하여 생각하되,

"정씨 비록 잡인을 들이지 않으며, 이곽이 지킴이 엄하나, 나의 용력 이 만부(萬夫)도 당치 못할 것이니, 아무려나 정씨의 뜻을 볼 것이라."

하고, 한자 깁에 글을 써 살에 매여 바로 정씨 머무는 침실 앞을 쏘노 라 한 것이, 그릇 뒤 장원(牆垣) 아래 내려지니, 홍선이 마침 여측하다 가 살을 보고 놀라 맨 깁을 푸니, 글 쓴 것이 있거늘 즉시 방 중에 들어 가 촉하에서 보니, 하였으되,

"천연(天緣)이 기특하여 대국 금평후의 만금 교아 이곳에 찬적하는 변 을 만나매, 공교히 백년 군자를 만날 시절이라. 비록 살인지명이 차악하 나, 부운 같은 누얼을 물외에 던지고 좋이 하늘 명을 순하여, 금루패궐 (金樓貝闕)에 부귀를 누리며, 지존을 모심이 어찌 즐겁고 다행치 않으리 오. 모름지기 헛되이 윤가를 생각지 말고, 새 연분이 중함을 생각하여 거스릴 뜻을 두지 마소서."

하였으니, 홍선이 견필에 대경하여 연고를 깨닫지 못하니, 소저 보고 비례의 글인 줄 알고, 홍선더러 왈,

"비록 보지 아니하나 그 중에 흉설이 있는 줄 지기하나니, 글과 살을

---

575) 듣보다 : 듣기도 하고 보기도 하며 알아보거나 살피다.
576) 여인(閭人) : 마을 사람.

장원 밖에 내어 보내라."

선이 돌아와 눈물을 흘려 왈,

"인심이 이다지도 부인으로 하여금 적소에도 편히 머물지 못하시게 흉계를 지음이 있으니, 어찌 차악(嗟愕) 상심(傷心)치 않으리까?"

소저 탄 왈,

"나의 명도 기구하여 이곳에도 편히 있지 못할 줄은 이미 알았나니, 금야에 흉적으로 하여금 영영 바라지 못하게 하고자 하되, 내 이곳을 떠나기 전은 온가지로 괴롭게 하리니 좋은 계교 없도다."

정언간에 함성이 대진하며 화광이 조요하고 무수한 도적이 창검을 빗기고 바로 정소저 방을 향하여 들어오니, 소저 이미 초장(草將)을 만들어 방비할 뿐 아니라, 귀신을 부리며 풍운을 제회(霽會)577)하는 술이 있어, 주필(朱筆) 부작(符作)을 던져 역귀(疫鬼) 금도(禁盜)578)를 발(發)하여, 문득 모진 벽력(霹靂)이 일어나며 적의 불을 꺼버리고, 난데없는 군병이 창검을 비껴 도적을 대적하니, 영신이 천만 의외에 군병이 수없이 나오며, 모진 광풍에 괴이한 운무(雲霧)가 사색(四塞)하여 횃불을 꺼지척을 분변치 못하고, 기운이 어질하나 영신이 용력을 믿어 정신을 수습하여, 제졸을 호령 왈,

"안흐로 나오는 군병이 많으나 우리 군사 또 적지 않으니 여등은 두려워하지 말라."

제군이 악풍(惡風)을 무릅써 방을 향하나, 초장이 생인(生人)의 의형을 빌어 충돌하니, 영신이 중문을 들지 못하고, 신병의 신기한 재주와 운무 사이에 충돌하여, 분분이 내려오는 창날과 번득이는 칼끝이 사람

---

577) 제회(霽會) : 구름 따위를 걷거나 모이게 함.
578) 금도(禁盜) : 금도군관(禁盜軍官). 도둑 잡는 군사들을 지휘하던 벼슬아치.

을 해치 않으나, 능히 대적지 못하여 아무리 할 줄 모르더니, 이곽이 이미 순시군을 거느려 매복하였다가, 도적의 돌입함을 보고 대경하여 급히 관아에 통하며, 군을 거느려 엄습하여 뒤를 짓밟으니, 영신이 이곽의 들어오는 것은 두렵지 않으나, 신병의 재주 무궁함을 당하여 인귀(人鬼)를 분변키 어렵고, 물러나고자 하나 밖으로 이곽이 갈 길을 막아 잡으려하니, 영신이 진퇴를 임의치 못하고, 평생 힘을 발하여 이곽으로 더불어 죽도록 싸워, 승부를 결하고 정부인을 데려갈 의사를 못하여, 부질없이 군졸을 거느려 이에 온 것을 애달아할 뿐이라.

정소저 이곽이 밖에 왔음을 듣고 풍운과 신병을 이곽이 봄을 깃거 않으나, 이렇게 않으면 적을 능히 물리치지 못할지라. 그윽이 재주 나타냄을 깃거 아니 하더라. 이곽이 영신으로 더불어 싸움을 삼경(三更)부터 계명(鷄鳴)토록 진력하여 싼 것을 헤치니, 영신이 좌충우돌하여 능히 벗어나지 못하고, 태수 이미 알아 친히 관군을 거느려와 영신을 잡으려 하더니, 영신이 몸을 뛰어 곽이 탄 말의 다리를 지르니, 곽이 말에서 떨어진데, 용력이 강맹함으로 낙상(落傷)하여 아픔을 잊고 영신을 잡고자 하더니, 신이 곽을 마하에 떨어뜨리고 진력하여 싼 것을 헤쳐 달아나매, 창끝을 번득여 사람을 해하니, 군졸이 능히 따라 잡지 못하여 영신을 잃고, 그 좇은바 군기(軍騎) 수백여 기(騎)와 궁인을 다 잡으니, 본읍 태수 일일이 칼 메워 관읍으로 잡아가고, 곽이 시녀로 부인 기운을 묻자오니, 소저 비로소 풍운(風雲)과 신병(神兵)을 거두며 초장(草將)을 없애, 사람들의 수상히 여김을 취치 말고자 하되, 벌써 신병의 첩첩함과 운무의 괴이함을 이곽 등과 본읍 태수 본 바 되어, 중심에 정소저 재주를 기이히 여기나, 언두(言頭)에 일컫지 아니함은 소저 괴로이 여길까 함이러라.

제 시녀 부인의 기운이 평안하심을 이곽에게 전하고, 소저의 신출귀몰한 재주를 경복하여 우러르는 정성이 천신으로 미루더라. 본읍 태수

도적과 궁인의 모양의 여자를 잡아 돌아와 바삐 엄형코자 하더니, 태수
의 모부인이 곽기(癨氣)579)로 환후 위급하니, 소태수 적류(賊類)를 다
하옥하고, 모친 환후를 구호하더니, 일이 불행하여 태부인의 병이 더하
여 차일 오시(午時)에 별세하니, 태수 호천벽용(呼天擗踊)580)하여 망극
(罔極) 애통(哀慟)함이 비할 데 없고, 장사(長沙)는 번국지계(藩國地界)
이므로, 읍저(邑底) 지키는 관원이 장사는 하루도 없지 못하여, 소태수
는 별사(別舍)로 옮고, 남주 추관(秋官)581)이 장사 겸관(兼官)이 되어
소태수 모부인의 치상(治喪)을 돕고 공사를 살필 새, 남주 추관 오세웅
은 위인이 간활능려(奸猾凌厲)하여, 본디 장사왕으로 이종형제(姨從兄
弟)인 고로, 서로 방불(彷彿)하여 지극한 사이더라.

영신이 이곽에게 쫓겨 겨우 목숨을 보전하고, 싼 것을 헤쳐 바삐 도망
하여 산곡간에 숨었더니, 낮이 못하여 소태수 재상(在喪)하고, 오추관이
장사 겸관이 되어 읍저에 왔음을 듣고, 대열 왈,

"하늘이 도와 소태수 재상하고, 오추관이 이에 왔으니 정씨 데려감이
쉬우리로다."

하고, 이에 갑주를 없이하고 헌 옷을 두루 끄른 채로 입으며 일목(一
目)이 병든 체하여, 장사 관문에 이르러, 관문을 두드려 왈,

"나는 남주 백성이러니 마침 원억한 일이 있어 정사를 고하여지라."

한데, 관리 방차(防遮) 왈,

---

579) 곽기(癨氣) : 곽란(癨亂). 음식이 체하여 토하고 설사하는 급성 위장병. 찬물을
    마시거나 몹시 화가 난 경우, 뱃멀미나 차멀미로 위가 손상되어 일어난다.
580) 호천벽용(呼天擗踊) : 하늘을 우러러 부르짖으며 가슴을 치고 발을 굴러 통곡
    함. 어버이의 상사(喪事)에 상제(喪制)가 가슴을 치고 발을 구르며 곡(哭)하는
    예절.
581) 추관(秋官) : 형관(刑官). 법률·사송(詞訟)·상언(上言) 따위의 일을 맡아보던
    관아(官衙)의 우두머리.

"남주 추관이 마침 이곳에 겸관으로 와 계시나, 남주자사가 계시고 지금 겸관 태수 전태수 모부인 치상에 골몰하여 계시니, 공사를 처결치 못한다."

하여, 드리지 아니하니, 영신이 슬피 비러 그치지 않으니, 문리(門吏) 마지못하여 들여보내니, 영신이 장사국 대장군으로서 국왕의 명을 받아 정소저를 데리러 왔다가 일이 패루함을 자초지종(自初至終)을 낭자히 베풀어 낭중에 넣고, 추관 앞에 추주(趨走) 부복하니 추관이 비록 영신을 전자에 본바나, 병인을 능히 알아보지 못하니, 추관이 이에 문 왈,

"남주자사가 계시거늘 어이 이 고을을 찾아왔느뇨?"

영신이 배왈,

"소인은 남주 백성이 아니요, 경사 오시중 택상 사지노자(事知奴子)582)라. 관리 막고 들이지 아니하거늘, 짐짓 남주 백성임을 핑계하였삽더니, 주인의 봉서(封書) 있으니이다."

언파에 서간을 내니, 영신이 남주 백성이로라 하고 소지(所志)583)를 올린즉, 장사왕의 아름답지 않은 계교를 관리 등이 알까 두려, 짐짓 오추관의 친척 오시중의 노자임을 이르고, 서간에 정유(情由)584)를 베푼 바를 올리니, 오세웅이 봉서를 떼어 본즉 이 문득 장사왕의 사랑하는 장사(壯士) 영신의 허다 정서(情書)요, 계하(階下)에 서있는 바 영신이라. 여러 이목의 의심을 이루지 않으려 하여 이리하고 왔음을 짐작하니, 원래 '물이 물을 좇으며 유가 유를 따르는지라'585), 장사왕의 무상함과 영

---

582) 사지노재(事知奴子) : 일에 익숙한 노복(奴僕).
583) 소지(所志) : 예전에, 청원이 있을 때에 관아에 내던 서면.
584) 정유(情由) : 사유(事由). 일의 까닭.
585) 물이 물을 좇으며 유가 유를 따르는지라 : 물(水)은 물(水)을 따라 흐르고, 같은 것은 같은 것 끼리 서로 어울린다는 말. =유유상종(類類相從).

신의 간능(奸能)함을 오세웅은 아름다이 여기는지라, 서간을 본 후 낭중(囊中)에 장하고 왈,

"시중(侍中) 부중(府中)의 사지노자(事知奴子)라. 참혹한 병인이 되었으니 인심의 추연(惆然)한지라, 아직 소태수 모부인 초종제구(初終諸具)를 차리매 자연 겨를586)치 못하니, 너는 나의 친신(親信)이 부리던 것이니 물러가지 말고 이에 있어 종용히 답간(答簡)을 맡아 가라."

영신이 사례하고 이날부터 추관 곁에 있어 모시니, 하리(下吏) 등이 조금도 의심치 않더라. 오세웅이 좌우 고요함을 타 영신을 나아오라 하여, 전후곡절을 자세 물어 알고 궁인과 사졸이 다 장사 옥중에 갇혔음을 알고, 웃음을 머금어 왈,

"하늘이 정씨를 돕지 않아 소태수 재상(在喪)하미니, 이제는 정씨 후려 가기와 장사 옥에 사졸 놓기는 내 손에 있으니 염려 말라."

영신 왈,

"상공의 말씀이 마땅하시나, 소태수의 재상하심을 벌써 조정에 고하였으니, 불급 삼사 삭에 장사태수 새로 올지라. 그 사이 상공이 겸관으로 계시니, 소태수 모부인의 입염(入殮)587) 성복(成服)588)을 지내고, 경사로 반구(返柩)589)한 후 즉시 여차여차 하소서."

오세웅이 옳이 여겨 만구(萬口) 응순(應順)하더라.

---

586) 겨를 : 어떤 일을 하다가 생각 따위를 다른 데로 돌릴 수 있는 시간적인 여유. 늑틈.

587) 입염(入殮) : 상례(喪禮)에서 입관(入棺)과 염습(殮襲)을 아울러 이르는 말로, 초상이 났을 때, 시신을 씻긴 뒤 수의를 갈아 입혀 베로 싸 묶고 관(棺) 속에 넣는 일련의 상례절차를 이름.

588) 성복(成服) : 초상이 나서 처음으로 상복을 입음.

589) 반구(返柩) : 객지에서 죽은 사람의 시체를 고향이나 제집으로 보냄. 늑반상(返喪).

수일이 지나매 소태수가 모부인 성복을 지내고 경사로 반구할새, 태수의 참참(慘慘)한 애곡(哀哭)과 오오열열(嗚嗚咽咽)하여 망망(茫茫)이 따를 듯하니, 보는 이들이 위하여 슬퍼하고 위태(危殆)히 여기더라. 오세웅이 소태수 상경하고 새로 태수가 오기 전 용사코자 하니, 세웅이 즉시 옥리를 불러 물어 왈,

"이곳에 적거한 정부인 가사에 돌입한 적수(賊囚)들을 어느 곳에 가두었느뇨?"

옥리 대왈,

"전관이 그 도적을 즉시 저주려590) 하시다가, 태부인 환후에 황황하여 미처 간정을 묻지 못하시고 다 하옥하시니, 오십여 명인고로, 각각 가두지 못하여 장방(長房)에 가두었나이다."

추관이 우문 왈,

"궁인은 어디다 가두었느뇨?"

옥리 대왈,

"궁녀는 다른 여인과 달라 다른 곳에 가두었나이다."

추관 왈,

"궁인을 마저 장방(長房)에 가두어 신관이 내려와 처결하게 하라."

옥리 수명하여 궁인을 장방 옥에 옮겨 가두었더니, 차야에 오추관이 만뢰구적(萬籟俱寂)한 후, 영신의 손을 이끌어 장방 옥에 나아가 옥문을 깨쳐 버리고 장사 군졸을 내어 놓고, 아사(衙舍) 원문(轅門)591)으로 좇아 순시군(巡視軍)이 모르게 도망하라 당부하고, 금은(金銀)을 주어 각각 그윽한 산곡간에 숨었다가, 정씨를 데려갈 때 한가지로 가게 하라 하

---

590) 저주다 : 형신(刑訊)하다. 죄인의 정강이를 때리며 죄상을 캐묻다.
591) 원문(轅門) ; =군문(軍門). 군영(軍營)의 입구. 군사들이 드나드는 문.

니, 사졸과 궁인이 감사하고 대열하여 즉시 쥐 숨듯 달아나고, 추관은
영신으로 더불어 정침에서 잠이 깊은 체하니, 그 흉계를 아무도 알 이
없더라.

효신에 순시군이 장방 옥 앞을 순시하다가 옥문이 황연이 깨어지고
오십여 인 죄수 간 곳이 없으니, 크게 놀라 곁에 옥리 잠이 깊었음을 보
고 흔들어 깨와, 죄수 등의 거처를 아는가 모르니, 옥리 경황차악(驚惶
嗟愕)하여 왈,

"작석(昨夕)에 죄수 등의 밥을 주고, 문을 단단이 잠근 후 날이 덥기
로, 앞 냇물에 목욕하고 돌아와 송정(松亭) 밑에서 잠을 들었더니, 그
사이 죄수들이 월옥(越獄)할 줄 어찌 알았으리요."

순시군이 역경(亦驚) 왈,

"우리 또한 순시하기를 게을리 않았으되, 죄수 오십여 인이 도망함을
보지 못하였으니 죄책이 적지 않을지라. 이런 괴이한 액경이 없도다."

옥리 망극 경황하여 명일 추관께 고하니, 추관이 거짓 노왈,

"이는 반드시 옥리 등의 간사함이라. 죄수 등의 금은을 받고 놓아줌이
니, 옥리를 엄형할 것이요, 버거는 순시군이 잠을 탐하여 순라(巡邏)함
을 부지런히 못한 연고라. 만일 순초(巡哨)함을 엄히 하였은즉 어찌 하
나도 잡지 못하였으리오."

하고 즉시 옥리와 순초군을 잡아들여 중장(重杖)을 가하니, 순초군과
옥리 천만 원민(冤悶)하나, 잘 지키지 못함이 큰 죄목이요, 옥리는 많은
죄인을 다 잃었으니 반드시 죽을 줄로 헤아렸다가, 중장을 받을지언정
사죄를 마련치 않으니 도리어 행심하더라.

오세웅이 영신으로 더불어 정씨 잡아갈 계교를 행할 새, 영신 왈,

"이곽의 용력이 장하고, 정씨를 받듦이 충의(忠義) 노자(奴子)가 주모
(主母)를 위함 같다 하니, 이곽을 먼저 없앤 후 정소저를 데려갈까 하나

이다."

추관이 침음 양구에 한 생각지 못할 의사를 내어, 영신을 가르쳐 영리한 군사로 하여금 여차여차 하라 하니, 영신이 오히려 헌 옷을 벗지 않고 일목이 병인인체 하여, 주을든592) 거동으로 관문을 왕래하니, 사람이 다 그 추악함을 웃되, 장사국 대장임은 알지 못하더라.

영신이 사졸 가운데 목표란 군사를 명하여, 헌 옷을 입히며 머리를 풀쳐 낱낱이 꼬아 하늘로 향케 하며, 낯에 검은 칠을 더러이 하여, 완연이 봉두재면(蓬頭滓面)593)을 만들어, 걸인의 주제594)로 두루 다니며 음식을 빌다가, 여차여차한 주검을 얻어 지고 정씨 머무는 가사로 가라 하여 범사를 기걸하고595), 저는 읍저로 돌아가니, 목표가 영신이 가르친 대로 노중(路中)에 왕래하여 걸식하더니, 마침 촌가에 자식 없는 노고가 병이 중하다가, 마침내 사지 못하여 진명(盡命)하였으되, 병세 요괴로와 이상한 별증이 많던 고로, 인리(隣里) 제인이 들여다 볼 이 없고, 노고가 친척이 없어 염장(殮葬)596)할 이 없으니, 목표 거짓 염장(殮葬)하렸노라 일컫고, 들어가 노고의 상시 입던 옷을 매동혀597) 여러 이목(耳目)이 보는데 고산에 뭇는 체하고, 노고의 시신을 밤을 당하여 가만히 업고 내다르니, 촌락이 소요(疏寥)598)하여 알 이 없더라.

---

592) 주을들다 : 주접들다. 잔병이 많아 잘 자라지 못하거나, 옷차림이나 몸치레가
   초라하고 너절하다.
593) 봉두재면(蓬頭滓面) : 머리카락이 마구 헝클어져 있는 쑥대강이 머리와 땟구정
   물로 범벅이 된 검고 더러운 얼굴.
594) 주제 : 꼴. 행색.
595) 기걸하다 : 시키다. 당부하다. 신칙(申飭)하다.
596) 염장(殮葬) : 죽인 이를 염(殮)하고 장사지냄.
597) 매동히다 : 매고 동이다. 끈이나 실 따위로 감거나 둘러 묶다.
598) 소요(疏寥) : 외지고 고요함.

목표 새도록 행하여 관읍 근처에 들어와 노고에 시신을 업고 다니며, 친모라 하여 음식을 비나, 목표의 상모 추악 흉참함을 사람마다 더러이 여겨 음식도 주지 않는지라. 목표가 정부인 머무는 문 밖에 나아가 음식을 빌매, 이곽이 외헌(外軒)에서 즉시 찬선과 음식을 주라 하니, 시노 등이 내어다가 목표를 주니, 목표 핑계하여 싸울 일이 없어, 식음(食飮)을 더러운 것이 들었다 하여 그릇 채 멀리 던지니, 기명(器皿)이 산산이 깨어진지라. 목표 대로 왈,

"내 비록 이 집에 와 밥을 빈들 어찌 이다지도 더러운 것을 섞어 주느뇨? 나의 구십 노모 여러 끼를 먹지 못하고 기아를 참지 못하시매 마지 못하여 노친을 모시고 이에 왔거늘, 사람대접하는 도리 이렇듯 무상하리오."

노복 등이 목표의 말을 듣고 어이없어 도리어 웃고 왈,

"음식과 진찬(珍饌)을 주었거늘 더럽다 하니, 인사(人士)가 실성하였는지라. 원간 우리 내어다가 준 바 음식이 네 속에 넣기 아깝더니, 네 이같이 나무라 버리니 현마 어찌 하리오. 다만 네 얼굴이 흉참하여 그 더럽기 비위 눅눅하여 보기 어려운지라. 빨리 물러가라."

목표 발악하고 문 앞에 달려들며 왈,

"아무리 살인하는 모진 여자의 노복인들 사오납기 이다지도 심하뇨? 내 비록 걸식하는 사람이나, 너희 무리를 다스릴 마음이 있으니, 나의 얼굴이 어떠하여 추하다 하느뇨?"

언필에 몸을 뛰어 들어오니, 노복이 대로하여 날랜 막대로 두드리며 가로되,

"걸식하는 무리로 다니며 밥을 얻지 못하거늘, 우리는 관인의 명을 순수하여 만반(萬飯)599)을 주었거늘 허무한 말로 못 먹을 것을 주었다 하고, 감히 우리 주모를 욕하니, 너를 밟아 마치리라."

좌우로 벼락같이 짓두드리니 매끝이 내려지는 곳에 목표의 몸이 상하
니, 목표 짐짓 코에 피를 내어 노고의 낯에 가만히 바르며, 노고(老姑)
의 시신을 지고 자빠져, '사람 죽인다' 소리 천지진동하여 왈,

"구십 노모를 한술 밥 얻어 먹이려 하다가 아주 죽이겠다."

하여 통곡하니, 이곽은 지혜 있는지라. 걸인의 형상이 수상함을 의혹
하여 노복을 금하여 다투지 말라 하더니, 오추관이 이날 짐짓 부인 복거
(伏居)한 가사 곁에 있는 김효렴을 찾아보려 왔다가, 목표의 소리를 듣
고, 자기가 시킨 일이라. 처음 거짓 정부인 문전에 드레는 놈을 잡아오
라 하여 하리를 보내니, 목표 노고의 시신을 업고 추관 면전에 들어가,
혈읍 유체 왈,

"소인은 경사 시상(市上) 대고(大賈)러니, 마침 아비 이 땅에 와 죽삽
거늘 염장(殮葬)하고, 구십 노모 기갈을 견디지 못하니, 마음에 통박비
절(痛迫悲絶)하여 시러금 업고 다니며 음식을 빌어 연명하더니, 새로 적
거한 정부인 가사에 나아가 음식을 빌매, 더러운 그릇에 밥을 담고 우흔
옥밥이오 밑은 진똥이요, 찬선에 괴이한 벌레 죽은 것을 섞었거늘, 소인
이 아니꼬워 음식을 버리고 나오려 하오니, 그 노복 등과 외헌에 있는
관인 등이 소인을 꾸짖어 밥에 똥을 섞었어도, 소인의 얼굴 도곤 좋으니
먹으라 재촉하옵거늘, 소인이 어미 먹이지 않음을 일컫고 나오려 한즉,
관인과 노복 등이 일시에 짓두드려 어미를 죽였으니, 바라건대 일월(日
月) 노야는 소인의 궁측(窮惻)한 정사와 원굴(冤屈)한 정사를 살피시어,
어미 만일 엄홀치 않아 진실로 죽음이 있거든 원수를 갚아주소서."

추관이 하리로 목표의 상처와 노고의 사생을 자세히 보라 하니, 관리
등이 목표는 잠깐 상하였으나 어미는 아주 죽었음을 아뢰니, 추관이 제

---

599) 만반(萬飯) : 온갖 반찬을 다 갖추어 잘 차린 밥.

스스로 지휘한 일이라 어찌 범연히 다스릴 리 있으리오. 즉시 관읍에 들어가 군관과 공차(公差)를 발정(發程)하여, 이곽과 여러 노복을 하나도 남기지 말고 다 잡아오라 하니, 관차(官差)600)가 문전에 수풀같이 모여 추관의 영을 전하고, 살인죄수 이곽과 여러 노복을 잡으러 왔노라 하니, 이곽이 중심에 분연(憤然) 통해(痛駭)하여 즉각에 소매를 떨치고 관차를 짓두드리고 경사로 돌아가고자 하되, 윤태우와 금평후 부자의 지극한 당부를 들어 부인을 모셔 이에 이르매, 죽기를 그음하여 밖을 지키고, 부인의 위란을 막자르고자 뜻을 정하매, 달리 어찌할 도리가 없는지라.

금일 노복 등이 애매히 죄루를 실어 걸인의 어미를 죽였다는 말을 들으매, 발명(發明)601)할 조각이 없게 되었으니, 제 들어가 추관 면전에 전후곡절을 베풀어 걸인으로 일장 대면 질정함을 위해, 일읍 태수의 명으로 잡혀감을 통해하되, 분을 참고 제노(諸奴)를 거느려 관읍(官邑)에 나아갈 새, 시녀로 하여금 소저께 고하되,

"천만 기약치 않은 일로써 여러 노복과 곽이 잡혀가나, 애매함이 백옥 무하(白玉無瑕)하니, 부인은 요동치 마시고 시녀 등으로 밖을 지키게 하소서."

청하고 일시에 읍저에 이르매, 추관이 이곽과 여러 노복을 계하에 꿇리고, 걸인(乞人)의 어미를 죽인 곡절을 물으니, 이곽이 걸인의 불공(不恭)이 굴던 말이며, 이상이 굴매 노복이 내달아 친 바를 자초지종(自初至終)을 갖추 고하고, 문득 수염을 어루만져 탄 왈,

"소생이 수(雖) 용렬(庸劣)이나 하천한 무리 아니라. 어찌 평부(平夫)602)나 노복(奴僕) 등과 같이 공의 명령을 순수하여 잡혀오리까마는,

---

600) 관차(官差) : 관아에서 파견하던 군뢰(軍牢), 사령(使令) 따위의 아전.
601) 발명(發明) : 죄나 잘못이 없음을 말하여 밝힘. 또는 그런 말.

평남후 정병부 상공의 대은을 입고 윤청문의 후히 대접함을 받아 실로 써 저버리지 못할지라. 정부인이 원억히 죄적(罪謫)하시매 밖을 지키고 자 내려왔다가, 이런 곡경을 당하니 어찌 욕됨을 모르리까마는, 소생이 전후수말(前後首末)을 고치 않으면, 소생의 원굴(冤屈)함을 공이 더욱 아실 길이 없는지라. 밥에 똥을 섞으며 찬선에 더러운 짐승을 섞었음은 스스로 눅눅하고 수고로워서도 않을 것이요, 상공의 총명하심으로써 걸 인의 무상함을 거의 짐작할 바는 이르지도 말고, 삼척동(三尺童)이라도 곧이들을 이 없으리니, 소생이 구구히 발명하는 것이 아니라 옳은 대로 고하나이다."

추관이 이곽의 상모 장려(壯麗)하고 위풍이 늠름하여, 구척신장의 엄 위한 풍도에 눌려 말하기 가장 어려움을 괴로이 여겨, 왈,

"그대 말이 비록 이 같아서 원억함을 이르나, 걸인은 제 어미를 죽였 다 하는지라. 더욱 노고(老姑) 만면이 두루 상하여 죽었으니 살인이 분 명한지라. 나는 아직 장사 겸관이 되었으나, 진정 장사(長沙) 주현(州 縣)이 아니니 이런 옥사를 처결할 것이 아니로되, 이미 살인한 무리를 편히 두지 못하여, 옥에 가두었다가 신관이 내려와 처치케 하리니, 날더 러는 원앙(怨怏) 여부(與否)를 이르지 말라."

이곽이 대분대로하여 추관을 차버리고자 싶되, 걸인의 어미 죽었고 일이 대단하여 '살인중사(殺人重事)라. 신관이 다 명쾌하여 옥석을 가려 주기를 바라는 고로 개연이 분노를 띠어 갇히니, 추관이 명하여 정부 시 노는 칼 씌워 하옥하고 이곽은 편히 가두라 하니, 차는 곽의 위인을 기 대(忌大)603)함이러라.

---

602) 평부(平夫) : 평범한 사내.
603) 기대(忌大) : 꺼리고 크게 여김.

곽이 노복으로 옥에 갇히매 정소저 적소에 외정 지킬 한낱 노자가 없
으니, 소저의 위태롭고 두려워 할 바를 생각하여, 일마다 소태수 재상
(在喪)함을 애달아하더라.

차시 정소저 이곽과 제노(諸奴)를 살인죄로 잡혀 보내고, 너른 가사에
시녀 등만 있으니 불의지변(不意之變)을 더욱 두려워하며, 추관의 용심
이 괴이함을 의려(疑慮)하여, 반드시 추관이 적당과 친절함을 지기하매,
또 무슨 변괴 있을 줄로 짐작하니, 근심을 능히 놓지 못하여, 홍선 등
제비자가 좌우를 일시도 떠나지 아니하고 위로함을 마지않으나, 소저
방변(防變)할 도리를 생각하여 흉적의 해를 힘힘히[604] 받지 않으려 하
는 고로, 밤을 당하여 상두(床頭)에 나아가나 옷을 끄르지 않고, 매양
촉을 밝혀 새오더라.

영신이 이곽 등을 가두고, 오추관으로 더불어 정소저를 데려갈 바를
의논하니, 답왈,

"나의 지휘대로 하면 패할 리 없으리라. 정소저의 문정(門庭)을 지킬
이 없는지라. 조각을 타 거교와 궁인을 보내어 그 뜻을 알고, 혹 순(順)
치 않거든 위력으로 데려감이 무엇이 어려우리오."

영신이 대왈,

"궁인 중 비록 여자나 힘 센 자 있으니 우격으로[605] 데려오라 하시더
이다."

추관 왈,

"그러나 정씨 심상한 여자 아니라 금야에 궁인과 교부만 보내라."

영신이 장사국에서 온 이영은 용력이 있는 고로, 정씨를 위력으로 데

---

604) 힘힘히 : '부질없이'의 옛말.
605) 우격 : 억지로 우김.

려옴을 이르니, 영은 용력이 있는 고로 대왈,

"첩이 사오인 교부만 데리고 종용이 들어가면 데려오기를 염려하리까?"

영신이 깃거 당부하더라.

이날 교부를 데리고 정소저 머무는 곳에 이르니, 문호를 굳게 닫고 인적이 적료(寂廖)하여 완연이 빈 집 같거늘, 궁인이 교부를 밖에 세우고 장원(牆垣)606)을 넘어 평지(平地)를 디디고자 하더니, 문득 열 길이나 한 허정(虛穽)607)에 빠진지라. 무수히 분즙(糞汁)이 괴여 머리까지 빠지니 차악함이 비할 데 없고, 청천백일(靑天白日)에 한 덩이 벽력화(霹靂火)608)가 일신을 분쇄하는 듯, 만신(滿身)이 분즙에 짓눌려 반생반사(半生半死)하여 기운을 쓰지 못하니, 경솔이 홀로 월장함을 슬퍼할 따름이라.

원래 이 함정은 정소저가 적변(賊變)을 두려, 이에 내장원(內牆垣)609) 아래 함정을 파 제 시녀의 측간을 삼으니, 제녀(諸女)가 괴이히 여기나 소저는 유의하여 '함정에 빠지는 사람이 있는가?' 지키더니, 차야에 내장원(內牆垣)으로 좇아 풍덩610)하는 소리 나며 사람의 소리 미미히 들리거늘, 소저 홍선으로 하여금 무엇이 빠진고 보라 하니, 홍선 등이 촉을 들고 함정을 보매 과연 사람이 빠져 죽어가는지라. 대경하여 급히 소저께 고하니 소저 가벼이 사람을 죽이지 않으려 함으로, 건장한 양낭을 명하여 대삭(大索)611)을 함정에 들이쳐 빠진 자를 건져내라 하니, 양낭

---

606) 장원(牆垣) : =담.
607) 허정(虛穽) : 허방다리. 함정(陷穽). 짐승 따위를 잡기 위하여 땅바닥에 구덩이를 파고 그 위에 약한 너스레를 쳐서 위장한 구덩이.
608) 벽력화(霹靂火) : 벼락불. 벼락이 칠 때에 번득이는 불빛.
609) 내장원(內牆垣) : 밖 담장 안에 있는 안채에 둘러 친 담장. 안 담장.
610) 풍덩 : 크고 무거운 물건이 깊은 물에 떨어지거나 빠질 때 무겁게 한 번 나는 소리.

(養娘)이 수명하여 대삭 한 끝을 함정에 넣어 왈,

"심야에 연고 없이 장원을 넘다가 함정에 빠짐은, 쟁그라이612) 하였거니와 죄의 경중(輕重)과 일의 곡절(曲節)613)을 알고자 하나니, 함정에 빠진 도적이 만일 인사를 차릴 수 있을 것 같으면 대삭을 단단히 잡아 위에서 잡아당기는 대로 따라 나오라."

하니, 이영이 비록 죽을지라도 평지를 다시 보고자 하여, 대삭을 단단이 잡아 위에서 끄는 대로 나오나, 이영의 용력이 장(壯)함으로 무게 남달라, 여러 양낭(養娘)이 진력히 다래여 평지에 내어 놓으니, 이곳 장사옥에 가두었던 궁인이로되, 만신에 분즙을 다 내리쓴 듯하여, 머리와 낯으로부터 더러운 똥이 아니 묻은 곳이 없으니, 홍선 등 제시녀 흉히 여기며 왈,

"저적 본읍 태수가 잡아 가두신바 궁인과 도적을 일타 하거늘 들었더니, 금야에 장원을 넘어 내정을 돌입하는 것이 적지 않은 흉심이라. 시금(時今)에 소태수 재상(在喪)하여 돌아가시고, 신관이 내려오지 못하여 계시니, 이 궁인을 깊이 가두어 신관을 기다려 중치하여 후환을 없이 하리라."

소저 시녀 등의 말을 듣고 몸을 움직여 청사에 나와 촉을 밝히고, 궁인을 계하(階下)로 나아오라 하니, 이영이 일신에 분즙을 무릅쓰고 정신이 아득하나, 본디 용력이 남다른 고로 오히려 엄엄함이 없어, 잠깐 정신을 수습하여 정소저를 바라보니, 안모(顔貌)에 오채(五彩)614)와 강산

---

611) 대삭(大索) : 동아줄. 굵고 튼튼하게 꼰 줄.
612) 쟁그랍다 : ①고소하다. 미운 사람이 잘못되는 것을 보고 속이 시원하고 재미있다. ②징그럽다. 보거나 만지기에 소름이 끼칠 정도로 흉하거나 끔찍하다.
613) 곡절(曲節) : 일의 사정이나 까닭.
614) 오채(五彩) : 파랑, 노랑, 빨강, 하양, 검정의 다섯 가지 색.

의 정기를 갖추 거두었으니, 고우며 빛난 것을 의방(依倣)하여 비할 곳
이 없고, 형언하여 이르기 어려운지라. 이영이 황홀경복하는 뜻이 무궁
하여, 혹자 사람이 아니요, 요지금모(瑤池金母)[615] 하강함인가 의려하
고, 처음부터 영신의 군병을 막자름과 함정을 파둠이 다 사람의 생각지
못할 신이함이 있으니, 일마다 속세 부인이 아님을 공구(恐懼)하여 전율
(戰慄)하는 마음이 일어나, 문득 장사왕이 흉음(凶淫)한 계략으로 정부
인을 데리러 보냄이, 천신이 장사왕을 돕지 않고 정소저의 피화지계(避
禍之計)를 미리 가르침이 있는가 염려하며, 제 아니 천벌을 입음인가?
근심도 없지 않은 고로, 분즙을 떨어내지도 못하고 감히 머리를 들지 못
하니, 정소저 물어 왈,

"저적 적환시(敵患時)에 네 한가지로 옴과, 금야에 장원을 넘다가 함
정에 빠짐이 반드시 사고 있음이라. 구태여 네 마음으로 날을 해하려 하
지 않을 것이니, 모름지기 간정(奸情)을 직고하여 죄를 더하지 말고, 월
옥하던 곡절도 아뢰라."

이영이 생각하되, 저 부인의 신기함이 이다지도 화를 방비하는 신이함
이 남다르니, 비록 전전곡직(前前曲直)을 기이고자 하여도 모를 리 없을
것이니, 옳은 대로 고할 것이라 하여, 겨우 입에 분즙을 씻고 체읍 왈,

"천첩은 인가 비자가 아니요, 장사국왕의 신임 상궁이라. 부인의 죄적
하심을 우리 전하가 어찌 아시리까마는, 내전(內殿) 낭랑이 대국에 계실
제 부인의 성화(聲華)를 본 듯이 아노라 하시어, 살인지사(殺人之事) 비
록 흉참하나, 이 부인의 본심이 아니오, 화중이니 허물할 일이 아니라
하시어, 우리 전하를 권하며 우리 등을 보내어 부인을 위력으로 데려와
빈어(嬪御)를 삼으라 하시니, 우리 전하가 대장군 영신과 수백 기(騎)를

---

615) 요지금모(瑤池金母) : 서왕모(西王母).

보내시며, 천첩으로 하여금 부인을 모셔오라 명하시더니, 일이 되지 못하여 영장군이 저번 싸움에 한 사졸도 중문 안을 넘지 못하고, 힘힘히 천첩과 오십여 군이 다 잡힌바 되어 하옥되고, 영신이 쥐 숨 듯 달아나니, 소태수 상화(喪禍)를 만나지 않았으면, 제인과 다만 첩이 다 어찌 감히 월옥할 의사를 내리까마는, 소태수 벌써 모부인 상구를 경사로 반상(返喪)하시매, 남주 추관이 장사 겸관으로 아직 읍저(邑底)616)에 계신지라. 원간 오추관은 우리 전하와 이종지간이 되시는 고로, 영장군이 진정 설화를 고하매, 오추관이 극력 주선하여 오십여 인을 다 내어 놓아 산곡간에 숨어 있으라 하고, 부인을 바삐 장사국으로 보내고자 하시어, 여차여차 꾀하여 이곽과 중복(衆僕)을 다 하옥하고, 교부(轎夫)와 천첩(賤妾)을 보내어 부인을 모셔오라 하시니, 첩이 어린 용력을 믿고 일이 마침내 옳지 않은 줄 모르지 아니하되, 충즉진명(忠卽盡命)이라, 국은을 입었으니 군왕을 위하여 죽기를 돌아보지 아니하고, 부인을 위력으로 모셔가려 하였더니, 하늘이 돕지 않으시어 패루하고 부인을 뵈오매, 첩의 몸이 분즙에 떨어지고 함정에 빠진 바나, 눈에 광채 있으니 요지(瑤池)와 월궁(月宮)을 구경함 같으니, 감히 불의지사(不義之事)를 다시 생각지 아니 하오리니, 복원 부인은 대자대비(大慈大悲)하시어, 이 일이 천첩이 스스로 저지른 죄악이 아닌 바를 어여삐 여기사, 잔명을 용서하심을 바라나이다."

말로 좇아 눈물이 무수히 흐르며 또 이르되,

"우리 국군이 비록 황성에 계실 제 부인의 색모 덕행을 들어 계시나, 귀국하신 후는 새 부인의 화월에 지난 용색이 계시니, 다시 미인을 유념할 뜻이 없거늘, 새 부인이 정궁이 되신 후에 부인의 용화색덕을 여차여

---

616) 읍저(邑底) : =읍내(邑內)

차 기리시고, 부디 계교로 취하여 적소 고적한 때에 탈취하라 하시니, 대왕이 영장군과 천첩을 보내심이니이다.”

정소저 청미파(聽未罷)에 노질(怒叱) 왈,

“오수미약(吾雖微弱)[617]이나 당당한 명환대족(名宦大族)이요, 사문명부(士門命婦)라. 어찌 강포(强暴)한 유(類)가 간대로[618] 겁박(劫迫)하리오. 먼저 너를 중옥(重獄)에 엄수(嚴囚)하였다가 신관이 교구(交求)[619]하는 날에 너의 국군과 오추관의 불의무상한 죄를 발각하여 국법에 돌아가게 하리라.”

이영이 부인이 자기를 오래 가두어 두려 함을 더욱 황황망극하여 고두(叩頭) 애걸 왈,

“첩을 놓으신즉 돌아가 국군께 세세히 아뢰어, 다시 감히 존위를 간범치 않게 하리이다.”

소저 본디 저를 가두려 함이 아니라, 짐짓 말로써 시험하여 이영을 겁박해, 새 태수가 오면 장사왕과 오추관의 허물을 나타내려 저를 가두어 두고자 하는 뜻을 보임이라. 자기 화란이 아직 진(盡)치 못한 줄 생각하여, 쾌히 이영을 놓아 돌아가라 하여 왈,

“너를 가두어 너의 국왕의 무상함을 나타낼 것이로되, 너의 정원(情願)이 여차하니, 내 본디 인명을 아끼는지라. 타일에 악사 자연 발각하기를 기다리고 너를 쾌히 돌려보내나니, 네 영신과 오추관을 보거든 간정을 날더러 직고함을 이르지 말고, 다만 심야에 장원을 넘어 들어가니, 도적이라 하여 모든 비재 난타(亂打) 수욕(數辱)하다가, 저적 잡혀 갔던

---

617) 오수미약(吾雖微弱) : '내 비록 미약하나'의 뜻.
618) 간대로 : 그리 쉽사리. 망령되이. 함부로. 되는대로.
619) 교구(交求) : 교대하여 추궁함.

궁인이라 하여, 날이 밝거든 관부로 보내리라 하고 가두거늘, 급히 도망하여 오다 하라."

이영이 소저의 은덕을 불승감격(不勝感激)하여 머리를 두드려 후의를 백배 사례하고 돌아가니, 소저 이영을 쾌히 허하여 돌려보내고, 방중에 들어와 옷을 그르고 잠을 편히 들거늘, 시녀 등이 이영을 가두어 두지 않음을 애달아 하더라.

명주보월빙 권지삼십구

화설 정소저 이영을 쾌히 허하여 돌려보내고, 방중에 들어가 옷을 그르고 잠을 편히 들거늘, 시녀 등이 이영을 가두어 두지 못함을 애달아하며, 금야에 소저 편히 취침함을 괴이히 여기니, 소저 날호여 가로되,

"장사 궁녀를 머물러 두어도 유익치 않고, 금야에 나의 침수 편함은 궁인이 작변함으로 알아 흉적이 방심할 것이니, 또한 내 마음이 편하도다. 연이나 내 마침내 적소에 머물지 못할 것이요, 적환이 다시 있으리니 명조에 다시 방비하리라."

홍선 등 제녀 눈물을 흘려 선견지명을 탄복하고, 화란의 기구함을 슬퍼하되, 소저는 마음을 널리 하고 고요히 취침하는 중이나, 적변을 방비하여 탈신지책(脫身之策)을 생각하더라.

이영이 반생반사하여 돌아오니, 교부(轎夫) 밖에서 기다린 지 오래다가, 이영의 거동을 보고 대경하여 연고를 물으니, 영이 만신에 분즙을 뵈며 울어 왈,

"하마 죽을 번하였으니 행보를 이루기 어려운지라 교부는 날을 교자에 담아가라."

교부 코를 싸고 아니꼬움을 이기지 못하여, 교자에 올려 메고 바위틈으로 돌아오니, 이영이 겨우 옷을 갈아 입으며 머리에 분즙을 없이 하고

금금(錦衾)에 싸였더니, 명일에 영신이 찾아 이르렀거늘, 이영이 정소저의 가르친 대로 대답하고, 손으로 가슴을 쳐 왈,

"정부인을 데려가든 못하고 일을 행한즉 이같이 패루(敗漏)할 뿐 아니라, 첩은 강한한 비자 등에게 죽도록 맞아 종신지질(終身之疾) 된가 하나이다."

영신이 크게 실망하여 이영을 위로하고, 다시 제군을 거느려 모야(暮夜)에 위력으로 정씨를 데려올 것을 이영과 의논하고, 읍저에 들어가 추관을 보고, 이영이 공을 이루지 못하고 반생반사하여 교자에 담겨 돌아옴을 이르고, 명일 군기(軍器)를 수습하여 정씨 가사를 에워싸고 정씨를 탈취하여 국도로 감을 청하니, 추관이 허락하고 저는 짐짓 아른 체 않으려, 명일에 장사 관리와 군졸을 거느려 습사(習射)하는 체하여, 이십 리 정도를 나아가고 영신은 제 사졸 수백 인을 데리고 바로 정소저 적소로 나아가니라.

어시에 정소저 이영을 돌려보내고, 다시 변이 있을 줄 헤아려, 가만히 홍선더러 왈,

"내 너를 데리고 몸을 잠깐 피코자 하되 마땅히 머물음 즉한 곳이 없으니, 너는 잠깐 산곡 간에 두루 살펴 우리 비주(婢主)의 용신(容身)할 곳을 정하라."

선이 수명하여 즉시 나가거늘, 소저 채색 깁과 나무를 새겨 한낱 미인을 만들어 얼굴에 분을 칠하여 운환(雲鬟)을 꿰고 의상을 입히매, 백태(百態) 기려(奇麗)하고 천광(千光)이 소소하여, 눈썹이 초월(初月) 같고 양안이 샛별[620]의 정기를 띠어, 홍순(紅脣) 연협(蓮頰)이 경국(傾國)할 색모(色貌)라. 몸 가운데로 줄을 두어 나상(羅裳) 끈을 삼으니 사람이

---

620) 샛별 : 금성(金星)을 일상적으로 이르는 말.

나상(羅裳) 끈을 당긴즉, 완연이 생인(生人)의 걸음 같고, 놓은즉 좌를
이루는 형상 같아서, 비록 자상(仔詳) 명달(明達)한 안총(眼聰)이라도
멀리 본즉 능히 진(眞)·가(假)를 알 길이 없는지라. 제녀, 소저의 만고
무비(萬古無比)한 재주를 구경하고, 더욱 기이함을 이기지 못하더라.

소저 목인의 속에 돌을 넣어, 물에 들어도 즉시 가라앉게 한 후, 두어
필 깁을 내어 노주의 남의를 이루니, 침선(針線)의 능함과 재주의 비상
함이 백만사(百萬事)에 출범치 않은 곳이 없으되, 다만 그 초년 화액이
험난하여, 심장이 끓는 기름과 붙는 불같아서, 경경(耿耿)한 염려를 놓
지 못함은 윤태우의 몸을 근심함이요, 유아의 사생을 알지 못하여 초전
번민(焦煎煩悶)한 중, 부모가 자기로 말미암아 우려하실 바를 헤아리매
불효를 더욱 슬퍼하더라.

차일 저문 후 홍선이 돌아와 산곡 간 그윽한 곳이 많음을 고하니, 소
저 바야흐로 건복을 필역하여 스스로 여복(女服)을 벗고 남의를 개착(改
着)할 새, 홍선으로 또 남복을 입으라 하니, 홍선과 제녀 다 소저의 주
의를 알지 못하나, 아직 이르는 대로 홍선은 인가 서동의 복색을 고치
매, 소저 남복을 개착하니, 소저의 용화기질이 남복 가운데 더욱 기이하
여, 옥청진군(玉淸眞君)621)이 인세에 하강함 같고, 홍선의 영오함이 진
정 소저께 신임(信任)함직 하더라.

소저 필연을 나와 존당 부모께 상서 쓰기를 마치매, 긴긴히 봉하여 충
근한 양아(良兒)622)를 맡기고, 자연 옥루(玉淚)가 화협(花頰)에 종횡하
여 왈,

"내 금일 이곳을 떠나고자 하나니, 흉적을 온가지로 방변(防變)하여

621) 옥청진군(玉淸眞君) : 옥청궁(玉淸宮)에서 옥황상제를 섬기며 사는 신선.
622) 양아(良兒) : 양시아(良侍兒). 선량한 시녀.

화를 벗어나고자 하나, 마침내 나의 살아있음 곧 들으면 못 견디도록 해
하리니, 이 일이 공교롭기를 면치 못하나 보전지계(保全之計)를 생각함
이라. 도적이 반드시 군기(軍器)를 거느려 가사를 에워쌀 것이니, 비자
등은 멀리서 적의 오는 거동을 보고, 저 목인을 여럿이 이끌어 붙들어
진정 주인을 옹호함 같이 뒷문으로 내달아, 상강(湘江)623) 가에 임하면
적이 점점 가까이 나아오리니, 너희 거짓 저 목인을 붙들고 우는 체하다
가, 가만히 물속에 밀치면 흉적이 죽음으로 알리니, 너희 여차여차하여
방인의 의심을 이루지 말고, 구태여 나와 홍선의 거처를 찾으려 하지도
말아, 한결같이 죽으므로 일컫고, 내 죽음을 들은 후는 오세웅이 이곽을
내어놓을 것이니, 즉시 경사로 돌아가고 너희 이곳에 머물지 말라."

시녀 등이 차언을 들으매 악연 비절함을 이기지 못하여 왈,

"소비 등이 비록 십년을 그음할624)지라도 소저의 환쇄(還刷)하시는
날 모셔 상경하려 하옵나니, 소저 어찌 저 홍선 일인만 데리고 어디로
향하여 머물고자 하시나니까?"

소저 처연히 쌍루(雙淚)를 드리워 가로되,

"낸들 어찌 먼저 너희를 돌아가라 하리요마는, 사세 마지못하여 구차
히 일명을 보전코자 함이니, 여등은 돌아가 부모께 이 뜻을 고하여 과도
히 염려치 않으시게 하라."

제시아(諸侍兒) 소저의 옷을 붙들고 오열체읍(嗚咽涕泣)하여 차마 경

---

623) 상강(湘江) : 소상강(瀟湘江). 중국 광서성(廣西省)에서 발원하여 호남성(湖南
省) 동정호(洞庭湖)에서 소수(瀟水)와 만나 소상강을 이룬다. 따라서 소상강은
주로 호남성 동정호 지역을 일컫는 말로, 이 지역은 경치가 아름답고 소상반
죽(瀟湘斑竹)과 황릉묘(黃陵廟) 등 아황(娥皇) 여영(女英)의 이비전설(二妃傳
說)이 전하는 곳으로 유명하다.
624) 그음하다 : 작정하다. 끝장내다. 결딴내다. 끝을 내다. 한계나 기한 따위를 정
하여 무슨 일을 하다.

사로 갈 뜻이 없으니, 소저 재삼 위로하여 목인(木人)이 익수(溺水)하게 할 일을 일러 패루(敗漏)치 말라 하고, 홍선으로 더불어 어둠을 타 가만히 문을 나니, 시녀 등이 문외에 송별할 새 휘루비읍(揮淚悲泣)하니, 소저 손을 밀어 수상하게 말라 하고, 쉬이 상경함을 이르니 제시비 체루 배별 하더라.

명일 영신이 군기를 거느려 빨리 나아오거늘, 제녀가 소저의 지휘대로 목인을 붙들어 뒷문으로 내다르니, 영신이 멀리서 보건대 일위 부인이 육칠 개 시녀에게 붙들려 행보를 빨리 옮겨 상강(湘江) 가로 행하니, 휘황한 색태와 정제한 복색이 화월의 명광과 명주의 고움을 아사 천고절염(千古絶艷)이라. 영신이 황홀함을 이기지 못하여 말을 채쳐 따르더니, 정부 시녀 등이 문득 소리 하여 왈,

"적당이 비록 무상하나 부인의 여상절의(如霜節義)[625]를 희(戲)짓지 못하리니, 부인은 사생을 가벼이 마소서."

적이 차언을 듣고 더욱 착급하여 제졸을 몰아 나아가더니, 문득 미인의 손을 시녀 잡으며 허리를 붙들어 물에 들지 못하게 하더니, 미인이 손을 뿌리치며 몸을 소소치는 바에 미인의 천향아태(天香雅態) 속절없이 간 바를 알지 못하니, 제녀 일시에 사변(沙邊)을 두드려 통곡운절(慟哭殞絶)하니, 원래 제녀가 소저 집을 떠난 후 쾌히 슬픔을 펴지 못하였던지라. 일시에 통곡하매 눈물이 오월장수(五月長水) 같으니, 영신이 저 거동을 보매 창감(愴感) 비절(悲絶)함을 이기지 못하여, 선인(船人)을 백금(百金)을 주어 정소저를 건지라 하나, 소저 이미 목인(木人)에 부작(符作)을 주어 물에 들면 어찌하지 못하게 하였는지라.

선인이 헛되이 공환(空還)하니 영신이 비록 값을 찾지 않으나, 전후

---

625) 여상절의(如霜節義) : 서릿발 같이 단호한 절개.

저의 심력을 허비한바 그림의 떡626)이 되어 국군을 볼 낯이 없고, 미인의 색용을 황홀하다가 경각에 수사(水死)함을 참절하여 역시 강수를 향하여 통곡하니, 제졸이 이목이 번다함을 말리고, 그만하여 국도로 돌아감을 청하니, 영신이 또한 아름답지 않은 소문이 전파할까 두려, 즉시 사졸을 명하여 각각 헤어져 국도로 돌아오라 하고, 저는 오추관 습사(習射)하는 데로 돌아오니, 정부 시녀 더욱 사변을 두드려 통곡운절(痛哭殞絶)하니 행인이 위하여 참연하더라.

영신이 오추관을 보고 정씨 수사(水死)함을 고하니 추관이 탄 왈,

"계교는 사람이 행하나 성사함은 하늘에 달린 바라. 너는 돌아가 왕형을 보거든 장군의 수고함과 나의 합력한 바를 고하라."

영신이 우우불락(憂憂不樂)하여 총총히 돌아갈 새, 영신이 강변에 이르니 이영이 벌써 국도로 돌아가는 배를 타더라. 영신이 즉시 배에 올라 무사히 월강(越江)하여 본국에 돌아오니, 장사왕이 영신을 보낸 지 오래 되 소식이 없으니, 기다리는 마음이 미칠 듯하던 바에, 영신이 돌아왔음을 듣고 즉시 불러 정씨의 유무 거처를 물으니, 영신이 전후 수고하던 말과 오추관으로 행계(行計)하던 바를 일일이 고하니, 장사왕이 크게 실망하나 교아 대열함을 이기지 못하여 왕더러 왈,

"정씨 수사함이 참절하오나 저의 명도 벌써 그러하니 아낄 바 없는지라. 영신과 궁인이 성공함이 없으나 타국에 유처(留處)하여 심려함을 대왕은 살피소서."

왕이 연기언(然其言)627)하여 영신과 제군을 상사하고, 이영은 각별

---

626) 그림의 떡 : 그림 속의 떡. 화중지병(畵中之餠). 아무리 마음에 들어도 이용할 수 없거나 차지할 수 없는 경우를 이르는 말.
627) 연기언(然其言) ; 그 말을 따름.

금은으로 위로하니, 이영이 정부인의 가르침을 좇아 저의 소실(所失)은 감추고 무수한 상급을 얻으니, 정소저를 감은각골(感恩刻骨)하더라.

오세웅이 거짓 습사(習射)하기를 마치고 읍저에 돌아와, 정씨의 수사함을 비로소 들음같이 하며 놀라는 체하여, 즉시 모든 선인을 불러 정소저의 시신을 얻은 즉 상사(賞賜)가 있으리라 하나, 선인(船人)이 능히 얻지 못하니, 추관이 거짓 참절하여 정소저의 시녀더러 경악함을 이르고, 목표 벌써 노고의 시신을 관문 밖에 버리고 본국으로 돌아갔음으로, 이곽과 여러 시노를 가두어 둠이 부질없는 고로, 일시에 옥문을 나게 하고, 이곽을 청하여 정부인의 익수 참사함을 치위(致慰)하며, 문득 탄왈,

"금평후 상공의 만금 소교가 이곳에 적거(謫居)하심도 괴이하거늘, 마침내 수사(水死)하시니 인심에 참연 통절함이 어찌 범연(凡然)하리오. 관인과 노복이 밤을 지키지 못하여 공교한 일로 갇힌 때라. 이제 정부인이 수사하시고, 걸인이 또 작일에 겁(劫)하여 그 어미의 시신을 길가에 버렸다 하니, 이제 송척(訟隻)이 죽었고, 신관이 내려올진대 살인한 자를 대살(代殺)하리니, 내 이 때를 타 그대를 쾌히 돌려보내나니, 그대는 나의 뜻을 알지어다."

이곽이 소저의 수사한 흉문(凶聞)을 들으매 망극하고 놀라움이 천지가 캄캄한 듯하되, 소저의 출인한 지혜(智慧)와 담략(膽略)을 생각건대, 힘힘히 적화(賊禍)를 받아 사장(沙場) 어육(魚肉)이 되지는 않았을지라. 그윽이 일분 믿는 바 있으나, 추관의 무상불인(無狀不仁)함을 분노하여, 은연(殷然)이 호수(虎鬚)를 거스르고 정색 대왈,

"명공이 비록 소생으로써 살인죄수로 미루시나 생의 애매함은 하늘이

---

628) 송척(訟隻) : 송사(訟事)하는 상대자.
629) 호수(虎鬚) : 호랑이 수염. 거친 수염을 비유적으로 이르는 말.

아는 바라. 조금도 구겁지심(懼怯之心)이 없으니, 신관태수 내려오거든 걸인으로 일장을 다투어 원억함을 신설코자 하였더니, 벌써 걸인이 죽었다 하니, 이제는 더불어 말할 사람이 없는지라. 명공이 은혜로써 소생과 정부 노복을 내어놓는 듯이 하시나, 소생은 처음에 취옥(就獄)치 않을 일에 명공이 구박하여 가두심을 그윽이 원민(冤悶)하여 하나니, 흉적의 무상(無狀) 간휼(奸譎)함이 소생과 제노의 없는 때를 타 변고를 지음이 필유묘맥(必有妙脈)이라. 부인이 도적의 욕을 두려 스스로 익수지화(溺水之禍)를 취하시매, 도적이 물러나고 명공이 소생과 노복을 내어놓으시나, 부인의 신체도 얻을 길이 없으니, 소생이 하면목(何面目)으로 금평후 부자께 뵈오며, 윤청문께 배현하리오. 이곳에서 죽어 가지 말고자 하나이다."

언필에 천항루(千行淚)가 옷깃을 적시니, 오추관은 위인이 비록 간활(奸猾)하나 추세(趨勢)630)하기를 남달리 하는 고로, 자기 이곽과 제복을 가둔 때에 정소저 수사(水死)하였으니, 금후 부자가 그릇 여길까 두려 이곽을 천만 위로하여, 정부인 허장(虛葬)631)할 일을 의논하니, 이곽이 다만 금평후께 취품(就稟)하여 할 바를 일컫고, 총총히 가사(家舍)에 돌아와 양낭(養娘) 등을 보고 부인의 수사함이 진적한가 물으니, 양낭이 가만히 소저의 이르던 바를 전하여 왈,

"이제는 빈 집을 지킴이 부질없으니 경사로 올라가사이다."

한데, 곽이 대경 왈,

"부인이 비록 적화를 피코자 하여 남복으로 문을 나시나, 홍선만 데리

---

630) 추세(趨勢) : 어떤 세력이나 세력 있는 사람을 붙좇아서 따름.
631) 허장(虛葬) : 오랫동안 생사를 모르거나 시체를 찾지 못하는 경우에 시체 없이 그 사람의 옷가지나 유품으로써 장례를 치름. 또는 그 장례.

시고 아무 곳에 머무시는 바를 알지 못하니, 우리 어이 그만하여 경사로 가리오."

시녀 등이 가로되,

"관인의 말이 유리하시나, 부인이 임행에 당부하심이 여차여차하시어 행여도 머물지 말라 하실 뿐 아니라, 남장으로 나갔으매 위태로움이 없을까 하나이다."

이곽이 부인의 신명함을 아는지라. 당부하고 가신 바에 적소에 머묾이 가치 않은 고로, 이윽히 머리를 숙여 사상(思想)하다가 이에 왈,

"부인의 신출귀몰하신 지혜는 여견만리지총(如見萬里之聰)632)이 계시고 지혜 각별하시니, 수화(水火) 중에도 위태로움이 없으려니와, 남장을 개착하시어 홍선으로 문을 나심은, 그윽이 머무실 곳을 정하시어 액회 진함을 기다리심이니, 우리는 일종(一從)633) 부인의 영을 봉승하리라."

하고, 마지못하여 경사로 돌아갈 행장을 차리며, 일변 사변(沙邊)에 시녀 노복 등을 보내어 대곡(大哭)하여, 시신을 찾지 못함을 알리니, 오 추관이 장사왕이 타일 만승지주(萬乘之主) 됨을 바라는 고로 범사에 정성을 다하나, 정부 금평후 부자의 권세를 아직 따르지 못하는지라. 이곽 등을 가두고 문정에 수호하는 군사를 없이하여, 소저 적변을 만나 수사함이 되었으니, 금후의 그릇 여김이 될까 불안(不安) 절민(切憫)하여, 날마다 이곽을 와 보고 거짓 정겨운634) 체하여, 정부인의 의상이나 초혼(招魂)635) 허장(虛葬)할 일을 의논하되, 이곽이 다만 임의로 못함을

---

632) 여견만리지총(如見萬里之聰) : 만 리 밖의 일을 눈으로 보듯 아는 총명.
633) 일종(一從) : 한결같이.
634) 정겹다 : 정인 넘칠 정도로 매우 다정하다. -저오다; -겹다. '감정이나 정서가 거세게 일어남'의 뜻을 더하는 접미사.
635) 초혼(招魂) : 사람이 죽었을 때에, 그 혼을 소리쳐 부르는 일. 죽은 사람이 생

일컫고, 사오일 치행하여 경사로 올라 가대, 이곽이 이르기를 상강 배를
타고 행하면서, '소저의 시신을 얻어 보려 하노라,' 하니, 추관이 초상제
구(初喪諸具)를 주어 보냈더니, 마침 선인의 처가 경사로 올라가다가 중
로에서 죽거늘, 이곽이 오추관이 준 바 의금관곽(衣衾棺槨)636)을 주어
염장(殮葬)하게 하고, 말을 퍼뜨리되, 이곽이 정부인 신체를 얻어 관중
에 장념(葬殮)하여 경사로 반구(返柩)하다 하니, 오추관과 장사 제인이
다 그러히 여기더라.

차시 추관이 계문하여 적거죄인 정씨 수사함을 진달(進達)하니라.

이때 정소저 홍선으로 더불어 산중 암혈에서 수일을 지내고, 제삼일
에 비로소 도로에 방황하여 그윽한 암자 도관을 얻어 몸을 의지코자 할
새, 종일토록 행하나 마땅히 머물 곳을 얻지 못하니, 산로(山路) 기구험
난(崎嶇險難)하여 층암절벽(層巖絶壁)이 깎아지른 듯하고, 일기 엄렬(嚴
烈)하니 소저 천금귀질(千金貴質)로써 어찌 험준한 길에 행보를 잘 이루
리요마는, 사람됨이 만사 타류에 초월(超越) 특이(特異)하여, 몸 위에
남복이 있음을 믿어, 삼촌(三寸) 금년(金蓮)을 자약히 옮겨 행하던 바를
버리고, 용행호보(龍行虎步)의 신기함을 효칙하니, 기구험로(崎嶇險路)
에 다다라는 홍선은 오히려 발을 붙이지 못하되, 소저가 홍선을 이끌어
고봉준령을 평지 다님같이 여기는지라. 종일 행하여 한 곳에 다다라는,
산형이 수려하고 경개 절승하여 낙락장송(落落長松)과 창창녹죽(蒼蒼綠
竹)이 하늘에 닿은 듯하고, 초목이 무성하거늘, 이미 날이 어둡고 산이

시에 입던 저고리를 왼손에 들고 오른손은 허리에 대고는 지붕에 올라서거나
마당에 서서, 북쪽을 향하여 '아무 동네 아무개 복(復)'이라고 세 번 부른다.
636) 의금관곽(衣衾棺槨) : 상례에 쓰는 물품으로, 수의(壽衣)와 염습에 쓰는 이불,
시신을 넣는 관(棺)을 함께 이르는 말.

깊은데, 홀연 들으매 포악하고 영한(獰悍)한 소리로 사람을 호령하되,

"내 이미 참고 견디기를 많이 하여 너의 회과책선하기를 기다리되, 점점 포악하여 무일가관(無一可觀)이라. 금일 너를 죽여 분을 풀리라."

하는 소리 들리는지라. 소저 그 소리의 악악함이 위·유 양부인의 포악함으로 같으니, 소저 중심에 의아하여 혜오대,

"원간 사람이 어질지 못한즉 성음이 서로 같음이 이 같도다. 내 아무려나 가만히 나아가 거동을 보리라."

하고 홍선으로 더불어 소리 나는 곳을 찾아 나아가 보니, 산을 등져 일좌(一座) 대개(大家)가 있고, 좌우 장원(牆垣)이 다 유리(琉璃)를 밀친 듯하거늘, 원문(垣門)을 넘어 들어 수목 사이에 서서 보니, 중년의 부인이 명부의 복색을 갖추고 십이삼(十二三)은 한 연약한 여자를 높은 나무에 달고, 친히 철편을 들어 머리로부터 일신을 헤지 않고 짓두드리며, 간간이 이를 갈아 왈,

"요년아! 내 너와 무슨 원수관데, 한번 화한 낯빛으로 나를 보는 일이 없고, 내 너를 못 견디게 하는 것이 아니라, 전정을 염려하여 네 부친이 돌아오지 못한 전이라도, 백년길사(百年吉事)를 헛되이 않으려 정하였나니, 세웅이 연미삼십(年未三十)에 돈후군자(敦厚君子)니, 구하여도 그 같은 서랑(壻郎)이 쉽지 않으려든, 네 마음이 어떠하여 지사위한(至死爲限)하여 마다하느뇨? 내 전후에 너를 천번 달래고 만번 개유하되, 날로 요악괴려(妖惡乖戾)하니, 이런 요녀를 살려두어 무엇하리요?"

이리 이르며 힘을 다하여 두드리니, 머리 깨어져 피 흐르고 만신이 적혈이 임리(淋漓)하여 경각에 진할 듯, 보기에 경악하되 아무도 구할 이 없어, 그 부인 곁에 시녀 오륙 인이 있으되, 입을 여는 일이 없고, 면모에 살기등등(殺氣騰騰)[637]하여 독사의 거동이요, 이리[638] 형상이라. 정소저 이를 보매, 위·유 양부인이 더욱 생각이 나는지라. 새로이 모발이

구송(懼悚)하고 마음이 서늘하여, 다시 그 남무에 달린 여자를 살피니 눈을 감고 입을 닫아 만신에 흐르는 것이 성혈(腥血)이요, 인형(人形)이 되지 못하였고, 명맥(命脈)이 수유(須臾)에 위태한지라. 소저 홍선을 돌아보아 참악(慘愕) 비상(悲傷)하여 왈,

"천지간에 저런 참담한 일이 어이 있으리오. 내 비록 용력이 없으나 저 부인의 사나움을 제어하며, 저 잔혹히 맞는 아해를 구하여 올 것이로되, 실로 머물 곳을 정치 못하였으니, 병든 아이를 데려다가 구호함을 얻기 어려우니 민망하거니와, 인명이 수유(須臾)에 있는 양을 보고 힘힘히 그저 지나리오."

홍선이 탄식 대왈,

"저 부인의 시험함이 많이 같은 곳이 있사오니, 소비는 그 모짊을 보매 옥누항 경색을 보는 듯하이다."

소저 그 여자의 위급함을 보고 소소 염치를 돌아보지 못할 뿐 아니라, 의기 현심이 사람의 참혹한 화액을 목도하매, 자기 몸에 당하나 다르지 않아, 시비곡직을 의논치 아니하고 바삐 구할 의사 발연하니, 홍선더러 왈,

"내 이제 저 여자를 구하여 오리니 너는 잠깐 이곳에 있으라."

홍선이 대왈,

"부인의 남다르신 의기, 사람의 참화를 지내보지 않으려 하심이거니와, 근본 대체는 알지 못하되, 맞는 여자의 일신이 한 곳 성한 대 없어 피육이 후란(朽爛)하고, 성혈이 임리(淋漓)하니, 구하기를 범연(凡然)이 하여서는 사지 못하리니, 어느 곳에 뉘고 병을 조리하게 하려 하시나니까?"

소저 미처 답지 못하고, 나는 듯이 너른 소매를 떨쳐 그 부인 앞에 나

---

637) 살기등등(殺氣騰騰) : 살기가 표정이나 행동 따위에 잔뜩 나타나 있다.
638) 이리 : 이리.

아가, 소리를 높여 왈,

"야천(夜天)이 조림(照臨)하시고 신명이 재방(在傍)하니, 사람이 불의 악사(不義惡事)를 행하매, 이목이 알 이 없다 하여, 적적(寂寂) 심야(深夜)에 한가지 혈육지신을 이같이 잔혹한 형벌로 바삐 죽이려 하거니와, 천신이 살피시미 소소하니, 어찌 악인을 벌치 않으며, 인명의 급함을 구치 않으리오."

언필에 봉미(鳳眉)를 거스르고 성안을 부릅떠, 그 부인의 손 가운데 매를 앗아 멀리 던지고 부인을 밀치니, 정소저 본디 응지설부(凝脂雪膚) 풍전(風前)에 부칠 듯하나, 용력인즉 과인(過人)하여 장부를 우습게 여기나, 남더러 이르는 일이 없으니, 일가 부모 동기도 그 용(勇)을 알지 못하니, 가인 차환의 무리 어찌 알리오. 그 부인이 거꾸러지고 소저 양비(兩婢)를 꾸짖어 여자를 끌러 내린대, 인사를 알지 못하고 엄홀(奄忽)하여 형색이 위급하니, 소저 불승참담하여 즉시 안고 나오며 그 부인을 향하여, 질왈(叱曰),

"여등 노주 하나나 일분 인심이 있을진대 이다지도 사오납지 않을 것이로되, 비록 네 주인이 이같이 못할 일을 한들, 너희 등이 지성(至誠) 간걸(懇乞)하여 악사를 간(諫)치 아니하고, 인명이 중대함을 돌아보지 않으니 어찌 후일이 무사하리오. 천의(天意0 지공무사(至公無私)하시니, 흉인이 한번 참화를 당하여 선종(善終)치 못하리라."

이리 이르며 나는 다시 원문(垣門)을 나니, 거동이 이상하여 선풍도골(仙風道骨)이 맑고 높은 격조(格調)가 천지의 수출한 정화를 타고 나, 찬란한 광채 조일(朝日)이 채운(彩雲)을 멍에[639]하여 부상(扶桑)[640]에 솟

---

639) 멍에 : 수레나 쟁기를 끌기 위하여 마소의 목에 얹는 구부러진 막대.
640) 부상(扶桑) : ①중국 전설에서 해가 뜨는 동쪽 바닷속에 있다고 하는 상상의

았으며, 쇄락한 신채 추월이 청공(靑空)에 걸렸는 듯, 양안을 높이 뜨매 두 줄기 맑은 빛이 조요(照耀)하여 가을 물결에 사양(斜陽)이 흐르는 듯하고, 단순(丹脣) 화험641)에 자태 현요(顯曜)하여, 팔채(八彩) 서광(瑞光)과 오색(五色) 상서(祥瑞) 황황하여 입으로 옮기기 어렵고, 그림으로 모사(模寫)치 못하리니, 만고무비(萬古無比)하고 일세에 독보(獨步)할 색광(色光)이라. 낭음맹성(朗吟猛聲)이 고상맹렬(高爽猛烈)하여 형옥(衡玉)을 두드리고, 육척신장에 표연한 체지(體肢) 바로 학을 몰아 운각(雲閣)을 향하는 듯하니, 인세 화식(火食)하는 사람이라 하리오.

그 부인과 좌우 차환 등이 창황경악하며 낙담상혼하여, 무지모야(無知暮夜)642) 에 불의지사(不義之事)를 행하다가, 천선(天仙)이 강림(降臨)하여 부인을 꾸짖고 소저를 앗아 간가? 두렵고 놀라움에 만신이 떨리고 이를 다물지 못하니, 차하인야(此何人耶)643)오.

원래 장사 해월촌에 일위 명환(名宦)이 있으니, 성은 남이요, 명은 숙이요, 자는 이보라. 대대 명문거족(名門巨族)이오 교목세가(喬木世家)644)러라. 남숙이 일찍 청운에 고등하여 옥당(玉堂) 한원(翰苑)을 자임(自任)하니, 문장기절(文章氣節)과 충의사행(忠義士行)이 세대에 추앙하는 바니, 사중(舍中)에 두 부인을 두매, 원비 강씨 숙녀의 명풍을 가져 백사(百事)에 현철하고, 차비 위씨는 용모 절세하나 은악양선(隱惡佯善)하고 부정간힐(不正奸黠)하여, 말씀이 현하(懸河)를 드리운 듯하되,

---

나무. ②해가 뜨는 동쪽 바다.
641) 화험 : 꽃처럼 아름다운 뺨. 화검(花臉) 또는 화협(花頰)의 오기인 듯.
642) 무지모야(無知暮夜) : 아무도 모르는 어두운 밤.
643) 차하인야(此何人耶) : 이 사람은 누구인가.
644) 교목세가(喬木世家) : 여러 대에 걸쳐 중요한 벼슬을 지내 나라와 운명을 같이 하는 집안.

타인의 어진 것을 기뻐 아니하고, 언족이식비(言足以飾非)하여, 그른 것
꾸미기를 이언(利言)[645]이 잘 하니, 남공이 강부인을 중대하고 위씨의
인물을 염려하나, 애증(愛憎)을 고루고루[646] 하여 위씨로 부부윤의를
폐치 아니하되, 위씨 매양 강부인 총애함을 시기하여 부디 해할 뜻이 있
더니, 강부인은 여러 자녀를 낳아 옥동화녀(玉童花女)가 층층하되, 저는
일점 혈속(血屬)을 두지 못하니, 더욱 분원하여 가만히 저주를 행하고,
간계를 발하여 강부인과 그 자녀 없애기를 꾀하더니, 남씨 가운(家運)이
불행하고 남공 부부의 명도 다험(多險)하여, 위씨의 독한 수단이 강부인
의 오자이녀를 수삭지내(數朔之內)에 다 죽게 하되, 간정이 드러나지 않
으니 남공과 부인이 위씨의 악사인 줄은 알지 못하고, 옥수신월(玉樹新
月) 같은 자녀를 다 없이 하고, 참달비통(慘怛悲痛)함이 성질(成疾)하기
에 미쳤더니, 하늘이 남씨의 후사를 끊지 않으려 강부인이 자녀를 다 없
이한 후 즉시 잉태하여 십삭이 찬 후 자·녀를 쌍산(雙産)하니, 공이 대
열하여 아들로써 창징이라 하고, 여아로써 희주라 하여, 사랑함이 장상
지주(掌上之珠)[647]와 연성지벽(連城之璧)[648] 같더라. 위씨 강부인이 살
아 자녀를 생산함을 통완하여, 다시 흉사를 행하여 간계 아니 미친 곳이
없으니, 창징과 희주 세상에 난 지 사오 삭에, 강부인이 병독(病毒)하여

---

645) 이언(利言) ; 말솜씨가 좋음. 말을 유리하게 잘함.
646) 고루고루 ; 두루 고르게. 여럿이 다 차이가 없이 엇비슷하거나 같게
647) 장상지주(掌上之珠) : 손바닥 속의 구슬이라는 뜻으로 매우 사랑하도 소중이
　　여김을 뜻하는 말.
648) 연성지벽(連城之璧) : =화씨지벽(和氏之璧). 중국 전국시대에 변화씨(卞和氏)
　　라는 사람이 형산(荊山)에서 돌 위에 봉황이 깃들이는 것을 보고 얻었다는 천
　　하의 이름난 옥을 말하는데, 후대에 진(秦)나라 소양왕(昭襄王)이 이 옥을 탐
　　내, 자국의 15개 성(城)과 바꾸자는 제안을 했다는 데서, '연성지벽(連城之璧)'
　　이라는 이름이 붙게 되었다 함.

자리에 일어나지 못할 새, 임망(臨亡)에 남공께 부탁하여 자녀를 강참정
께 보내어 기르라 하니, 공이 자녀를 상명(喪明)649)하고 부인의 망함을
보니, 장부(丈夫)의 철석심장이나 촌절(寸絶)함을 참지 못하니, 만사에
흥황이 없어 부인을 장(葬)하고, 자녀를 경사 강참정께 의탁하고 자가는
위씨와 노복을 거느려 장사 고향에 내려올 새, 남공의 벼슬이 이부시랑
도어사더니, 천정에 표를 올려 벼슬을 사양하고 장사에 복거한 지 십여
년이라. 자녀를 데려올 의사를 아니 하고 보고 올 따름이니, 구태여 위
씨를 의심하는 바 아니라, 스스로 자녀를 데리고 있기를 두려 장성할 동
안 외가에 두어, 다시 요척(夭慽)650)을 보지 않으려 함이더라.

위씨 매양 공을 대하여 창아 남매 데려오기를 이르나, 남공의 주의 자
녀를 다 성취한 후 데려오려 함으로 위씨의 말을 듣지 아니 하더니, 남
공이 기직(棄職)한 지 십유년(十有年)에 조정이 해마다 남숙을 불러 쓰
심을 청하여, 중사(中使)가 도로에 이었으되, 응조(應朝)치 않음을 불열
하시고, 창징과 희주 상서하여 사친지회(思親之懷)를 고하여 상경하심
을 청하였으니, 남공이 마지못하여 위씨를 장사에 머무르고 자기는 천
문에 조회하고, 사정을 애고(哀告)하여 환로(宦路)에 뜻이 없음을 사양
하여 도로 내려오려 하더니, 상이 남숙으로써 구주순무사(九州巡撫使)
를 삼아, 주현방백(州縣方伯)의 현우를 살피고 출척(黜陟)을 임의로 하
라 하시니, 공이 인신지도(人臣之道)에 경사에서 편히 다니는 관직과 달
라, 구주순무사의 수고로움으로써 사양함은 불가한 고로, 사은 퇴조하
고 구주(九州)651)로 나아갈 새, 일이 공교하여 강참정이 운남 포정사로

---

649) 상명(喪明) : 아들의 죽음을 당함.
650) 요척(夭慽) : 자녀를 어려서 잃은 슬픔.
651) 구주(九州) : 중국 고대에 전국을 나눈 9개의 주. 요순시대(堯舜時代)와 하(夏)
　　　나라 때에는 기(冀)·연(兗)·청(靑)·서(徐)·형(荊)·양(揚)·예(豫)·양(梁)·

가고, 부인 호씨는 부상을 만나 서주 본가로 내려가니, 창징과 희주는 표종(表從) 등으로 더불어 강부에 머물더니, 강공이 부인의 서주 가는 것을 듣고 즉시 군관과 안마를 보내어 창징을 운남으로 데려가 자기 안전에 있게 하고, 희주는 강부에 머물더니, 장사에서 위씨 이 소문을 듣고 교마(轎馬)와 가정(家丁)을 보내어 소저의 내려오기를 청하니, 사의(辭意) 비절간곡(悲絶懇曲)하여 만편서사(滿篇書辭)에 능히 떼치지 못할 것이로되, 소저 스스로 위씨를 향한 정성이 나지 아니하고 보고자 뜻도 없으니, 생세 사오 삭에 떠났으니 피차 얼굴도 모를 뿐 아니라, 계모의 곳에 나아감이 위태로운 듯, 두려운 듯하여, 그 선악을 미처 알지 못함으로 즐겨 내려가지 아니하고, 회서를 닦아 마침 유질하여 천리 장정에 내려갈 길이 없음을 고하니, 위씨 대로하여 공교로운 계교로 남공의 필체를 모떠 착실히 익히니, 수순지내에 완연이 같은지라.

희주에게 서간을 부쳐 계모의 외로움을 일컫고, 매양 외가에 있을 것이 아니니 그만 하여 장사로 내려가라 하고, 만일 역명(逆命)한즉 부녀 다시 보지 않으리라 하고, 강참정 장자 학사에게 서찰을 부쳐 여아를 장사로 보내라 하여, 사어(辭語) 가장 순편하여 영리한 심복을 맡겨 경사에 가 머물며, 구주 왕래를 맞추어 구주 하리 강부에 전하는 서간이 있거든, 계교로 남공의 서간을 앗고 이 서간을 바꾸어 강부에 들이라 하니, 노자 계동은 제 아비 여환이 문양궁 노자로 경사에 있는지라. 가기를 사양치 아니하고 위씨의 악사를 돕는지라, 위씨 가장 중히 여길 뿐 아니라, 그 어미 무향은 위씨 유제(乳弟)[652]라. 남부에서 장사로 내려

옹(雍)이며, 은(殷)나라 때에는 기·예·옹·양·형·연·서·유(幽)·영(營)이고, 주(周)나라 때에는 양·형·예·청·연·옹·유·기·병(幷)이다.
652) 유제(乳弟) : 유모로부터 젖을 나누어 먹은 동생.

올 제 그 지아비 여환을 떠나지 못하여 경사에 있더니, 여환이 근본은 김귀비 궁노로 문양궁에 속하매, 소임이 더욱 한가한 고로 무향이 또 집을 이뤄 종용이 지내더라.

경사에 올라와 어미 집에 머물 새, 무향이 또 주점을 열어 행인을 상접하며, 집이 또 강외 근처에 머지않은 고로 여환의 부부모자 날마다 구주서 오는 하인을 살펴, 유인하여 술을 먹이고 취함을 타, 그 낭대(囊袋)를 뒤져 남공이 강부에 보내는 서찰을 빼내고, 위씨의 만든바 위조서간으로 바꾸니, 그 공교한 꾀를 뉘 알리오. 구주 하인이 천만 무심코 강부에 나아가 글월을 올리니, 소저 야야의 글월을 반겨 피열하여 공경개간하매, 만편사의(滿篇辭意) 엄숙하여 빨리 장사로 내려가 고단한 계모를 위로함을 일렀고, 강학사에게 부친 서간이 언언 근니(近理)하니, 강학사 의괴(疑怪)하여 남공의 언약하던 말씀과 다름을 의심하고, 소저 진실로 즐겨 돌아갈 의사 없으나, 서중 사의 가장 준절하시니 어찌 능히 변(變)을 막으리오. 마지못하여 모든 표종 자매를 이별할 새 연연의의(戀戀擬議)653)하여 청루(淸淚)를 금치 못하더라.

소저 유모와 시녀를 거느려 발행할 새, 강학사 심복군관과 근실한 창두와 양낭을 가려 반전을 풍비히 갖추어 장사로 보내니, 위씨 소저를 강보에 떠났으니 그 나이를 헤아려 많이 자랐을 것으로 짐작하나, 이다지도 장성 수미(秀美)함은 생각지 않은 바라. 미움이 곧 삼킬 듯하나, 강부 복첩의 이목을 꺼려 거짓 흔감(欣感)저이654) 반겨하는 사색과 장성함을 일컬어 두굿기는 사색이 천만 예사롭지 아니 하더니, 강부 창두 시녀 등이 순일(旬日)을 머물러 하직하고 돌아가니, 위씨 차일 시각이 넘

---

653) 연연의의(戀戀擬議) : 애틋한 마음을 품어 망설이고 주저함.
654) -저이 : 접미사. '그러한 성질이 있음'의 뜻을 더하여 부사를 만드는 접미사.

지 않아서 흘기는 눈꼴과 가는 이빨이 독한 뱀과 성낸 이리 같아서, 고
대655) 물어 너흘656) 듯하니, 희주 소저 비록 강보에 자모를 여의었으
나 외구 강공 부부의 기출(己出)같이 무휼함을 입어, 비환애락을 알지
못하던 바로써, 불의에 기괴(奇怪) 참난(慘難)을 당하니 연연약질이 장
차 어떠하리오. 진실로 사람의 견디지 못할 고상(苦狀)과 참지 못할 곡
경이 천서만단(千緒萬端)이라.

위씨 소저의 초출 특이함을 더욱 밉게 여겨, 부디 자심(滋甚)히 보채
어 견디지 못하여 죽도록 하려 주의를 정하고, 소저의 없는 허물과 않은
말을 스스로 주출(做出)하여, 시험(猜險)히 보챔이 아니 미친 곳이 없
고, 또 음행악사 있어, 상강(湘江) 선창(船廠)에 다니는 무뢰배를 유정
(有情)하였다 하여, 조르며 질책하되, 소저 한 말 폭백(暴白)함이 없고
위씨를 볼 적마다 심기 서늘하여 상대하기를 진정으로 깃거 아니하니,
비록 불순히 언힐함이 없고 치기를 당하여 혈육이 상할지언정 죽기를
죄올 뿐이요, 구구히 척비(慽悲)하는 거동이 없어, 돌 마음과 쇠 간장이
되었으나, 천만 가지 곡경과 참참한 액화를 당하여, 옥모 수약(瘦弱)하
고 향신이 표연하니, 유모와 두 시비 주야 슬퍼 노주 서로 붙들어 살 도
리를 생각하나 얻지 못하더라.

위씨 소저의 유모와 두 시녀를 깊이 가두어, 소저를 지켜 있지 못하게
하고, 기괴한 천역과 수고로운 고역을 갖추 식이며, 소저의 아름다움이
여공지사(女工之事)와 백행사덕(百行四德)이 나무랄 것이 없으되, 연연
약질이 진할 듯하니, 위씨 교아질매(咬牙叱罵)657)하여 시키는 일을 않

---

655) 고대 : 바로 곧. 이제 막.
656) 너흘다 : 물다. 물어뜯다. 씹다.
657) 교아질매(咬牙叱罵) : 이를 갈며 꾸짖고 욕함.

으려 하여 못 견디는 체한다 하여, 보채고, 조석 식음을 때에 주는 일이
없어, 기한(飢寒)에 지쳐 죽게 하려 하나, 삼동(三冬)이 진하고 신년을
만나 삼춘이 진하되, 죽는 일이 없으니, 위씨 착급 분분한 가운데, 남주
추관 오세웅은 위씨의 재종 표질(表姪)이니, 숙질의 의(義) 있는지라.
이따금 남부에 와 위씨를 문후하더니, 남소저의 성화를 듣고 위씨를 대
하여 보기를 청한데, 위씨 소저의 정정한 규법(閨法)이 삼엄함을 아는지
라, 오세웅을 나와 볼 리 있으리오.

차라리 위력으로 뵈고자 하여 세웅을 이끌고 소저의 방에 이르니, 소
저 침선을 다스리다가 인적(人跡)이 있음을 듣고 지게 틈으로 살피니,
위씨 어떤 남자를 데리고 들어오거늘, 소저 대경하여 뒷문으로 나가고
자 한즉, 벌써 밖으로 걸었거늘, 피할 길이 없어 금금(錦衾)으로 낯을
싸고 움직이지 아니하니, 세웅이 소저의 얼굴은 보지 못하되, 체용의 기
이함을 황홀하여 숙모를 눈주어 그 얼굴을 들게 하라 하니, 위씨 달려들
어 소저의 금금을 빼어 앗고 낯을 들게 하려 하되, 땅에 박아 죽기를 그
음하여 낯을 들지 않으니, 위씨 어지러이 두드리며 그 옷을 다 찢어버려
낯을 감추지 못하게 하되, 소저 한 소리 말이 없고 척척히 우는 바도 없
으니, 세웅이 상실(喪室)한 지 사오년이로되 재취치 못하고, 다섯 소희
(小姬)를 두어 의건(衣巾)을 소임하며 내사를 찰임하더니, 금일 남소저
의 아름다운 체지를 보고 황홀하여 그 얼굴을 마저 보고자 하되, 남씨
낯을 들지 아니하고, 위씨는 저의 말을 듣지 않음을 분노하여, 그 몸이
상함을 혜지 아니하고 수없이 짓두드리니, 머리 깨어져 피 흐르는지라.

세웅이 크게 아껴 위부인께 과도함을 말리고, 즉시 나와 위씨를 대하
여 저의 사정을 다 고하고 재취를 구하니, 위씨 일언에 쾌허하여 희주
자기 말을 순종하거든 단장을 빛내 다스려 보내고, 그렇지 아니하거든
짓두드려 데리고 제 남주로 가마 하니, 오추관이 대열하여 즉시 관읍에

돌아와 궤 중에 모았던 황금 삼천 냥을 위씨에게 보내니, 위씨 본디 금은 사랑하기를 제 성명도곤 더하는 고로, 희주를 오가에 팔아 삼천냥 금을 받으매 불승영행하여, 소저를 대하여 오추관의 풍신 용화와 문장재주를 칭찬하고, 비록 후취나 속자(俗子)의 원비(元妃)도곤 쾌하고 즐거움을 일러, 공이 환가 전이라도 자기 주혼(主婚)하여 성례(成禮)하렸노라 하니, 소저 위씨의 이르는 말을 사사(事事)에 대답지 않아 입을 엶이 없으며, 음행악사로 지목하여도 구구히 폭백함이 없더니, 부친이 돌아오지 않아서 성혼하여 보내고자 함을 보매, 분완통해(憤惋痛駭)함을 참지 못하여 정색 대왈,

"소녀는 규녀라. 혼사에 간예(干預)함이 염치에 불가함을 모르지 아니하되, 대인의 돌아오실 기약이 머지 않거늘, 그 사이를 참지 못하여 자식을 가장(家長)이 모르게 성혼함이 사리에 불가함을 깨닫지 못하시나니까? 소녀 백사에 위월(違越)치 말고자 하더니, 이 일에 다다라는 죽어도 받들지 못할소이다."

위씨 대로하여 치며 겁박(劫迫)하고 달래여 위력으로 보내고자 하되, 소저 죽기를 자분(自憤)하여 듣지 아니하니, 오세웅은 알지도 못하고 종숙모를 날마다 보채여 친사를 재촉하니, 위씨 착급하여 위력으로 데리고 남주 관아로 가려하나, 소저 금금에 말려 방문을 안으로 걸고 작수(勺水)를 마시지 아니하고, 죽음을 원하며 살기를 생각지 않으니, 위씨 분노하여 문을 깨치고 들이달아 소저의 청운 같은 운환을 끌어 밖에 나와, 종일토록 질욕(叱辱) 난타(亂打)하여 오가로 보내랴 하되 마침내 거절하니, 위씨 익익 대로하여 아주 짓밟아 육장(肉醬)을 만들려 하는지라.

밤이 깊고 만뢰구적(萬籟俱寂)하기에 임하매, 소저의 팔을 끌어 뒷동산 아래 다다라 큰 소나무에 매어달고, 머리로부터 만신을 헤지 않고 짓두드리니, 남소저 청빙(淸氷) 같은 약질이 십이세 초춘을 당하여, 연연

요요(軟軟夭夭)658)함이 약한 버들 같은지라. 비록 신장체지(身長體肢)
숙성(夙成)하여 미진함이 없이 다 자랐으나, 기질인즉 남달리 섬약(纖
弱)하니, 위씨의 흉완 악착한 장책을 잘 견디리오. 나무에 거꾸로 달리
기를 임하여, 이미 엄홀하여 숨 있는 시신이 되었으니, 유모 시녀는 다
가두었고, 노소비자는 다 위씨의 심복이 되었고, 혹 인심 소관(所關)으
로 소저를 아낄 이 있으나, 위씨의 포악함을 두려 감히 구할 이 없더니,
천만 기약치 않은 정소저 위씨를 질책하고 소저를 데려가되, 신상에 건
복(巾服)659)이 있고, 풍신용화 진세(塵世) 속인과 내도함을 보매, 반드
시 하늘이 희주의 자닝함을 살펴 신인(神人)을 보내어 앗아감으로 알아,
위씨의 흉험대악이나 말을 못하고 거꾸러졋다가, 침소에 돌아와 심신을
정치 못하는 가운데, 오세웅이 소저의 없음을 알면 반드시 금을 도로 찾
을까 두려 명일 말을 내대, '작야(昨夜)에 도적이 들어 가중 기용집물(器
用什物)을 다 거두어가고, 소저를 실산하였다' 하고, 남주 추관(推
官)660) 오세웅에게 이대로 통하니, 오세웅이 남소저를 취치 못하고 불
의로 모은 황금 삼천 냥을 헛되이 잃으니, 애달프고 분함을 이기지 못하
나, 도로 찾을 길이 없어, 도리어 숙모를 원망하고 가벼이 황금 보낸 줄
을 뉘우치나, 무가내하(無可奈何)661)더라.

이때 정소저 남씨를 옆에 껴 나오되, 남가 시비 등이 감히 일인도 따
라올 이 없으니, 정소저 역시 방심하여 홍선을 데리고 기구한 산로로 행

---

658) 연연요요(軟軟夭夭) ; 여리고 아름다움.
659) 건복(巾服) : 옷갓. 웃옷과 갓을 아울러 이르는 말로, 흔히 예전에 남자가 정식
    으로 갖추던 옷차림을 말함.
660) 추관(推官) : 추국(推鞫)할 때에 신문하던 벼슬아치.
661) 무가내하(無可奈何) : 어찌할 도리가 없음.

하여 수리는 더 가더니, 밤이 점점 깊고 머물 곳을 얻지 못하여, 두루 헤매다가 겨우 인가를 찾아 시문을 두드려 사람을 부르니, 주인 노고(老姑)가 나와 문을 열어 주며 왈,

"밤이 깊어 행인이 끊겼거늘 존객은 어디로 좇아 이에 이르시뇨?"

홍선이 답왈 참수(站數)662) 멀어 어두웠음을 일컫고, 은전(銀錢)을 주어 식반을 구하고 일야 머물기를 청하니, 노고가 객실을 치워 머물게 하고 식반을 차리러 들어가거늘, 소저 홍선으로 더불어 객실에 들어가, 남소저를 내려 편히 누이고 맥후를 살피니, 명맥(命脈)은 끊이지 않았으나 일신이 핏빛이 되었으되, 작인(作人)한 바 이목구비(耳目口鼻)와 백태만광(百態萬光)이 초세(超世)할 뿐 아니라, 존귀한 체격과 유복한 상모(相貌)가 수한(壽限)이 장원(長遠)하며, 복록이 융융(隆隆)할지라.

정소저 그 참혹(慘酷) 잔잉히663) 맞았음을 추연(惆然) 차석(嗟惜)하여 아끼는 마음이 평생 알던 바 같아서, 낭중(囊中)에 청심단(淸心丹)을 내어, 차에 화하여 입에 떠 넣으며, 수족을 주물러 구호하기를 극진히 하되, 남소저 즉시 깨지 못하더니, 식경(食頃)이나 지난 후에 숨을 내쉬고 눈을 떠 보더니, 자기 곁에 남자가 있어 구호함을 보고 대경하여, 한 소리를 길이 느끼고664) 기운이 엄엄(奄奄)하여665) 다시 막힐 듯하니, 소저 그 손을 잡고 나직이 이르대,

"소저는 첩으로써 남자인가 놀라지 말고 첩의 소회(所懷)를 들으라. 첩이 경사 사람으로 명세(明世)에 혼자 난리를 만나, 규리(閨裏)의 자취

---

662) 참수(站數) ; 역참(驛站)과 역참 사이의 거리. 역참(驛站); 조선 시대에 역로(驛路)에 세워 국가가 경영하던 여관. 대개 25리마다 1참을 두었다.

663) 잔잉하다 : 자닝하다. 잔인하다. 자닝하다; 애처롭고 불쌍하여 차마 보기 어렵다.

664) 느끼다 : 느끼다. 흐느끼다. 서럽거나 감격에 겨워 울다.

665) 엄엄(奄奄)하다 : 숨이 곧 끊어지려 하거나 매우 약한 상태에 있다.

도로에 방황하니, 여자의 낯가리는 예를 잃고, 백희(伯姬)666)의 죄인이 된지라. 차마 여복(女服)으로 분주(奔走)치 못하여 남의(男衣)로 변체(變體) 하였으나, 진실로 여자요, 남자 아니라. 마침 소저의 참액(慘厄)을 보매 인심에 참지 못하여, 맨 것을 끄르고 구하여 이에 데려 왔나니, 첩이 결단하여 소저에게 해로운 사람이 아니니, 모름지기 근본과 성씨를 은휘(隱諱)치 말라."

남소저 혼미한 가운데나 정소저의 별출쇄락(別出灑落)한 태도를 보매, 생래(生來)에 처음 보는 색광(色光)이라. 진속(塵俗)에 화식지인(火食之人)이 아니요, 신선이 강림하여 자가를 희롱함인가 의려하고, 남자 아닌 줄을 오히려 분명이 알지 못하여, 쉬이 답지 못하니, 정소저 저의 의심함을 보고 홍선을 나아오라 하여 팔을 빼어 주표를 뵈고, 다시 이르대,

"차녀는 첩의 시녀 홍선이라. 비주(婢主) 다 남의를 개착하였나니 소저는 의심치 말라."

홍선이 이어 가로되,

"우리 부인은 경사 금평후 정노야의 장녀시고, 윤어사의 원비시며, 병부상서 평남후의 매제시나, 천만 원억한 일로 장사에 찬적하시어 적소에 유하시더니, 액운이 첩첩하시어 적소에도 안거(安居)치 못하시고, 노주 음양(陰陽)을 변체하여 도로에 방황하여 안정한 처소를 얻고자 하더니, 마침 소저의 참화를 구하여 이에 왔나이다."

남소저 정씨와 홍선을 자세히 보니, 남자가 아닌 듯싶고, 원간 금평후

---

666) 백희(伯姬) : 중국 춘추시대 魯(노)나라 宣公(선공)의 딸. 송나라 恭公(공공)에게 시집갔다가 10년 만에 홀로 됐다. 궁궐에 불이 났을 때 관리가 피하라고 했으나 부인은 한밤에 보모 없이 집을 나설 수 없다고 고집해서 결국 불속에서 타 죽었다. 『열녀전(烈女傳)』〈정순전(貞順傳)〉'송공백희(宋恭伯姬)' 조(條)에 기사가 보인다.

정공의 여자는 윤어사 부인으로, 살인지죄로 장사에 찬적한 소문이 일세에 유명하니, 장사(長沙) 여리(閭里)에 모를 이 없는지라. 남소저 또한 익히 들음이 있더니, 바야흐로 의심이 풀어져 길이 탄식하고 말을 시작고자 하더니, 주고(主姑)667)가 식반을 드리거늘, 정소저 상을 받고 다시 값을 주고 일기(一器) 미죽(糜粥)을 구하니, 주고가 값이 중(重)함을 보고 수고를 잊고 급히 장만하여668) 이윽고 죽을 가져오니, 정부인이 오히려 식반을 먹지 않고 상을 두었더니, 죽을 받아 남씨를 권하며 한 가지로 먹을새, 남소저 눈물을 드리워 사례 왈,

"첩이 부인으로 더불어 일면지분(一面之分)669)이 없거늘, 부인의 의기현심이 첩의 위태한 잔명을 급히 구하시니, 첩이 무슨 사람이관데 감사함이 적으리까? '천하에 무불시저부모(天下無不是底父母)라'670) 하니, 첩이 현효(賢孝)치 못하여 계모의 책벌을 받으니, 부끄러운 낯을 들어 사람을 대할 뜻이 없고, 가엄이 돌아오셔도 고할 말씀이 없나이다. 첩은 곧 구주 순무사 남공의 소녀요, 운남 포정사(布政司)671) 강참정의 생질(甥姪)이라. 명도 기박하여 생세 사오 삭에 자모 기세하시니, 혈혈한 남매 표숙의 휵양(慉養)하심을 입더니, 마침 가친이 구주 순무사로 나가시고, 표숙이 운남에 유진(留陣)하시매, 그 사이 계모를 배견(拜見)코자 장사에 내려왔다가, 남주 추관 오세웅이 불의무상(不義無狀)하여 사람의 모녀지간을 상해(傷害)오며, 가친(家親)이 환귀(還歸)치 못하신 사이에 자모를 꾀니, 부인의 심장이 굳기 어렵고 사리를 통하기 쉽지 못

---

667) 주고(主姑) : 객점(客店) 따위의 주인 여자. 늑주모(主母).
668) 장만하다 : 필요한 것을 사거나 만들거나 하여 갖추다.
669) 일면지분(一面之分) : 한번 서로 얼굴을 본 인연. 분(分); 연분(緣分)
670) 천하의 무불시저부모(天下無不是底父母)라 : 천하에 옳지 않은 부모는 없다.
671) 포정사(布政司) : 감영(監營). 조선 시대에, 관찰사가 직무를 보던 관아.

하여, 위력으로 첩을 구속하여 남주로 보내고자 하매, 거조가 해연키를
면치 못한 바라. 첩이 인륜을 차리기를 원치 아니하고 죽기를 돌아감같
이 여기나니, 비록 부인의 구하신 은혜 깊사오나, 규녀의 도리 집을 떠
나 망측한 누언(陋言)을 씻지 못하리니, 명일 본부에 통하여 다시 들어
가고자 하나이다."

옥음낭성이 맑고 어리로우며672) 아름다움을 이기지 못하니, 정소저
그 정사를 들으매 참연함을 이기지 못할 뿐 아니라, 그 위인이 비속함을
밝히 알아, 용담호구에 보낼 뜻이 없어, 역시 함루 척연하여 왈,

"첩이 소저의 성효를 상해오며 행신에 해롭기를 권하는 것이 만만 불
사(不似)함673)을 모르지 아니하되, 이제 영대인(令大人)이 국사로 나가
신 사이에 소저의 종신대사를 그릇함은, 실로 아깝고 차악할 뿐 아니라,
소저의 도리는 영대인께서 돌아오시기를 기다림즉 하거늘, 사생(死生)
을 가벼이 여겨 죽기를 자분(自焚)하674)거니와, 인자가 부모의 낳아 길
러주신 구로대은(劬勞大恩)675)을 갚사옵지 못하고, '서하(西河)의 설움
을'676) 끼치고 초목과 같이 스러져 무궁한 불효를 어느 곳에 쌓으리오.
소저 비록 여자나 고사를 모르지 않으리니, 성인이 운(云)하시되, '대장
즉주(大杖則走)하고 소장즉수(小杖則受)라'677) 하여 계시니, 소저의 수

---

672) 어리롭다 : 아리땁다. 귀엽다.
673) 불사(不似)하다 : 닮지 않은 상태에 있다. 꼴이 격에 맞지 않아 아니꼽다.
674) 자분(自焚)하다 : 자기 몸에 스스로 불을 지르거나 불 속에 뛰어들어 죽음.
675) 구로대은(劬勞大恩) : 자기를 낳아서 길러주신 어버이의 큰 은혜.
676) 서하지탄(西河之嘆) : 자식을 잃은 탄식. '서하의 탄식'이라는 뜻으로, 공자(孔
    子)의 제자인 자하(子夏)가 서하(西河)에 있을 때 자식을 잃고 너무 슬픈 나머
    지 소경이 된 고사에서 온 말.
677) 대장즉주(大杖則走)하고 소장즉수(小杖則受)' : 작은 매는 맞되 큰 매는 도망하
    여 피함.

장(受杖)하는 경계는 사람의 당치 못할 경상이라. 영자당(令慈堂)이 목
강(穆姜)678)의 인자함을 믿지 못한즉, 소저 목숨을 끊지 말고 지성으로
감화함이 옳으니, 어찌 죽기를 달게 여겨 영대인께 서하지통(西河之
痛)679)을 이루고자 하느뇨? 첩이 소저를 처음으로 만나매 소견이 용우
하여 어진 곳에 이루지 못하나, '지자천려(智者千慮)에 필유일실(必有一
失)이오'680), '우자천려(愚者千慮)에 필유일득(必有一得)이라'681) 하니,
소저는 첩의 말을 괴이히 여기지 말고, 병을 조리하여 동서남북에 첩을
좇아, 아직 본부에 들어갈 의사를 내지 말라."

남소저 청파에 사세(事勢) 그러할 뿐 아니라, 자기 죽지 않으려 한즉
다시 집에 돌아가지 못할지라. 계모의 주의인즉 자기를 부디 없애고자
하는 흉심이요, 오적(賊)682)에 음황(淫荒)함이 자기를 더러일 거동이
니, 위씨는 불공대천지수(不共戴天之讎)683)라. 모친과 일곱 동기(同氣)
를 다 죽임은 알지 못하나, 위씨 곧 대하면 심골이 서늘하니, 어디로 좇
아 모녀의 은의(恩義) 있으리오. 금일 정부인은 처음 보는 바나 용모색
광(容貌色光)을 흠앙경복(欽仰敬服)하고, 언행동지(言行動止)를 살피건

---

678) 목강(穆姜) : 중국 진(晉)나라 정문구(程文矩)의 아내. 성은 이(李)씨, 자(字)는
   목강(穆姜). 전처 소생의 네 아들을 자신이 낳은 두 아들보다 더 사랑하여 훌
   륭하게 키웠다.
679) 서하지통(西河之痛) : 자식을 잃은 슬픔을 이르는 말. 서하의 고통이라는 뜻으
   로, 공자(孔子)의 제자인 자하(子夏)가 서하(西河)에 있을 때 자식을 잃고 너무
   슬픈 나머지 소경이 된 고사에서 유래하였다.
680) 지자천녀(智者千慮) 필유일실(必有一失) : 지혜로운 사람의 천 가지 생각 가운
   데도 한 가지 실수는 있기 마련이다.
681) 우자천녀(愚者千慮) 필유일득(必有一得)이라 : 어리석은 사람의 천 가지 생각
   가운데도 한 가지 쓸 만한 생각은 있기 마련이다.
682) 오적(賊) ; 남주 추관 오세웅을 말함.
683) 불공대천지수(不共戴天之讎) : 하늘을 함께 이지 못할 원수라는 뜻으로, 이 세
   상에서 같이 살 수 없을 만큼 큰 원한을 사람을 비유적으로 이르는 말.

대 비록 권도(權道)로 남의(男衣)를 착(着)하였으나, 빈빈(彬彬)한 예절
과 명철보신(明哲保身)하는 지모(智謀)가 자기의 힘힘히 죽기를 죄는 졸
약(拙弱)함으로 비치 못할지라. 이에 흠신(欠身)684) 사례 왈,

"첩은 십이세 유미(幼微)한 아해라. 세사를 알지 못하고 스스로 위란
한 경계에 다다라, 구차히 투생하느니 차라리 죽는 것이 옳음으로 헤아
렸더니, 부인의 밝히 가르치심이 이 같으시니, 삼가 명대로 하려니와,
부인이 역시 위란 중에 거처를 정치 못하시니, 첩 같은 병신을 데리고
어디로 지향코자 하시느뇨?"

정부인이 저의 자기를 따르고자 함을 영행하여, 손을 잡고 재삼 위로
하며 편히 눕기를 권하여, 남씨의 낫기를 기다려 그윽한 암자 도관을 얻
어, 유학(遊學)하는 선비인 체하여 머물기를 생각하고, 남소저의 복색을
고치고자 하여, 은냥을 모아 홍선으로 하여금 시상(市上)에 가 두어 필
깁685)을 사오라 하여, 남소저 장단에 맞게 한벌 남의(男衣)를 가만히
지으며, 주인을 불러 일순(一旬)만 머물기를 청하니, 노고가 대왈,

"객실이 비었으니 어렵든 아니하되, 우리 주인이 왕래하시니, 존객이
방을 비워야 할 때가 있을까 염려하나이다."

홍선이 문 왈,

"마마(媽媽)686)의 주인이 뉘시며, 어데 계시뇨?"

노고 답왈,

"우리 노야는 전임 평장사 화공이시니, 장사에 찬적하신 지 칠년이라.
이따금 관문에 들어가 삭망(朔望) 점고(點考)687)에 참예하시고, 여기에

---

684) 흠신(欠身) : 공경하는 뜻을 나타내기 위하여 몸을 굽힘.
685) 깁 : 명주실로 바탕을 조금 거칠게 짠 비단.
686) 마마(媽媽) : 나이 든 하녀. 벼슬아치의 첩을 높여 이르는 말. -마마; 임금과
    그 가족들의 칭호 뒤에 쓰여, 존대의 뜻을 나타내던 말.

와 수일씩 머무시니, 여기서 삼십리정(三十里程)에 계시니라."

홍선이 우문 왈,

"화노야 자녀를 두어 계시냐?"

답왈,

"자녀 여럿이면 작하랴[688]마는 참척(慘慽)[689]을 무수히 보시고, 늦게야 양 소저와 일 공자를 두어 계시나, 공자는 유하(乳下)에 있느니라."

홍선 왈,

"화노야 혹자 오셔도 우리 상공이 내외할 것이 아니요, 방사(房舍)가 좁을진대 스스로 피하실 것이니, 마마는 일순(一旬)만 머물게 하소서."

노고 허락하더라.

정부인이 남소저의 의상을 없애고, 건복(巾服)을 입혀, 주야 구호하여 남씨 기거를 임의로 하며 상처가 잠깐 완합하매, 빙자옥골(氷姿玉骨)이 날로 새로우니. 정소저 기쁨을 이기지 못하여 피차 정의(情誼) 골육형제 아님을 깨닫지 못하며, 결약형매(結約兄妹)하여 정소저의 남씨 사랑하는 정과 남씨의 정부인 의앙하는 정이 상하키 어렵고, 정부인은 남소저의 초출(超出)함을 크게 기특히 여겨, 그윽이 평생을 떠나지 말고자 하니, 홍선이 지기(知機)하고 남소저 잠든 때를 타, 부인께 고하여 가로되,

"부인이 남소저를 일택지상에서 즐기고자 하시거니와, 금(今)에 부인의 누명이 참참(慘慘)하여 환쇄하실 기약이 없고, 남소저는 순무노야 돌아오신 즉, 즉시 본부로 가고자 하시는가 싶으니, 부인이 원을 이루지

687) 점고(點考) : 명부에 일일이 점을 찍어 가며 사람의 수를 조사함.

688) 작하다 : 오죽하다. 여기서는 '작하랴마는'의 꼴로 쓰여 '얼마나 좋겠느냐마는'의 뜻을 나타낸다. *오죽하다 : 정도가 매우 심하거나 대단하다.

689) 참척(慘慽) : 자손이 부모나 조부모보다 먼저 죽는 일.

못하실까 하나이다."

부인이 가로되,

"장래사를 미리 알기 어렵고, 내 마음이 남씨에게 가즉하여690) 변할 뜻이 없으니, 아직 내두지사(來頭之事)691)를 모르니, 일이 되어 감을 볼 따름이라. 사람의 사고(事故)를 알지 못하나니 남순무가 쉬이 돌아올 일인들 어찌 믿을 수 있으리오."

홍선이 잠소 대왈,

"부인의 성덕과 지명차철(至明且哲)692)하심으로써, 오히려 적인(敵人)의 해를 모르시거니와, 이제 누천리 장사에 적행(謫行)하심이 누구로 인함이니까?"

정소저 탄 왈,

"세상만사 다 명(命)이라. 유씨 죽기로 내 몸에 망측한 누얼을 무릅썼거니와, 필경은 지원극통을 신설할 때가 있으리라."

비주 이렇듯 문답하다가 자리에 나아갔더니, 날이 밝으매 주인이 조반을 가져왔거늘, 이 소저 바야흐로 진식(進食)하더니, 홀연 밖에서 사람 부르는 이 있거늘, 홍선이 나가 보니, 차하인야(此何人耶)오. 하회를 분해하라.

---

690) 가즉하다 : ①가지런히 하다. 고루 갖추다. ②힘써 하다. 힘을 다하다.
691) 내두지사(來頭之事) : 앞으로 다가올 일.
692) 지명차철(至明且哲) : 지극히 밝고 총명함.

명주보월빙 권지사십

어시에 홍선이 나가보니 일위 소년이 윤건도복(綸巾道服)693)으로 죽장(竹杖)을 집고 섰다가 소매에서 한 장 글을 내어 주며 왈,

"천지 비밀하니 누설할 것이 아니로되, 네 부인이 이 글을 보시면 윤청문으로 하여금 남가 백년 길기(吉期)를 이룰 때요, 부인이 안정한 처소를 얻어 도로에 방황함이 없으리라."

언필에 동녘을 향하여 두어 보 걸음에 간 바를 알지 못할러라. 홍선이 괴이히 여겨 들어와 소저에게 도인의 말을 고하고 글월을 드리니, 소저 받아 피열하매 필획이 영롱하고 자체 비범하여 속인의 수적(手迹)694)같지 않으니, 글 뜻이 심원하여 범인은 알기 어렵되, 소저는 낱낱이 해석하니, 대강 윤어사와 정씨의 복록을 칭찬하고, 장자를 십삼년을 실리(失離)하였다가 찾으리라 하였고, 정씨 이미 여화위남(女化爲男) 하였으니, 화가 친사(親事)를 사양치 말고 윤가의 성명을 빌어 화씨를 취하였다가 타일 윤생의 제사비(第四妃)를 삼고, 남씨를 또 천거하여 안항(雁行)695)

---

693) 윤건도복(綸巾道服) : 비단으로 만든 두건을 쓰고 도인(道人)의 복색을 함.
694) 수적(手迹) : 손수 쓴 글씨나 그린 그림. 또는 손수 만든 물건에 남은 자취나 흔적.
695) 안항(雁行) : 기러기의 행렬이란 뜻으로, 남의 형제를 높여 이르는 말.

을 빛내라 하였으니, 소저 견필에 기뻐 않아, 생각하되,

"내 평생에 허망함을 배척하더니 어찌 이 글의 허망함이 이 같으뇨? 남씨를 구하여 데려와 타문에 보내고자 않음은 그 의용의 출류(出類)함을 허심(許心)함이요, 나의 여화위남(女化爲男)696)함은 마지못한 일이거늘, 입장(入丈)하는 기괴한 거조를 행하리오. 화가는 어데 있관데 도인이 화씨를 취(娶)하라 하는고? 측량치 못하리로다."

침음(沈吟) 유유(儒儒)697)러니, 남소저 무심코 머리를 돌려 도서(道書)를 보니 자가와 화씨 윤가에 인연이 있고, 화씨는 정부인이 취하라 하였으니, 화씨 유무는 알지 못하거니와 자가를 일컬었으니, 가벼이 눈든 줄을 뉘우쳐 하더라. 정소저 또한 도서 사의를 깃거 아니하더니, 문득 일혼(日昏)에 도사 다시 와 홍선을 불러 왈,

"네 부인이 여화위남(女化爲男)하여 취처함을 깃거 않으려니와, 명명(明明)한 천수(天數)를 도망치 못하리니, 화공이 불과 수일(數日)이 못되어 이곳에 오리니, 청하는 바를 물리치지 말게 하라."

홍선이 대답하고 들어와 소저에게 도사의 말을 고하고, 글을 드리니 정소저 보고 더욱 불열하여 쉬이 떠나고자 하더니, 남씨 창처가 오히려 낫지 못하니 유유민민(儒儒憫憫)하는 사이에, 명일에 홀연 시문(柴門)이 들레며698) 주인 노고가 '노야 오신다' 진동하여 나가 맞아 객실로 들어오거늘, 정·남 이 소저 피하고자 하더니, 화공이 벌써 객청(客廳)으로 올라오다가, 눈을 들어 두 소저의 선풍옥골을 바라보고, 기이하고 아름다움을 이기지 못하여 팔을 밀어 앉음을 청하니, 이 소저 화공을 만나니

---

696) 여화위남(女化爲男) : 여자가 남자로 변장함.
697) 유유(儒儒)하다 : 어떤 일을 딱 잘라 결정을 내리지 못하고 어물어물한 데가 있다.
698) 들레다 : 야단스럽게 떠들다.

불안(不安) 경괴(驚愧)하되, 담을 크게 하고 마음을 굳게 잡아 예필좌정(禮畢坐定)하니, 원래 화공의 관(官)과 명(名)은 전임 동평장사 화무라. 강명녈숙(剛明烈肅)하여 사군찰임(事君察任)에 악(惡)을 미워하기를 원수(怨讐)같이 하니, 권귀(權貴)의 모함을 받고 장사에 찬적하니, 태손(太孫)의 탄생하신 은사(恩赦)에 당당이 환쇄(還刷)할 것이로되, 죄명이 범역(犯逆)에 있는지라, 은사를 입지 못하고, 장사에 수졸(戍卒)이 된 지 칠년에 몸가짐을 촌민과 다름이 없이 하여, 삭망점고(朔望點考)에 몸소 참예하니, 장사 태수 오는 이마다 전일 청망(淸望)을 공경하고 숭검(崇儉)함을 항복하더라.

그러나 수졸류(戍卒類)에 섞여 점고에 참예함을 도리어 불안하여, 과도함을 일컬어 만류하되, 공이 듣지 아니하더니, 금일 점고를 맞고 돌아오다가 조반을 찾고자 비자의 곳에 들어왔다가, 이 소저를 보고 양인의 성명과 연기(年紀)를 물으니, 정소저 대왈,

"소생의 천한 성명은 윤광운이요, 수자(竪子)의 성명은 남희징이니, 소생으로 더불어 결약형제(結約兄弟)하여 동서에 서로 좇고자 하나니, 소생은 세상을 안 지 십오년이요, 의제(義弟)는 이륙(二六)이라. 우연이 도로에서 병을 얻어 조리하기를 위하여 이곳에서 순여(旬餘)를 머물더니, 의외에 합하(閤下)께 뵈오니 행열(幸悅)함을 이기지 못하나이다."

화음봉성(和音鳳聲)[699]이 청신쇄락(淸新麗落)하고 안모(眼眸)에 명광(明光)이 오채(五彩) 상서(祥瑞)를 거두어, 흑사(黑紗) 당건(唐巾)[700] 아래 절인한 풍채와 기려한 자태를 형언하기 어렵거늘, 봉조(鳳鳥) 같은

---

699) 화음봉성(和音鳳聲) : 부드럽고 아름다운 목소리. 봉성(鳳聲); 봉황의 소리라
   는 뜻으로, 아름다운 목소리를 비유적으로 이르는 말.
700) 당건(唐巾) : 예전에, 중국에서 쓰던 관(冠)의 하나. 당나라 때에는 임금이 많
   이 썼으나, 뒤에는 사대부들이 사용하였다.

어깨에 청사도포(靑紗道袍)를 갖추고, 신류(新柳) 같은 허리에 흑사대 (黑紗帶)를 둘렀으며, 늠연 염슬(斂膝)하매 고사(高士) 명현(明賢)의 풍 이 가작하여, 공맹안증(孔孟顔曾)[701]의 도덕 선행을 가져 만권(萬卷) 시 서(詩書)를 가슴에 넣어, 행지동용(行止動容)에 예모 빈빈하고 법도 숙 숙(肅肅)하며, 바라매 의의(猗猗)커늘, 남생의 백옥 같은 용화와 추월 같은 풍모가 수려쇄연(秀麗灑然)하여. 복록이 완전하니, 비록 윤생의 한 없는 광채와 무궁한 덕화를 미치지 못하나, 범연(凡然)이 이르면 일대 (一代) 군자(君子)라. 화공이 가득이 아름다움을 이기지 못하여, 거주 (居住)를 묻고 각각 내외 친당이 구존(俱存)한가 물으니, 정씨 대왈,

"소생은 부모 존당이 재당하시나, 의제는 유하(乳下)에 친당을 실리 (失離)하여 부모를 찾지 못하였는지라, 소생으로 더불어 일시 떠남을 어 려이 여기나이다."

화공이 남생의 정사를 추연 왈,

"수재(豎子) 부모를 실리하였으면 성명을 어찌 아느뇨?"

남씨 대왈,

"마침 아는 이 있어 이르거늘 들었음이오. 부형의 친우를 좇아 부모의 거처를 찾고자 하더니 불행하여 그 사람이 기세(棄世)하니, 더욱 부모를 찾을 길이 없어 슬퍼하옵나니, 십오세 차기를 기다려 천하 구주를 다 돌 아 부모의 소식을 알려 하나이다."

화공이 정소저더러 왈,

"윤현계(賢契)는 친당이 구존하시면 무슨 연고로 이 땅에 유락(流落) 하느뇨?"

---

701) 공맹안증(孔孟顔曾) : 유가(儒家)의 성현(聖賢)들인 공자(孔子), 맹자(孟子), 안 자(顔子), 증자(曾子).

소저 몸을 굽혀 대왈,

"소생은 행신(行身)이 경박하와 천만 기약치 않은 환(患)을 만나니, 본이 경사인(京師人)이로되 훤당(萱堂)702)을 모셔 즐기지 못하고 누천 리 애각에 유리하는 경색이 잇나이다."

화공이 그 화 만난 곡절을 물으니, 정씨 심리에 생각하되, 도사의 말 이 신기히 맞음을 경아하여, '만일 청혼하는 일이 있으면 나의 소원이 아니요, 하늘이 윤군으로 하여금 화가의 동상이 되게 정하였으면, 내 아 니라도 스스로 인연이 있을 것이니, 화공으로 하여금 나의 봉변함이 비 상함을 알게 하여, 비록 나로써 남자로 알아도 혼사를 구하는 거죄 없게 하리라' 하여, 탄식 대왈,

"소생이 생세지후(生世之後)에 괴로운 근심을 알지 못하더니, 액회 괴 이하여 여러 무뢰배 싸우는 곳을 지나다가, 두어 사람이 죽으매 죄명이 소생에게 돌아와 큰 옥사(獄事) 되었더니, 하늘이 소생의 원억함을 살피 사 요행 일명을 보전하나, 사류(士類)에 용납지 못하여 학당(學堂)에 이 름을 폐하고, 전리(田里)에 돌아가게 하였으니, 명색이 죄명이나 구태여 찬출(竄黜)은 아닌 고로 팔황(八荒)703)을 지나 소상강(瀟湘江)을 구경하 며 황능묘(黃陵廟)를 구경하고자 이곳의 왔더니이다."

화공이 청파의 크게 놀라 이르대,

"자고로 현인 군자 소인의 해를 받으며 성인도 유언지참(流言之

---

702) 훤당(萱堂) : '훤초북당(萱草北堂; 원추리꽃이 피어있는 북당)'의 줄임말로 '어 머니'를 이르는 말. 훤초(萱草)나 북당(北堂)이 다 어머니를 이르는 말이다. 그러나 여기서는 정소저가 부모가 다 계시는데 '훤당(萱堂)'을 모셔 즐기지 못 한다 고 하여, 훤당(萱堂)이 부모를 뜻하는 말로 쓰였다.

703) 팔황(八荒) : 여덟 방위의 멀고 너른 땅이라는 뜻으로, 온 세상을 이르는 말. 늑팔극·팔굉(八紘).

讒)704)을 면치 못하였나니, 현계 살인지사는 천만 염외라. 만생이 현계를 처음으로 보나 기특한 의표와 출인한 성행이 자연 나타나는지라. 비록 지인지감(知人之鑑)이 없으나, 청천백일(靑天白日)은 노예하천(奴隷下賤)도 역지기명(亦知其明)이라705). 현사의 성현유풍으로 살인지명을 들으니 우리 같은 자의 누명을 족히 이르리오."

소저 가로되,

"소생이 행신이 독경(篤敬)치 못하고 총명이 부족하여 스스로 낙미지액(落眉之厄)706)을 만나, 이친척(離親戚) 기부모(棄父母)하고 천리타향(千里他鄕)의 의지 없이 표령(飄零)하오니, 정처 없는 자취 우우양양(踽踽漾漾)707)하여 천하의 무가객(無家客)708)이 되었나이다."

화공이 더욱 놀라며 차석하여 이르대,

"원래 현계의 만난 바 이렇듯 경참하도다. 도차(到此)에 돌아갈 곳이 없을진대, 만생의 우소(寓所)가 여기서 머지 아니하고 자녀 어리니 나를 따라감이 어떠하뇨?"

소저 이인(異人)의 가르치던 바가 자자히 맞으니 차역천의(此亦天意)라709). 사양하여 면치 못할 줄 알고, 개연히 사례 왈,

"대인의 객중에서 타향 고객(孤客)을 이렇듯 무휼하시니 어찌 태의(太意)를 받들지 아니하리까?"

화공이 대희하여 주고(主姑)를 재촉하여 조선(朝膳)710)을 파하매, 정

---

704) 유언지참(流言之讒) : 근거 없이 떠도는 말의 해(害).
705) 청천백일(靑天白日)은 노예하천(奴隷下賤)도 역지기명(亦知其明)이라 : 맑은 하늘의 밝은 해는 노예나 신분이 낮고 천한 사람도 그 밝음을 안다.
706) 낙미지액(落眉之厄) : '눈썹에 떨어진 액'이란 뜻으로, 눈앞에 닥친 재앙을 말함.
707) 우우양양(踽踽漾漾) : 매우 외로이 세상을 떠돌아다님.
708) 무가객(無家客) : 집 없는 나그네.
709) 차역천의(此亦天意)라 : 이 또한 하늘의 뜻이다.

소저와 다시 봄을 이르고 먼저 돌아가 부인과 의논하려 하더라.

　선시에 화공이 간신의 미움을 입어 장사에 찬적한 지 칠년에, 다만 부
부 서로 의지하나, 일찍 서하(西河)의 척(慽)711)을 자주 보고, 만래(晚來)
에 일자이녀를 두었으니, 양녀(兩女) 맏이요, 아자는 유하(乳下)더라.
　장녀 빙화 아시로부터 절염의 싹이 있더니, 점점 자라 십삼 세에 이르
매, 도지기화작작(桃之其華灼灼)712)하여 당체시(棠棣詩)713)를 노래하
니, 옥모의용(玉貌儀容)과 천향이질(天香異質)이 초월특이(超越特異)하
니, 천만과애(千萬過愛)하되, 같은 배우를 만나지 못하여 택서(擇壻)하
는 근심이 과도하더니, 수월 전 이인을 만나 비서(秘書)를 얻어 보니,
　"빙화의 백년가연(百年佳緣)이 윤가에 매었고, 천수(天數)를 도망치
못하리니 윤가의 제사부실(第四副室)을 혐의치 말라. 타일 천승(千乘)
국모(國母)로 후적(后籍)의 존(尊)을 누리고 자손이 만당하리니, 운화점
행객(行客)을 지나쳐버리지 말고 동상(東床)을 청하면, 하늘이 정한 수
(數)니 자연이 되리라. 그윽한 가운데 기이함이 있어, 허(虛)한 것이 실
(實)이 되고 우스운 것이 복(福)이 되리라."
　하였거늘, 공이 비서를 보고 괴이함을 이기지 못하여, 윤성 가진 행인
을 유의하니, 화공의 있는 곳은 운교역이요, 노고의 집이 운화점이니,

---

710) 조선(朝膳) : 아침 식사.
711) 서하(西河)의 척(慽) ; 자녀를 잃은 슬픔. 공자의 제자 자하(子夏)가 서하(西河)
　　에 있을 때 자식을 잃고 너무 슬피 운 나머지 소경이 된 고사에서 유래된 말.
712) 도지기화작작(桃之其華灼灼) : 복숭아꽃이 활짝 피어 타는 듯이 붉음.
713) 당체시(棠棣詩) : '당체(棠棣)'를 노래한 시라는 뜻으로, 『시경(詩經)』〈소남
　　(召南)〉편 '하피농의(何彼穠矣)' 시의 '何彼穠矣 棠棣之華(하피농의 당체지화;
　　어찌 저리도 아름다울까, 산 앵두나무의 활짝 핀 꽃)'을 가리킨다. 여기서 '산
　　앵두나무의 활짝 핀 꽃'은 제후에게 시집가는 공주의 화려한 행렬을 비유한 말.

화공이 이날 유의하여 들어왔다가 정·남 이 소저를 만나니, 비서의 '허한 것이 실이 되며 우스운 것이 복이 되리라' 함은 정씨 여화위남(女化爲男)하고 취처(娶妻)하였다가, 진정 윤태우가 취(娶)한 후 비로소 실사(實事)가 됨을 이름이라.

화공은 그 내실(內實)은 알지 못하고, 진정 윤생으로 알아, 선풍이질(仙風異質)을 애모하여, 천금 소교(小嬌)로써 간구(懇求)코자 하니 이 또한 우스운 일이요, 윤생이 비록 기이하나 근본을 자세히 모르고 유의(留意)하는 것이 허령(虛靈)하나, 제 소년이라, 타일 등양(登揚)하여 부귀복록(富貴福祿)이 가즉하며[714] 자손이 만당(滿堂)할 즈음은 실(實)한 편이 될 줄로 헤아려, 정소저를 향하여 집으로 간절히 청하여, 가로되,

"만생이 팔자 박하여 여러 자녀를 하나도 성취함을 보지 못하여서, 서하(西河)의 탄(歎)을 보고, 이제 유충한 여식(女息) 수인(數人)과 강보유자(襁褓乳子)[715]를 두어 적니(謫裏) 고초를 위로하더니, 현계의 아름다움을 보매 차마 사(辭)치 못하나니, 만생의 외로움을 생각하여 귀한 자취가 폐사(弊舍)를 돌아봄을 바라노라. 수자(豎子)의 환후가 소성(蘇醒)치 못하여 행거(行車)를 중지함이 있을진대, 만생의 거처가 누추하나 오히려 늙은 비자(婢子)에서 나음이 있으리니, 금일이라도 나를 좇음이 어떠하뇨?"

소저 화공의 간청함이 여차하고, 그 슬하에 장성한 아들이 없어 가중이 종용함을 헤아리매, 이미 저를 내외치 못하고 당면수작(當面酬酌)[716]함이 있으니, 차라리 그 집에 가 잠깐 머물러 안정(安靜)한 처소

---

714) 가즉하다 : 가지런하다. 고루 다 갖추다.
715) 강보유자(襁褓乳子) : 포대기에 쌓여 있는 젖먹이 아들.
716) 당면수작(當面酬酌) : 서로 얼굴을 마주 보고 말을 주고 받음.

를 듣보고자717) 함으로, 흔연 사례 왈,

"존선생(尊先生)이 소생 등의 용우함을 더럽다 않으시고 후의 여차하
시니, 소생이 어찌 존명을 받들지 않으리까? 그러나 소생 등이 불학무
식(不學無識)하여 존대인 후의(厚意)를 갚삽지 못할까 두렵나이다."

화공이 저의 허락을 얻으니 만분 행열(幸悅)하여, 즉시 노자를 분부하
여 안마(鞍馬)718)를 대후하고 가기를 재촉하니, 정소저 개연이 남씨로
더불어 노고를 하직하고 화공을 따라 갈새, 공이 말에 오르고 이소저 말
에 오르되, 정소저는 만사에 신기치 않음이 없는 고로 말타기를 어려워
않은데, 남씨는 상처가 낫지 못하고 처음으로 말을 타매 두렵고 겁(怯)
하여 거의 내려질 듯하니, 홍선이 붙들어 수십 리를 행하여 화부에 이르
니, 화공이 먼저 외당에 들어가 자리를 펴, 소저 등을 청하여 주객의 예
(禮)로 한담할 새, 화공이 정소저의 학문을 시험하여 고금을 의논하매,
정소저 재덕이 남다른 신기함이 기특하여, 우연히 말을 내매 개개이 정
금미옥(精金美玉)이라. 고금을 논문(論問)하매, 고사(古事)며 치국(治國)
치란(治亂)과 충신열사들의 인물 고하(高下)를 제등(除等)719)함이 명달
하고, 무릎을 쓸며720) 낯빛을 수렴하여 겸양하는 도덕이 나타나니, 화
공이 경복함을 이기지 못하여, 비록 몸이 인간에 있으나 눈이 선경을 구
경하는 듯, 나의 빙화 비록 아름다우나 오히려 남자로 의논하면 차인을
미칠 길이 없으니, 윤생이 재취까지 하여 또 혼사를 정한 곳이 있음을
이르나, 차인이 현달 영귀함이 쾌할지라. 하물며 이인(異人)의 비서(秘
書)가 신기하여 빙화의 인연이 윤가에 속함을 일렀으니, 우리가 빙화를

---

717) 듣보다 : 듣기도 하고 보기도 하며 알아보거나 살피다
718) 안마(鞍馬) : 안구마(鞍具馬). 안장을 얹은 말.
719) 제등(除等) : 등급을 나눔.
720) 쓸다 : 쓸다. 모으다.

사랑하여 장리보옥(掌裏寶玉)같이 여기나 천의(天意)를 순수(順守)하여
혼사를 지내리라 하고, 정·남 이 소저를 대하여 왈,

"존객을 외당에 머물게 하고 만생이 내루(內樓)에 들어가는 것이 인사
에 미안하나, 소녀를 잠깐 보고 나오리니, 현계(賢契)는 허물치 말라."

언파에 일어나 들어가니 남씨 가만히 정소저 더러 이르대,

"소제(小弟)의 위태한 목숨을 저저(姐姐)가 구하시니 재생지은(再生之
恩)이 호대하고, 소제의 형세 다시 집으로 들어감이 위태로워, 동서에
따라 거취를 다 현저(賢姐)를 따르고자 하거니와, 화공이 저저로써 동상
을 청하매, 저저 사양치 않으시고 이에 이르심은 어찐 일이니까?"

정소저 탄 왈,

"내 이미 장신(藏身)하는 예(禮)를 잃어 부도(婦道)에 어긴 죄인이라.
노고의 집에 머물진대 객사에 드나드는 바가 잡되고 편치 않을 뿐 아니
라, 혹자 현매의 얼굴을 아는 자가 있어, 여화위남하고 점사(店舍)에 다
른 남자로 더불어 머무는 바를 위부인께 전하면, 현매 다시 참화를 만날
것이요, 첩이 또한 굿기리니721), 여러가지 사세(事勢) 난처하여 남부와
사이 띄어 이곳에 머물고자 함이요, 매양 있으려 하는 것이 아니라. 또
현제의 창처(瘡處)가 차성(差成)하기를 기다려 안정한 처소를 얻고자 하
노라."

남소저 명도(命途)를 탄하고, 정소저는 화공이 혼인 청치 아니키를 바
라더라.

화공이 내루에 들어와 부인 주씨를 대하여 윤·남 이생의 기특함을
이르고, 가로되,

"재작(再昨)에 이인을 만나 비서(秘書)를 얻어 보고, 빙화의 인연이

---

721) 굿기다 : 고생하다. 궂은일을 당하다. 죽다. ⇒국기다.

윤가에 있음을 짐작하였으나, 실로 중난한 바는 윤생이 재취까지 하고 또 정한 곳이 있다 하니, 아녀(我女)를 저에게 청혼하는 날은 제사부실(第四副室)이 될 이니 서운하거니와, 윤생의 풍신재화는 본 바 처음이라. 부인은 잠깐 외헌을 엿보아 선랑(仙郎)을 구경하라."

주부인이 즉시 외헌으로 왕래하는 문호에 주렴을 지우고 정·남 이인을 보매, 옥골선풍과 백태만광이 이목(二目)에 현황하니, 한없는 광채백일(白日)이 당천(當天)하며 추월(秋月)이 계궁(桂宮)에 한가함 같은지라. 눈이 부시고 정신이 요요(遙遙)하여 어디가 고우며 무엇이 더 빛난 줄을 창졸에 알 수 있으리오. 주부인이 숨을 길게 쉬고 이윽히 눈을 옮기지 아니하고 바라보기를 오래 하다가, 침소에 돌아와 화공을 대하여 가로되,

"윤·남 이생이라 하는 자가 풍신용화 만고에 희한하니, 첩은 실로 본바 처음이라. 우리 매양 빙화의 아름다움을 스스로 당세에 독보할 줄로 알았더니, 윤생은 남자로되 곱고 빛남이 빙화의 세 번 위니, 남수자라하는 이는 또한 윤생 아래 한 사람이라. 이로써 보건대 천하에 옥인가사(玉人佳士)가 많은가 하나이다."

화공이 소왈,

"윤생이 외모풍신 뿐 아니라, 언론(言論)이 명달하며, 동용거지(動容擧止) 유법함은 추호도 얼굴에 벗어남이 없으니, 반드시 타일 혼탁한 세상을 맑힐 대현군자라. 여자 같으면 후적(后籍)의 부귀와 남자로는 한 방면(方面)의 왕락(王樂)으로 영종(令終)할 상격을 가졌나니, 비록 여아가 제사 부실의 낮음이 있으나, 이인의 비서로 좇아는 천의를 순수하는 것이 옳을까 하나이다."

주부인은 전후에 여러 자녀를 상(喪)하고 참척(慘慽)의 상한 마음으로 약함이 남다른 고로, 빙화의 형제와 아공자의 길흉을 암축하여, 세 날

자녀를 위하여 소소지사(小小之事)에 염려 만복하고, 호의(狐疑) 무궁하
여 주주야야(晝晝夜夜)에 하늘께 빈축(頻祝)하여 자녀 영귀함을 바라거
늘, 비서 가운데 윤가 사실을 혐의치 말고 백년 길기를 이루라 하였으
니, 혹자 천의를 역(逆)하여 수복(壽福)에 해로움이 있을까 하여, 공을
권하여 가로되,

"상공이 비록 누천리 적객이 되어 계시나 가벌이 잠영거족이요, 여아
절염숙녀로 여행(女行) 사덕(四德)722)이 일무소흠(一無小欠)723)이라.
어디 가서 한낱 가랑(佳郎)을 가리지 못하여 소년 유생의 여러 번째 부
빈을 주리까마는, 천연이 중하면 이역천리(異域千里)라도 면치 못하나
니, 상공이 운화점에서 만나심이 벌써 이인의 말과 같으니, 상공은 호의
(狐疑)치 마시고 청혼하여 보소서."

공이 본디 단독일신이라. 수족의 정을 이을 동기 없고, 경사를 떠난
후는 친척과 붕우를 보지 못하니, 대소사를 부인과 의논하는지라. 부인
이 윤생을 보고 칭찬함을 깃거 즉시 밖에 나와 윤·남 이생으로 한담할
새, 유자를 안고 나와 어루만져 탄식 왈,

"만생(晚生)이 여러 자녀 다 있었던들 벌써 농손(弄孫)의 재미를 보았
을 것을, 적앙(積殃)이 중하여 층층한 자녀를 없이 하고, 늦게야 이녀와
차아를 얻어, 부자의 정이 천륜 밖에 자별함이 있는지라. 차아는 장성함
이 멀었고 여식 형제의 나이 이륙(二六)과 십세를 당하였으니, 장녀는
먼저 성인(成姻)코자 하되, 궁향에 적객 죄수로 있으니 혼인코자 할 이
도 없거니와, 만생의 마음에 찬 가랑(佳郎)을 만나지 못하니, 전전불락

---

722) 사덕(四德) : 여자로서 갖추어야 할 네 가지 덕. 마음씨[婦德], 말씨[婦言], 맵
시[婦容], 솜씨[婦功]를 이른다.
723) 일무소흠(一無小欠) : 한 가지의 작은 흠도 없음.

(輾轉不樂)724)함을 이기지 못하더니, 의외 현계를 만나 풍신 재화를 보매, 불초한 여식으로써 혼인을 구함이 외람함을 모르지 아니하나, 이미 실중에 여러 부인이 계셔 중궤(中饋)를 소임 하니, 아녀는 부실로 취하여 우리 슬하에 머무르고 부부윤의를 폐치 않을 따름이라. 원컨대 현계는 만생의 궁측(窮惻)한 정리를 돌아보아 지극히 바라는 바를 끊지 말라."

정소저 도서(圖書)의 맞음이 공교함을 깨달아, 하늘이 정하신 줄 알되, 천성이 여자의 남활(濫闊)함을 배척하여 고요 나직하고 유한 정정하여, 소리 규문 밖에 나지 아니함을 원하더니, 기구한 환난을 만나 규중 약질이 천리에 유락하며, 이에 여화위남(女化爲男)하기에 이르고, 화공의 청혼하는 말씀을 들으니 기괴함을 이기지 못하나, 천연이 손사(遜辭)하여, 가로되,

"존공이 소생의 누추(陋醜)함을 과히 아시어, 천금옥수(天金玉秀)725)로써 동상(同床)726)을 유의하시니, 도로에 분주하는 행객(行客)이 얻기 어려운 경사라. 어찌 황감(惶感)치 않으리까마는, 소생이 초취(初娶)하여 실인(室人)을 실산(失散)하매, 사(士)의 양처(兩處)가 법이 아니로되, 형세 마지못하여 재취하니, 양처에게 각각 자식을 두었고, 또 아시(兒時) 정약(定約)한 곳이 있어 기간의 사고 많아 취(娶)치 못하고, 재실까지 얻은 후는 사(士)의 삼처(三妻)가 변(變)스러운727) 고로, 빙례(聘禮)만 보내고 저 집이 소생의 등양하기를 바라더니, 소생이 중대한 누명(陋

---

724) 전전불락(輾轉不樂) : 누워서 이리저리 몸을 뒤척이며 근심함.
725) 천금옥수(天金玉秀) : 천금처럼 귀하고 옥처럼 아름다운 규수(閨秀).
726) 동상(東床) : '동쪽 평상'이라는 뜻으로, '사위'를 달리 이르는 말. 중국 진(晉)나라의 극감(郤鑒)이 사위를 고르는데, 왕도(王導)의 아들 가운데 동쪽 평상 위에서 배를 드러내고 누워 있는 왕희지를 골랐다는 고사에서 유래한다.
727) 변(變)스럽다 : 변으로 여길 만하다. 이상하다. 예(禮)에 맞지 않다.

名)을 실어 비록 죽기를 면하나, 사류(士類)에 이름을 떼어 과갑(科甲)의 길을 막았고, 몸이 향곡에 이르러, 필경 황성 문려(門閭)728)에는 들지 못하리니, 이 곧 전정을 마친 사람이라. 선생이 어찌 영아 귀소저의 평생을 그른 곳에 취가(娶嫁)코자 하시나니까? 실로 진정을 고하나니, 현문대가(賢門大家)에 인재를 택하소서."

공이 소왈,

"현계(賢契) 나의 용우함을 혐의하여 이렇듯 추탁(推託)하는도다. 스스로 전정이 그릇됨을 일컬으나, 현계의 복록완전지상(福祿完全之相)이 결단하여 창하(窓下)에 골몰치 않으리니, 한번 과옥(科屋)에 나아간즉, 청운을 더위잡아 용문에 비등함은 손에 침 뱉고 기약할지라. 이미 정약한 곳이 있으면 내 어찌 여아로써 제삼 부인을 바라리오. 원컨대 현계는 부질없이 사양치 말고 제사부실이라도 취한 후, 한사(寒士)의 여러 처실이 괴이하니, 이런 소문을 내지 말고, 타일 군이 등양(登揚)하기를 기다려 아녀로써 윤씨의 사람이 되었음을 남이 알게 할지언정, 우리 슬하에 두어 생전에 부녀가 상리(相離)하는 한이 없게 하라."

정소저 화공의 말이 이 같기에 미처는, 자기 여자임은 이르지도 말고 민박(憫迫)함을 이기지 못하여 다시 몸을 굽혀 가로되,

"합하의 소생 사랑하시는 후의 이 같으시어, 천금 옥녀로써 필부의 여러 번째 부실을 혐의치 않으시니, 소생이 무슨 사람이관데 감은함을 모르리까마는, 영아(令兒)소저의 신세 그릇됨은 이르지도 말고, 소생의 친당이 아니 계시니, 인재(人子) 어찌 인륜대사를 친전에 고치 않고 자전(自專)함이 있으며, 사(士)의 양처도 변괴거늘 또 어찌 삼처를 취하는 해연지사(駭然之事) 있으리까? 소문을 내지 말기를 이르시나, 군자의

---

728) 문려(門閭) : 여문(閭門). 동네 어귀에 세운 문.

행신이 청천백일 같으리니, 스스로 음황무도(淫荒無道)키를 취하여 얻은 아내를 감추어 처실의 수를 사람에게 기이리까?"

화공이 웃고 연하여 혼인을 간절히 청하기를 누누히 지사위한(至死爲限)하고 청하기를 마지않으니, 소저 사양하여 얻지 못할 줄 알고, 다시 사사하여 가로되,

"합하 소생으로써 동상을 삼고자 하시면, 경사가 요원하나 친당에 소유를 아뢰어, 혹자 허락하시면 명을 받들리이다."

공이 소왈,

"현계나 예의군자라. 인륜대사를 자전(自專)치 않으려 함이 마땅하거니와, 대순(大舜)은 성인이시되 요(堯)의 이녀(二女)[729]를 불고이취(不告而娶)하여 계시니, 이곳에서 경사가 아스라하여 왕반이 어려울 뿐 아니라, 영당이 현계의 신취(新娶)를 깃거 허하실 리 없으니, 일찍 나의 바람이 끊겨지리니, 현계는 아녀를 먼저 취하고 후에 등양하여 작위 숭고한 후, 아녀로써 제사빈실을 삼을 따름이라. 만생이 현계를 대하여 허령(虛靈)한 말이 아니라, 현계의 상모와 위인을 깊이 믿음이로다."

소저 화공의 저러함이 하늘 뜻이요, 그 마음이 아닌 줄 헤아려, 사양함이 무익한지라. 아직 남씨로 더불어 화부에 있다가, 풍운의 길시를 기다려 윤태우께 남・화 이인을 천거하여 백년 안항(雁行)을 빛내고, 존당을 섬기며 군자를 받들고자 함으로, 이에 배사 왈,

"소생이 일개 유생으로 여러 처실을 모아 법을 넘김이 불안하오나, 여러 번 존명을 역함이 미안하온 고로, 마지못하여 친당에 미처 고치 못하고, 먼저 취하여 선생의 지우(知遇)하신 덕음을 갑삽고자 하나이다."

화공이 대열하여 만면희우(滿面喜優)로 연망(連忙)이 칭사하고,

---

729) 요(堯)의 이녀(二女) : 요(堯) 임금의 두 딸인 아황(娥皇)과 여영(女英)을 말함.

돗730) 위에서 뇌약(牢約)하매, 공이 일시를 급히 여기는 고로, 윤생의 생년일시를 물어 길월냥신(吉月良辰)731)을 택하니, 혼기 신속하여 겨우 칠팔일이 격하니, 화공이 더욱 깃거 정씨를 얻은 여서(女壻)로 대접하고, 남소저 혈혈무의(孑孑無依)하여 정소저를 따라다님을 자닝하여, 자기 집에 있기를 이르니, 남씨 사례하고, 정소저 가로되,

"의제(義弟)의 성정이 고요하여 외당이 번화함을 깃거 아니하며, 소생이 또한 잡류(雜類)를 상접하기를 원치 아니하옵고, 하물며 법외지사(法外之事)를 자행하여 영녀를 신취함이 자못 불평하온 바라. 합하는 소생으로써 존부에 머물고자 하시거든, 유벽한 곳에 일간 방사를 정하시어 외인을 일절 들이지 마시고, 형제 종용이 처하게 하시면 수삼 년만 머물러, 누얼732)을 신원한 후 상경하려 하나이다."

화공이 언언이 점두하고 남소저를 가르쳐 이르되,

"수재(秀才)의 풍채기질이 세대에 희한하니, 차녀가 자라기를 기다려 동상을 정코자 하되, 수재 친당을 찾지 못하여 슬퍼하니 아직 혼취에 염(念)이 없으리로다."

남소저는 머리를 숙여 말이 없고 정소저 대왈,

"의제의 아름다움은 소생에 바랄 바 아니니, 합하 동상에 맞으시면 문난의 광채를 이루시려니와, 의제의 마음이 친(親)을 찾아 천륜에 한이 없는 후 숙녀를 맞고자 하고, 친당에 돌아가기 전은 머리 희기에 당하여도 인륜을 생각지 아니하나이다."

---

730) 돗 : 돗자리. 여기서는 어떤 일이 벌어진 바로 그 자리, 곧 '앉은자리'를 뜻한다. *돗자리 : 왕골이나 골풀의 줄기를 재료로 하여 만든 자리.

731) 길월냥신(吉月良辰) : 운이 좋거나 상서가 서려있어 혼인을 하기에 좋은 날.

732) 누얼 : 누얼(陋-). 사실이 아닌 일로 뒤집어쓴 더러운 허물. 얼; 겉에 들어난 흠이나 허물. 탈.

하공이 인자(人子)의 도리 마땅함을 칭찬하며, 인하여 석반을 드리니, 화공이 정·남 이인을 권한대, 이 소저 괴로우나 마지못하여 잠깐 요기 (療飢)하고, 상을 물린 후 촉을 밝히니, 이인이 화공을 대하여 이르되,

"소생 등이 무행(無行)하여 합하를 시침치 못하리니, 밤을 지내게 일간 방사를 빌리실까 하나이다."

화공이 즉시 일어나 들어가며 이르대,

"명일에 현계 등의 머물 당사(堂舍)를 정하리니 금야는 예서 헐숙(歇宿)하라."

이인이 몸을 일어 공을 보내고 화부 서동을 다 물러가라 하고 홍선만 있게 하니, 화부 서동이 다 깃거 물러나더라.

화공이 안에 들어가 부인을 대하여 윤생의 풍신재모를 흠애하여, 사실(四室)의 낮음을 한하지 않되, 부인은 여자의 선회(善懷)733)함이 백사에 염려를 놓지 못하여, 윤생의 먼저 취한 여자들이 혹자 어질지 못할까 근심하더라.

명일 화공이 윤·남 이 소저를 인도하여 취벽누라 하는 곳에 이르니, 밖에 멀고 안이 그윽하여, 뫼를 등지고 수목화림(樹木花林) 사이에 있어, 외인의 자취 임(臨)치 않고, 내당과 내도하여 딴 집 같으니, 이 소저 소원에 영합함을 행열하고, 화공이 당사를 수리하여 윤·남 이소저를 머물라 하며, 만권시서를 옮겨 쌓고 서동 사오 인으로 사후하게 하니, 정소저 소이사왈(笑而謝曰),

"소생의 성품이 여러 사람이 어지러이 지껄임을 깃거 아니하고, 생의 집 법령이 소년서생은 사후하는 서동이 일인에 넘지 아니하옵나니, 여러 시동이 부질없고 생의 더러운 노자가 용렬치 않으니 여러 가동을 머

---

733) 선회(善懷) : 근심이 많음.

무르지 마소서."

공이 윤·남의 뜻을 우기지 못하여 자기 집 시동을 다 물리치고 우왈(又曰),

"현계 아직 남수재로 더불어 이곳에 있다가, 길일이 사오일 격하거든 운화점으로 나아가 위의를 차려 성례케 하라."

정소저 대왈,

"합하의 후의를 저버리지 못하여 슬하 동상되기를 사양치 못하오나, 요란이 위의를 차려 즐거이 입장할 의사는 없사오니, 합하는 빈객을 모으지 마시고 부문(府門)에 예를 덜게 하소서."

화공이 또한 웃고 이르대,

"내 또한 적거죄수로 여혼을 지내며 요란이 빈객을 모으리오. 현계는 안심하라."

소저 배사하더라.

이러구러 혼기 점점 가까우니, 화공 부부 일절 검박하기를 취하여, 혼구에 참람한 것이 없고, 화공이 윤생을 대하여 빙물(聘物)을 구하니, 소저 윤어사의 납빙한 바 명주를 가졌으나, 예사 보물과 달라 선엄구(先嚴舅) 윤공이 선유하다가 친히 얻은 것인 줄 들었으매, 범연이 내어놓지 못하여 웃고 이르대,

"소생의 입장길사(入丈吉事)는 천만 의외요, 집 떠난 지 오래니, 어디가 여자의 패산지류(貝珊之類)를 얻으리까? 권도로 소생의 백옥건잠(白玉巾簪)으로 신물(信物)을 삼고 혼서(婚書)는 써 드리리이다."

화공 왈,

"없는 것을 어찌 불의에 판득(辦得)하리오. 건잠이라도 빙례(聘禮)를 삼고 혼서는 쓰는 것이 옳도다."

정소저 즉시 머리에 꽂은 건잠을 빼고 혼서를 써 빙물을 삼으니, 공이

소저의 유모를 맡겨 함중(函中)에 간수하라 하고, 윤생 같은 대현군자로 동상을 삼아 여아의 평생이 쾌할 바를 행열하니, 뉘 도리어 윤생이 아니요, 정소저임을 꿈에나 생각하였으리요.

길일이 다다르매, 정소저 남씨는 화부에 두고 자기는 홍선만 데리고 운화점에 와 약간 위의를 차려 대례를 행할 새, 화평장이 여혼 지냄을 인리 동향에 이르지 않았고 빈객을 청치 않았으니, 인리(隣里)에서 화가 길사 지냄을 망연히 알지 못하더니, 길일에 신랑이 화부에 이르니, 비로소 여혼 지냄을 알고 눈을 씻어 신랑을 구경하매, 그 영풍옥골이 천만고 일인이라. 진승상(晉丞相)734)의 관옥지모(冠玉之貌)735)를 낮게 여기고, 송옥(宋玉)736)의 고움을 더러이 여기니, 천지 강산의 수출한 정화를 타났으며, 일월의 한없는 광휘를 거두어, 면모에 찬란한 서광과 동작의 기이함을 형상하여 이르기 어려운지라. 화부에 이르러 옥상(玉床)에 홍안을 전하고 천지에 배례를 마치니, 화공이 친히 팔 밀어 안에 들어가니, 금수포진(錦繡鋪陳)이 정제한 가운데, 신랑의 한없는 광휘는 이르지 말고 정소저 잠깐 성안(星眼)을 흘려 화소저를 보니, 용화기질(容華氣質)이 출어범류(出於凡類)하여 일쌍 아황봉미(蛾黃鳳眉)737)는 원산(遠山)이 희미하고, 맑은 눈동자는 효성(曉星)이 추수(秋水)에 비친 듯, 옥(玉)으로 무은738) 이마는 망월(望月)이 청천에 비꼈으며, 도화양협(桃花兩

---

734) 진승상(晉丞相) : 중국 서진(西晉)의 미남자 반악(潘岳). 자는 안인(安仁). 승상을 지냈고 미남자의 대명사로 쓰인다.

735) 관옥지모(冠玉之貌) : 관옥처럼 아름다운 모습. 관옥은 관(冠)을 꾸미는 옥.

736) 송옥(宋玉) : BC290-227. 중국 전국시대 초나라 문인. 중국의 대표적인 미남자의 한 사람이며, 사부(辭賦)를 잘하여 〈구변(九辯)〉, 〈초혼(招魂)〉, 〈고당부(高唐賦)〉 등의 작품을 남겼다. 굴원(屈原)과 함께 굴송(屈宋)으로 불렸으며 난대령(蘭臺令)을 지냈기 때문에 난대공자(蘭臺公子)로 불리기도 했다.

737) 아황봉미(蛾黃鳳眉) : 화장한 눈썹.

頰)739)은 일천자태(一千姿態)를 머물렀고, 단사앵순(丹砂櫻脣)은 모란
이 이슬을 떨친 듯, 유요봉익(柳腰鳳翼)740)과 육척신(六尺身)의 일신체
지(一身體肢) 자약(自若) 요라(姚娜)하되, 행동이 유법하고 예모 신중하
여 요조숙녀의 사덕성행(四德性行)이 가즉하니, 정소저 심중에 대열(大
悅)하여 타일 윤어사에게 천거하매 낯이 있을 바를 영행하며, 화공 부부
는 여서(女壻)의 상적(相敵)함을 두굿겨 웃는 입을 주리지 못하더라.

예파(禮罷)에 신부를 붙들어 신방으로 들이고, 부인이 신랑을 볼새,
정씨 반자지례(半子之禮)로 배알하고 주부인을 보니, 이 곳 어진 부인이
라. 색태 염려(艶麗)하여 표숙 낙양후 부인과 많이 방불하니, 심하에 반
가운 뜻도 없지 않아 반드시 진부인 친척인가 하더니, 주부인이 언단에
경사에서 즐기던 바를 이르며, 여러 자매 형제 각리(各離)하여 천리 애
각(涯角)에 분리(分離)하여 소식도 자주 듣지 못함을 슬퍼하고, 낙양후
부인도 형(兄)임을 일컬으니, 정소저 그 형제 같음을 깨달아, 화씨 어진
부인의 교훈을 받아 부덕이 가즉할 바를 짐작하고, 화씨와 진씨 이종형
제(姨從兄弟) 되니, 일택지상(一宅之上)에 모이는 날은 각별할 바를 기
뻐하더라.

날이 저물매 정씨를 신방으로 인도하니, 소저 심리에 가소로움을 이
기지 못하되, 사색치 아니하고 나아가 좌를 이루고 다시 볼수록 화씨의
선연옥태(嬋娟玉態) 한 곳도 무심히 삼긴 곳이 없으니, 도리어 윤어사의
처궁이 유복함을 행열하여 옥면의 화기 이연(怡然)하며, 좌를 가까이 하
여 말씀을 이루매 위곡(委曲)한 정이 나타나니, 주부인이 친히 지게 밖

---

738) 무으다 : 쌓다. 만들다. 다듬다.
739) 도화양협(桃花兩頰) : 복숭아꽃잎처럼 붉은 두 뺨.
740) 유요봉익(柳腰鳳翼) : 버들가지처럼 가는 허리와 봉의 날개처럼 날렵한 어깨.

에 이르러 규시하고 크게 두굿기며, 여아의 신세 쾌할 바를 깃거하더라.

정씨 화씨를 희이애중(喜而愛重)741)함이 부부의 관저지락(關雎之
樂)742)이 흡연하나, 이성지합(二姓之合)은 이루기 어려우니, 다만 가로되,

"생이 악장의 지우하신 후의를 감격하여 미처 친당에 고(告)치 못하고
소저를 취하니, 인자의 도리 가치 아니하고, 소저의 연기(年紀) 유충하
니, 수삼 년 지나기를 기다려 부부윤의(夫婦倫義)를 완전히 하리니, 소
저는 생의 마음을 거의 알려니와, 악모 염려하실까 두려워하노라."

소저 운환(雲鬢)을 숙여 은연한 수색(愁色)이 있어 옥면이 취홍(醉紅)
하니, 정씨 심리(心裏)에 실소하고, 화씨의 온유함을 진정으로 사랑하여
떠날 뜻이 없으나, 남씨 홍선만 데리고 외로이 있음을 잊지 못하여 내당
왕래를 드물게 하고, 취벽루에 있기를 많이 하며, 화공 부부 섬김이 반
자의 도리 극진하여, 부인께는 각별 친후(親厚)하나, 화공께 다다라는
공경함이 지극하니, 낯빛을 수렴하여 좌를 멀리 하며, 공의 옷자락을 자
기 좌석에 닿게 아니하니, 공이 사랑하는 가운데 기탄(忌憚)하며, 공맹
(孔孟) 이후 일인이라 하여, 여아로써 저의 여러 번째 부빈을 삼았으되
조금도 한하는 마음이 없어, 갈수록 두굿기고 아름다움을 이기지 못하
고, 향곡(鄕曲)의 잡류(雜類) 이르러 신랑 보기를 구하면, 화공의 마음
인즉 자랑 겸하여 뵈고자 하나, 정소저 일절 사람을 보지 않으므로, 순
순(順順)이 칭탁하여 혹 나갔다 하며 보이지 아니하고, 얼핏 사이 여러
일월이 되어, 여름이 진하고 추동(秋冬)을 당할수록 윤생의 도덕대현과
성현유풍은 흠이 없으나, 빙화소저의 비홍(臂紅)이 없지 않으니, 부모

---

741) 희이애중(喜而愛重) : 기뻐하고 사랑하여 소중히 대함.
742) 관저지락(關雎之樂) : 남녀 또는 부부 사이의 사랑. 관저(關雎)는 『시경(詩
    經)』'주남(周南)'편에 실린 노래 이름. 문왕(文王)과 태사(太姒)의 사랑을 주
    제로 한 노래.

처음은 염려하더니, 소저 부모의 근심하심을 민망하여 윤생의 하던 소유를 다 고하니, 공이 칭선불이(稱善不已) 왈,

"윤생은 예의군자라. 친당에 고치 아니하고 취처함을 안심치 못하매, 인자지도(人子之道)에 불안하여, 타일 부모의 명을 기다림이 소년 남자의 참기 어려운 행사라. 여아 아직 이륙(二六) 초춘(初春)에 지나지 아니하였고, 서랑이 삼오(三五) 춘광(春光)이라. 전정이 만리(萬里) 같으니 그리 바쁘리오."

부인이 또한 그러히 여겨 여아의 금슬을 염려치 아니하고, 윤생을 애경(愛敬)함이 친생 유자(乳子)에 나리지 아니하되, 그 위인이 단엄 정숙하여 예모 잡음이 삼엄한 고로, 감히 범연한 소년 서생으로 대접치 못하고, 화소저는 정소저가 같은 여자임을 몽리(夢裏)에도 생각지 못하고, 부도(婦道)를 극진히 하여 승순군자(承順君子)하는 온순함이 향석숙완(香席淑婉)743)이라.

정소저 더욱 애경(愛敬) 칭복(稱服)하여 정의(情誼) 심상치 아니하고, 매양 남씨를 대하여 화씨의 아름다움을 이르며, 취벽루에 고요히 처하여 성현서를 잠심하며 시사를 음영하니, 일찍 붓을 들어 글씨 쓰는 일이 없고 아는 체하기를 아니하되, 신기한 재주 만고를 기울여 이 같은 여자를 얻기 어려운지라. 인간 만물의 성쇠(盛衰)를 무불통지(無不通知)하니, 자기 액회(厄會) 기괴하여 과도히 슬퍼하는 일은 없으나, 위태부인과 유부인의 극악함을 생각하면 윤어사의 형제 보전키 어려우니, 이때는 능히 신상에 질환(疾患)이나 이루지 않으며, 참참한 변괴나 만나지 않았는가?

---

743) 향석숙완(香席淑婉) : 현숙하고 아름다운 여자. 향석(香席) : '향기로운 자리'라는 뜻으로 여자를 비유적으로 표현한 말.

염려 여기에 미치면 심담이 놀랍고 오내(五內)[744] 최절(摧折)하는 듯,
추연 탄식하여 함루비절(含淚悲絶)함을 참지 못하고, 존고의 비황(悲況)
하신 심사와 하·장 이소저의 위태한 형세를 슬퍼하며, 존고의 성체(聖
體)를 영모하고 유치(幼稚)를 그리는 회포 천만가지로 극심하매, 경사를
첨망(瞻望)하여 장탄식(長歎息)이 일어나니, 이때 남씨 홍선의 언내로
좇아 윤부 가변을 거의 들었던 고로, 매양 호언으로 위로하고, 부인은
남소저의 비원(悲怨)한 정사와 가변을 슬퍼하고, 규수의 자취 번거히 화
부에 머무는 줄 부끄러워 타루할 적이 많으니, 정소저 위로하여 양인의
지심(知心) 애대(愛待)하는 정이 골육 같으니, 동포자매(同胞姉妹) 아님
을 깨닫지 못하는지라.

남씨는 부친이 국사를 선치(善治)하고 쉬이 돌아오시기를 기다리더
니, 우연이 경사로 좇아 내려온 조보(朝報)를 화공이 보고 취벽누에 보
냈거늘, 펴보니 남순무 구주를 순무하고 돌아와 다시 일본 왜국에 천사
(天使)로 가다 하였으니, 남소저 집으로 돌아갈 기약이 망연하여, 만사
뜻 같지 못함을 슬퍼하니, 정소저 위로 왈,

"영대인이 비록 천사로 외국에 나가 계시나, 평안한 시절에 영화로이
사환(仕宦)하시니 각별 염려 없고, 현제 돌아갈 길이 없음을 한하나, 만
사(萬事) 천야(天也)며 명야(命也)라, 현마 어이 하리오. 나의 남다른 정
사와 참참한 누얼 가운데도 오히려 살기를 도모하고, 풍운의 길시를 바
라나니, 현제 비록 심사 즐겁다 이르지 못하나, 여러 가지 위름(危懍)한
염려는 없으리니, 참고 견디라."

남소저 척연 함체(含涕) 왈,

---

744) 오내(五內) : =오장(五臟). 간장, 심장, 비장, 폐장, 신장의 다섯 가지 내장을
　　통틀어 이르는 말.

"저저의 명론(明論)이 마땅하시나, 저저는 오히려 부모 존당이 구존하시고, 여러 동기 계시어 즐거이 자라신 바라. 일시 액회 괴이하여 부운 같은 누명을 실었으나, 타일 신백하실 때를 당하신즉, 영화로이 환쇄(還刷)하시어 친당에 봉배(奉拜)하시고, 동기 한 당에 모이신즉 지난 화액은 일장춘몽(一場春夢)이 되려니와, 소저는 생세 사오 삭에 자모를 조별(早別)하여 육아(蓼莪)의 통(痛)745)이 심곡에 맺혔는지라. 아득히 천양(天壤)을 격하여, 영모하는 정리와 십삭 구로(劬勞)의 생아지은(生我之恩)을 갚삽지 못하고, 자모의 얼굴도 모르는 지통이 백골이 진토(塵土) 되나 풀리지 않으리니, 어느 시절에 기쁘고 즐거움을 알리까?"

정소저 길이 탄식하고, 서로 위로하여 화부에서 일월을 허비하며, 절세(節歲)가 바뀜이 되더라.

어시에 경사 정부에서 시랑이 매제를 장사 적소에 안둔하고 경사에 돌아와 부중에 이르니, 순태부인과 금평후 부부 시랑의 무사히 돌아오기를 기다리다가, 슬하에 절함을 당하니 반갑고 기쁨이 무궁하나, 여아를 외로이 누천리 애각에 적거죄인으로 던지고 훌훌히 돌아옴을 새로이 슬퍼, 태부인은 소저의 상서를 보며 시랑의 손을 잡고 체루(涕淚)함을 마지아니하고, 진부인이 역시 참연 유체하니, 시랑이 천만 수회(愁懷)를 굳게 참아 소매의 통철관대(洞徹寬大)한 식량(識量)이 반드시 명철보신할 바를 일컬어 존당 부모를 위로하나, 부모 동기의 마음이 한가지라. 비절함을 이기지 못하여 하며, 그 사이 현기 등 삼아와 윤태우의 유자를

---

745) 육아지통(蓼莪之痛) : 어버이가 이미 돌아가시어 봉양할 길이 없는 효자의 슬픔. 『시경(詩經)』《소아(小雅)》편 〈곡풍(谷風)〉장 가운데 있는 '륙아(蓼莪)' 시에서 온 말.

다 잃어 사생거처를 모름이 되었으니, 시랑의 통상함이 자기 자녀를 실리함과 다르지 아니하고, 존당과 금후 부부 각골비도함이 일월이 바뀔수록 더하니, 택상에 융융한 화기 소삭(消索)하였으나, 세흥이 등과하여 옥당금마(玉堂金馬)746)의 한원(翰苑) 명사가 되어 기절(氣節) 청망(淸望)이 사류의 추앙하는 바요, 취처 전 십삼 소년이라.

금평후 비록 동서에 구친(求親)함을 일컬으나 허혼함이 없으니, 날마다 천파만매(千婆萬媒) 문정을 들레어, 왕공후백(王公侯伯)과 황친국척(皇親國戚)의 유녀자(有女者)는 다투어 구친하니, 이루 응답기 어렵고, 순태부인은 학사의 가기(佳期)를 일시 바빠하거늘, 학사는 아시로부터 안고태악(眼高泰岳)하여, 눈이 무산(巫山)과 월궁(月宮)을 낮게 여기는지라. 금평후 택부(擇婦)의 염려 일시를 한가치 못하여, 부디 특이한 여자를 얻어 세흥의 풍채를 저버리지 말며, 노친의 안전기화(眼前奇花)를 삼고자 하되, 뜻 같지 못하여, 시랑이 장사로서 돌아온 일순에 벼슬을 돋우어 태중태우(太中大夫)를 하였더니, 또 사오일이 넘지 못하여서, 상이 특지(特旨)로 예부상서를 제수하시니, 이는 조당 공론이 한 가지로 정인흥의 청명도덕을 일컬어, 벌써 재렬(宰列)에 거함이 마땅함을 주(奏)하였는 고로, 예부를 시키심이라.

정인흥이 지성 애걸하여 벼슬을 사양하되, 상이 마침내 불윤하시니, 인신의 도리 군명을 과도히 역하여 불경함이 가치 않은 고로, 마지못하여 고두사은하고 직임에 나아가니, 금평후의 삼자 위로 먼저 등과하여 병부는 문무에 대용(大用)함이 되어, 상이 언언이 주석고굉지신(柱石股

---

746) 옥당금마(玉堂金馬) : 중국 한(漢)나라 대궐의 옥당전(玉堂殿)과 금마문(金馬門)을 함께 이르는 말로, 황제를 가까이서 받드는 요직의 벼슬아치들을 뜻한다. 옥당전은 한림원이 있었던 전각의 이름이며 금마문은 전각의 문으로 문 앞에 동마(銅馬)가 있어 붙여진 이름이다. 조선에서는 홍문관을 옥당이라 했다.

肱之臣)으로 일컬으시고, 인흥이 또 예부에 오르니 언연(偃然)한 재상이 되어 위의 체체(逮逮)747)하고, 세흥이 진신명사(縉紳名士)로 으뜸이 되니, 금평후 불안 송구하여 갈수록 공근겸퇴(恭謹謙退)하기를 주(主)하며, 제자(諸子)를 경계하여 충신효제(忠信孝悌)하며 청검절차(淸儉切磋)하기를 당부하니 제자(諸子)가 수명배사(受命拜謝)하더라.

어시에 평장사 양필광은 정병부 차비 양씨 부친이라. 평장의 제이녀(第二女)의 연(年)이 십삼이라. 생성함을 각별 기이히 하여, 천지의 수출(秀出)한 정화와 일월의 광휘를 타고 났으니, 옥모화용(玉貌花容)이 빙정쇄락(氷晶灑落)하여, 팔채(八彩) 상서의 기운이 영령(玲玲)748)하니, 설부옥골(雪膚玉骨)이며 유미성안(柳眉星眼)이요, 월액화시(月額花顋)며 단순호치(丹脣皓齒)라. 동리부용(洞裏芙蓉)749)이 내피고자750) 하며 신월(新月)이 두렷하고자751) 하니, 백태만광(百態萬光)이 그 형 정병부 부인의 위라. 신장 체형의 숙성함이 범류와 내도하니, 천연한 기질은 난초가 향기를 토하며, 해상의 진주 보광(寶光)을 머금어 광채 찬란하니, 겸하여 성행이 화순하고 사덕(四德)이 정일(精一)하여 임사(姙似)의 덕과 조아(趙娥)752)의 풍(風)을 감추었으니, 백사가 초월하고 만사 특이하니, 양공 부부의 사랑이 만금보옥에 비길 바 아니라. 장녀로써 평남후 같은

---

747) 체체(逮逮) : 위의가 있는 모양.
748) 영령(玲玲) : 영롱(玲瓏)함. 곱고 투명한 모양.
749) 동리부용(洞裏芙蓉) : 골짜기 물속에 피어 있는 연꽃
750) 내피다 : 활짝 피어나다. 밖으로 두드러지게 나타나다.
751) 두렷하다 : 엉클어지거나 흐리지 아니하고 아주 분명하다. '뚜렷하다'보다 여린 느낌을 준다.
752) 조아(趙娥) : 열녀(烈女). 중국 후한(後漢) 주천인(酒泉人). 아버지가 같은 현에 사는 사람에게 살해되자, 10여년을 칼을 품고 기회를 노리다가 마침내 범인을 죽여 원수를 갚았다. 〈신속열녀전(新續列女傳)〉에 나온다.

영준군자를 배(配)하여 부부의 금슬이 화락(和樂) 차담(泚淡)753)하니, 재실의 구차함이 없음을 기뻐하다가, 의외에 문양공주 하가함을 인하여 변괴 층출하니, 절혼(絶婚) 이이(離異)하여 친당에 편히 있음을 바라지 못하고, 일야지간에 흉악한 호표 돌입하여 채가므로754) 지금에 시신도 찾지 못하고, 참통함이 흉격(胸膈)에 칼날이 걸린 듯하거늘, 다시 자염을 마저 잃어 여아의 골육을 없애니, 한충 부부 조심하여 기르는 줄은 알지 못하고, 장녀의 팔자 절절이 험난함을 탄석(歎惜)하여, 차녀의 일생이나 안한하고 종용한 데 성혼코자 하여 옥인군자를 유의하여 여아의 백년가약을 정하고자 하되, 평장의 고안(高眼)에 드는 자가 없고, 자연 양소저의 성화는 연인(連姻) 절친가(切親家)로 좇아 모를 이 없으니, 비록 향을 감추나 내755)를 금키 어렵고, 주머니 속 송곳이 끝을 감추기 어려우니, 명문거족의 유자자(有子者)는 양소저의 현미함을 흠앙하여 구혼할 이 문정에 메었으되, 양공이 여아의 유충함으로 밀막아 가벼이 허치 않아, 한 곳도 완정한 곳이 없음을 금평후 모르지 않는지라. 일일은 평남후의 시침함을 당하여 태우와 제자가 없는지라. 이에 남후더러 이르되,

"전일 들으니 양평장의 차녀가 있어 승어기형(勝於其兄)이요, 연기 세아와 상적함을 그윽이 유의함이 있으되, 양공의 거동이 조금도 세아를 가서(佳壻)에 의향함이 없고 혼사 다히756)를 들놓지 않으니, 그 뜻이 세아를 부족히 여기미라. 제 만일 듣지 아니하면 나의 청혼이 가장 무류(無聊)할 고로, 아직 발구(發口)치 아니하였거니와, 원간, 양공이 혼사

---

753) 차담(泚淡) : 맑고 담담함.
754) 채가다 ; 재빠르게 센 힘으로 빼앗거나 훔쳐 달아나다.
755) 내 : 물건이 탈 때에 일어나는 부옇고 매운 기운. 연기.
756) 다히 : 따위, 등의 뜻을 나타내는 의존명사.

를 정약한 곳이 없으랴?"

남후 복수(伏首) 대왈,

"양평장이 삼제(三弟)를 유의치 않음은 세흥의 위인이 군자유풍이 부족함으로 그 소원에 불합함이 있어, 타에 향의하고 우리 집과는 결친하기를 생각지 않는가 싶으니이다. 연이나 양공의 차녀는 세상에 희한한 숙녀인가 싶되, 양공의 택서하는 뜻이 옥인군자를 가려 종요로이 데리고 있으려 한다 하니, 삼제의 온중치 못함이 양공의 소원과 불합하되, 야야 당면하시어 구혼하실진대 어찌 허치 않으리까?"

금후 미우를 찡겨 가로되,

"세흥의 불초함이 광망무식(狂妄無識)하기를 겸하여 가취지사(可取之事) 없으니, 양공의 구혼치 않음이 가장 명달한 소견이거늘, 내 사정을 구애하여 불미한 자식으로써 남의 천금옥녀를 구함이 염치에 괴이할까 하노라."

남후 고왈,

"삼제 연소지심에 범사 온중치 못하오나, 구태여 하등이 아니라. 양공의 여서 되매 외람함이 없사오리니, 어찌 구혼함을 자저하리까? 소자 양공을 보고 물어보리이다."

금후 묵연 부답하더라.

명일 양공이 맞추어 취운산에 왔다가 진부로 좇아 정아(鄭衙)에 이르니, 금후 병부와 예부로 더불어 외루에 잇다가, 양공의 왔음을 듣고, 크게 반겨 들어옴을 청하여, 빈주 한훤(寒暄) 필에 오래 보지 못하던 바를 이를 새, 양공이 가로되,

"소저 여식을 잃어 그 시신도 찾지 못하니, 일월이 갈수록 심신이 차악하여 비상 통절하는 중, 어린 여식이 연기(年紀) 이륙을 지났으나 부모의 정으로써 한 자식이나 전정이 온전하기를 바라는 고로, 택서하는

염려 자못 한가치 못하여 오래 귀부를 말미암지 못하였거니와, 형은 어찌 소제를 찾지 않으시더뇨?"

금평후 가로되,

"우제(愚弟) 또한 봉친지하(奉親之下)에 한 때 이측이 어려운 고로, 현형을 가 찾아보지 못하였거니와, 형이 영녀의 화란을 한하여 우리 집과 다시 결친지의(結親之義)를 맺아 각별할 바를 생각지 아니하고, 천금옥녀로써 타문에 보내려 하거니와, 원간 어떤 천선 같은 사위를 얻는가, 눈을 씻어 구경하리라."

언파에 호호히 웃으니, 양공이 또한 박소 왈,

"현형이 일찍 소제를 대하여 혼사를 구하다가, 장녀의 궂김으로써 형의 집 탓을 삼아 혼인을 불허하고 타처에 신랑을 유의하면 형의 말이 가커니와, 형이 전후에 우제를 대하여 청혼을 않고 이런 말을 하니, 내 무슨 명견으로 윤보의 뜻을 알아 청혼하리오."

금평후 빈미(嚬眉) 소왈,

"형이 평일 소저로 더불어 관포(管鮑)의 지음(知音)이 있음을 이르더니, 이제 당하여는 제심을 모르노라 하니, 어찌 관중(管仲)이 재물을 가져가매 포숙(鮑叔)이 그 마음을 알음과 같음이 있으리오."

정병부 그 악장을 대하여 혼사를 쾌히 청코자 하되, 이미 부공과 양공이 말끝을 내어 혼사를 정코자 뜻을 비치시니, 자기 감히 간예치 못하되, 오직 예부로 더불어 의관을 수렴하여 좌에 모셔 말씀을 들을 뿐이라. 양공이 소색(笑色)이 흔연하여 가로되,

"소제 윤보로 더불어 죽마(竹馬)를 이끌어 자라매, 글을 한가지로 공부하여 동방(同榜)에 계지(桂枝)를 꺾으니, 우제의 불사(不似)한 위인이 형으로 쌍(雙)하지 못하나, 형의 마음을 모르는 바 아닐러니, 윤보가 이제 관포(管鮑)의 지음(知音)이 아님을 일컬으니, 고인을 따르기 어려움

을 알거니와, 형은 어찌 소제의 발구치 못하는 뜻을 모르느뇨?"

금후 소왈,

"소제 불민(不敏) 불명(不明)하여 본디 사람의 마음을 모르거니와, 내 낭자(曩者)757)를 지내어 보고 타처에 의혼함이, 돈아의 광망불인(狂妄不仁)함을 형이 나무라 버림이니, 소제 무슨 염치로 청혼하리오마는, 그러나 우리 양가의 정분으로써 인아(姻婭)의 의(義)를 겹겹이 맺고, 영아 소저의 성화를 들으매 외람히 슬하 식부를 삼고자 함이라. 소제는 세아의 위인이 천흥만 못하지 않은가 하노라."

양공이 금평후의 언사 이에 미쳐서는 또한 하릴없는지라. 웃고 가로되,

"형이 소제 마음을 나무라 하여 짐작으로 이르거니와, 오히려 이 일에 다다라는 자세히 모름이라. 소제 장녀로써 창백의 재실을 혐의치 않음은 타사 아니라, 여아의 위인이 마침내 암약(暗弱)하여 창백의 원위(元位)는 감당치 못할 고로, 윤부인을 취한 후 버거 여아를 취하라 함은, 창백 같은 대군자 영준으로 하여금 동상을 삼아 문난(門闌)의 광채를 이루고, 소제 비록 재실(再室)의 이름이 있을지언정, 안한무사(安閒無事)하여 중궤(中饋)758)의 책임과 봉사봉친(奉祀奉親)의 수고함이 없을 바를 깃거함이러니, 저의 명도 괴이하여 세상의 해괴한 화를 만나 생사존망이 아스라하니, 통한 참상함이 장차 어떠하리오. 이제 형의 겹겹 인아의 정을 맺으며, 예백으로써 창백만 못하지 아니하다 하나, 창백은 만고를 기우려 짝이 없는 위인이라."

금후 왈,

"어찌 이름인고?"

---

757) 낭자(曩者) : 지난번.
758) 중궤(中饋) : 안살림 가운데 음식에 관한 일을 책임 맡은 여자. 늑주궤(主饋).

양공 왈,

"하해지량(河海之量)과 태산(泰山)의 중(重)함이 있음이라. 마음이 상
쾌하고 천리를 예탁하는 총명이 별안간에 사람의 현불초를 비치니, 이
어찌 나이로 좇아 더함이 있으리오. 천성의 타난 바 천지일월정기(天地
日月精氣)라. 이제 예백은 풍류준걸로 용모신채 화옥(花玉)에 빛난 것을
압두하고, 문장재화는 사마천(司馬遷)을 묘시하여, 언론기절이 경앙(景
仰) 늠렬(凜烈)하여 거의 그 백형(伯兄)을 따를 듯하되, 죽청의 인의지
덕과 관대화홍함을 믿지 못하고, 결증이 태과하여 마침내 여자로 하여
금 괴롭게 할 것이요, 종요로운 서랑이 되지 못하리니, 소저의 어린 딸
이 숙녀의 방향을 알지 못하고, 군자의 건기(巾器)를 소임 하매 허물이
없지 않으리니, 믿지 못할 것이므로 감히 예백 같은 사위를 바라지 못하
고, 일개 단사(端士)를 구하더니, 형이 나의 구혼치 않음을 미안이 여길
새, 이에 허하나니, 장래 불민하여, 존문 고안(高眼)에 불합하나 우제의
탓으로 알지 말라."

금후 양공의 허락을 얻고 대열하더라.

최길용

문학박사
전북대학교 겸임교수
전북대학교 인문학연구소 전임연구원

● 논 문
〈연작형고소설연구〉외 50여편

● 저 서
『조선조연작소설연구』등 13종

현대어본 명주보월빙 **4**

초판 인쇄 2014년 4월 20일
초판 발행 2014년 4월 30일

역　　주| 최길용
펴 낸 이| 하운근
펴 낸 곳| 學古房

주　　소| 서울시 은평구 대조동 213-5 우편번호 122-843
전　　화| (02)353-9907   편집부(02)353-9908
팩　　스| (02)386-8308
홈페이지| http://hakgobang.co.kr/
전자우편| hakgobang@naver.com,   hakgobang@chol.com
등록번호| 제311-1994-000001호

ISBN   978-89-6071-387-1   94810
        978-89-6071-383-3   (세트)

값 : 16,000원